Paul Hazard

DIE KRISE DES F̶ ̶ ̶ÄISCHEN
GEIS̶

Paul Hazard
DIE KRISE DES EUROPÄISCHEN GEISTES
La Crise de la Conscience Européenne 1680-1715

Mit einer Einführung von Prof. Carlo Schmid

Published in 2021 by CEEOLPress, Frankfurt am Main, Germany
All rights reserved. No part of this publication may be reproduced,
stored in a retrieval system, or transmitted, in any form or by any
means, without the permission of the Publisher.

Digitization and Typesetting:
CEEOL GmbH, Frankfurt am Main
Layout: Alexander Neroslavsky

e-ISBN: 978-3-946993-77-3

ISBN: 978-3-946993-78-0

Paul Hazard

DIE KRISE
DES EUROPÄISCHEN
GEISTES
Einführung von Prof. Carlo Schmid

CEEOLPress 2021

INHALT

EINFÜHRUNG 5
VORWORT 14
DIE GROSSEN
PSYCHOLOGISCHEN
VERÄNDERUNGEN 22
VON DER BEHARRUNG ZUR BEWEGUNG 22
VOM ALTEN ZUM MODERNEN 54
VOM SÜDEN ZUM NORDEN 84
HETERODOXIE 117
PIERRE BAYLE 141

DER KAMPF GEGEN
DIE ÜBERLIEFERUNGEN 164
DIE RATIONALISTEN 164

DIE VERNEINUNG DES WUNDERS:
DIE KOMETEN, DIE ORAKEL UND
DIE HEXENMEISTER 212
RICHARD SIMON UND DIE BIBELFORSCHUNG 244
BOSSUET UND SEINE KÄMPFE 267
LEIBNIZ UND DAS MISSLINGEN EINER
EINIGUNG DER KIRCHEN 292

DER VERSUCH EINES WIEDERAUFBAUS 319
DER EMPIRISMUS VON LOCKE 319
DER DEISMUS UND DIE NATURRELIGION 336
DAS NATURRECHT 355
DIE SOZIALE MORAL 380
DAS GLÜCK AUF ERDEN 390
DIE WISSENSCHAFT UND DER FORTSCHRITT 405
EINEM NEUEN IDEALBILD VOM MENSCHEN
ENTGEGEN 425

tät des Tages. Er ist nicht der einzige: In Toulouse, in der Dauphiné, der Picardie, in Flandern hört man von nichts als ähnlichen Heldentaten. Priester, Mönche, Kinder und Frauen erraten das Vorhandensein von Wasser oder Gold. Handelt es sich dabei nur um Frankreich? Durchaus nicht: In Deutschland benutzt man die Wünschelrute, um verrenkte Knochen wieder an den rechten Platz zu bringen, Wunden zu heilen, Blutergüsse aufzusaugen. Ähnlich ist es in Böhmen, Schweden, Ungarn, Italien und Spanien: »Zahuris, so nennt man in Spanien gewisse Leute, die, wie man behauptet, einen so durchdringenden Blick haben, dass sie unter der Erde Wasseradern, Metalle, Schätze und Leichen erkennen können. Sie haben stark rötliche Augen . . .[155]«

In Ägypten lässt die Wünschelrute »das Wasser herauskommen, das die aufgeschwollenen Tiere quält«. In all diesen Geschichten steckt viel Betrug. Aber da nicht zu bestreiten ist, dass die Rute in gewissen Fällen ausschlägt, ohne dass man die Ehrlichkeit desjenigen, der sie hält, anzweifeln kann, so schreibt man diese geheimnisvollen Bewegungen den Machenschaften des Dämons zu. Wieviel Aufregung gab es schon ohne all die Zauberer jeder Art, und dazu kamen die Geisterbeschwörer, die Wahrsager, die Kartenlegerinnen . . .

Aber überall zeigt sich auch die Reaktion des gesunden Menschenverstandes. Wieviel Bücher erscheinen nicht für und gegen Jacques Aymar! Aber es ist nichts mehr und nichts weniger als die Geschichte von dem Goldzahn, die hier wieder anfängt! »Nachdem bereits zwei kleine Bücher über diese Sache geschrieben worden waren, verfasste Vallemont ein drittes, das sechshundert Seiten in Duodez umfasste, und in dem er die Drehung

---

155 Pierre Bayle, Dictionnaire, Artikel Zahuris.

der Wünschelrute mechanisch erklärte. Herr P. vom Oratorium widerlegte ihn und bewies schlagend, dass die Rute sich ohne Eingriff des Teufels nicht drehen könne. Schließlich stellte sich nach Erscheinen dieser schönen Bücher heraus, dass Jacques Aymar ein Schwindler war, den *Monsieur le Prince* davonjagen ließ. Das Amüsanteste an dieser Geschichte ist für einen Philosophen, dass Vallemont am Beginn seines Buches versichert, die von Van Dale berichtete Geschichte vom Goldzahn sei ihm eine Warnung gewesen, und er habe sich daher, ehe er sich an die Erklärung des Wunders gemacht habe, versichert, dass es auch existierte.« So mokiert sich Dubos in einem Brief an Bayle vom 27. April 1696. Brossette, der den Wundermann gesehen, mit eigenen Augen gesehen hat und im Augenblick, wo er seinem Freund Boileau gegenüber sein Herz ausschüttet, noch unter diesem Eindruck steht, ist versucht, leichtgläubig zu sein. »Lyon, am 25. September 1706. — Ich sah hier gestern einen Mann, dessen Eigenschaften oder, wenn Sie wollen, natürliche Gaben nicht ganz leicht zu erklären sind. Es ist der berühmte Jacques Aymar, genannt der Rutengänger, ein Bauer, der aus dem vierzehn Meilen von Lyon gelegenen Saint-Marcellin in der Dauphiné stammt. Man lässt ihn manchmal in diese Stadt kommen, um gewisse Dinge zu entdecken. Er hat mir Erstaunliches über seine divinatorische Gabe zum Auffinden von Quellen, versetzten Grenzsteinen, verstecktem Geld, gestohlenen Sachen, Mord und Totschlag berichtet. Er hat mir die heftigen Schmerzen und Krämpfe beschrieben, unter denen er leidet, wenn er sich an dem Ort des Verbrechens befindet. Zunächst gerät sein Herz durch ein Fieber ganz in Wallung, das Blut kommt ihm mit Erbrechen aus dem Munde, und er fällt in Ohnmacht. All das widerfährt ihm, ohne dass er die Absicht hat, irgendetwas zu suchen, und diese Erscheinungen hängen mehr mit seinem Körper selbst als mit der Rute zusammen. Wenn Sie begierig sind, mehr zu erfahren, kann ich Sie zufriedenstellen . . .« Nein, Boileau hat durchaus keine Lust, mehr zu erfahren. Die Beschreibung, die sein Freund ihm schickt, lässt ihn ungerührt, und er antwortet mürrisch: »Auteuil, 30. September 1706. Wahrhaftig, mein lieber Herr, ich kann nicht verheimlichen, dass ich nicht ganz zu begreifen vermag, wie ein so gebildeter Mann wie Sie in ein so grobes Garn gehen und einen Elenden hat anhören können, dessen Schurkerei hier völlig aufgedeckt worden ist und der zur Zeit in Paris nicht einmal Kinder und Ammen finden würde, die bereit wären, ihm zuzuhören. Im Jahrhundert von Dagobert und Karl Martell schenkte man derartigen Schwindlern Glauben, aber wie kann man zur Zeit Ludwigs des Großen solchen Hirngespinsten sein Ohr leihen, und geschieht es vielleicht, weil seit einiger Zeit zusammen mit unseren Siegen und Eroberungen auch unser gesunder Menschenverstand uns verlassen hat?« Im Gegenteil: der gesunde Menschenverstand wacht. »Man hat mich versichert, es gäbe mehrere Personen in Paris, die einen Beruf aus dem Wahrsagen machen und die viel Geld mit diesem Geschäft verdienen. Das überrascht mich nicht. Es gibt so viele Dummköpfe und solche jeglicher Art in dieser großen Stadt, dass es nicht verwunderlich ist, dass man auch zum Wahrsager rennt.[156]«

Das sind die persönlichen Proteste der klaren Köpfe, aber daneben entsteht ein System, das, indem es die Seelen vom Aberglauben befreit, mit demselben Streich den Glauben angreift: Niemals macht es sich die Mühe, die beiden Begriffe zu unterscheiden, immer verwechselt es sie miteinander.

---

156 Richard Simon, Lettres, Band III, S. 51.

Die Kometen zeigen keinerlei Unheil an. Die Orakel waren nichts als Schwindel; Gott hat seine Absichten nicht in die Eingeweide der Tiere geschrieben; er hat sie nicht Narren und Wahnsinnigen anvertraut. Wenn man unter Hexenmeistern Schwindler und Kranke verstehen will, so gibt es Hexenmeister; sonst gibt es keine. Es gibt keine Teufel, noch gibt es den Teufel. Es gibt keine Autorität, die in letzter Instanz entscheidet. Es gibt keine Überlieferung ohne Irrtümer und Lügen. Es gibt keine Wunder, denn die Natur macht sich nicht zum Komplizen des menschlichen Wahnsinns.[157] Es gibt nichts Übernatürliches. Es gibt kein Mysterium, das die Vernunft nicht zu durchdringen vermöchte: »Soll ich Ihnen in meiner Eigenschaft als alter Freund sagen, woher es kommt, dass Sie auf eine landläufige Meinung hereinfallen, ohne das Orakel der Vernunft zu befragen? Weil Sie glauben, in alledem wäre etwas Göttliches . . .; weil Sie sich einbilden, der allgemeine Consensus so vieler Nationen im Verlaufe so vieler Jahrhunderte könne nur aus einer Art Inspiration stammen, *vox populi, vox dei*; weil Sie sich infolge ihres Charakters als Theologe angewöhnt haben, ihre Vernunft nicht mehr zu gebrauchen, sobald Sie glauben, es sei etwas Mystisches im Spiel.[158]«

RICHARD SIMON UND DIE BIBELFORSCHUNG

Wie hätte die Heilige Schrift verschont bleiben können? Es war nur logisch, dass man begann, sie zu untersuchen, zu kritisieren, stellte sie doch die höchste Autorität dar.

157 Tractatus theologico-politicus, Vorwort.
158 Pierre Bayle, Pensées diverses . . . à l’occasion de la Comète, § 8.

Die Freigeister frohlockten, sobald sie ihr innere Widersprüche nachweisen konnten: In der Genesis steht, Adam und Eva seien die ersten Menschen gewesen, sie hätten zwei Söhne, Kain und Abel, gehabt, und Kain habe Abel erschlagen; Kain habe darauf zu Gott gesagt: »Meine Sünde ist größer, denn dass sie mir vergeben werden möge . . . So wird mir's gehen, dass mich totschlage, wer mich findet.« *Wer mich findet*: es gab also schon Menschen vor Adam. Seit langem schon hatte Isaac de Peyrère diese Entdeckung gemacht, und die Präadamiten waren die großen Freunde der Freidenker geworden.

Lesen wir den Essay in Form eines Briefes, den ein Magister der schönen Künste an der Universität Oxford im Jahre 1695 an einen Adligen in London richtet: eine neue Form des Angriffs. Alle orientalischen Völker, alle, die Hebräer nicht ausgenommen, haben eine mythenbildende Fantasie. So wie die Geschichte der Perser, Meder, Assyrer, ist auch die Bibel nichts als eine Anhäufung von Legenden. Der Talmud enthält Millionen Fabeln. Die Araber haben die Hebräer, was die Bilder, Vergleiche, Erfindungen betrifft, noch übertroffen: ihr Koran ist der Beweis und desgleichen ihre Poetenscharen, die späterhin Spanien und die Provence mit ihren Geschichten von fahrenden Rittern, Giganten, Drachen, verzauberten Schlössern und dem ganzen Ritterwesen angesteckt haben . . . Kurzum, die Heilige Schrift is *altogether mysterious, allegorical and enigmatical*; sie gehört zu jenen Märchen des Orients, die nichts weiter sind als *romantick hypotheses* . . .[159]

Die Protestanten fanden bei ihrem Bestreben, den Urtext des Gotteswortes zu studieren und von den mit

---

159 Two Essays sent in a letter from Oxford to a Nobleman in London. The first concerning some errors about the Creation, General Flood, and the Peopling of the World, in two parts. The second con-

der Zeit aufgehäuften Interpretationen zu reinigen, dass dies keine ganz leichte Aufgabe war. Sie warfen den Katholiken ihre Passivität gegenüber der Bibel vor, und die Katholiken ihnen ihre Vermessenheit. Tatsächlich war von dieser Seite eine große Arbeit der Bibelauslegung geleistet worden, wie die Werke des Samuel Bochart, eines Pfarrers und Professors in Caen, und des Louis Cappelle bewiesen, der gleichfalls Pfarrer und Professor aber in Saumur war.

Von seiten der Juden trat Spinoza auf und riet, die Bibel nach der gleichen Methode zu interpretieren, die beim Studium der Natur angewandt werde. So drückte er selbst sich aus. Man sieht, wohin dies führen musste: Da diese Methode darin bestand, zunächst eine getreue Geschichte der Phänomene aufzustellen, um von diesen ausgehend zu zuverlässigen Gegebenheiten, zu exakten Definitionen zu gelangen, musste man damit beginnen, das Hebräische zu lernen. Das war eine außerordentlich schwierige Aufgabe, denn »die alten hebräischen Grammatiker haben uns nichts über die Grundprinzipien dieser Sprache und über ihre Theorie hinterlassen«, und wir besitzen »weder ein Wörterbuch, noch eine Grammatik, noch eine Rhetorik des Hebräischen«. Zweitens, sagt Spinoza, müssen wir uns vom Sinn und Geist der Bibel leiten lassen und uns ihr anpassen, anstatt sie unseren Vorurteilen anzubequemen. »Die dritte Bedingung, die eine Geschichte der Heiligen Schrift zu erfüllen hat, ist die, uns mit den mannigfachen Schicksalen bekanntzumachen, welche die Bücher der Propheten erfahren haben, soweit die Überlieferung davon uns erreicht hat, als da sind: das Leben und die Studien des Verfassers jedes dieser Bücher, die Rolle, die er gespielt hat, zu welcher

cerning the Rise, Progress and Destruction of Fables and Romances. By L. P. Master of Arts. London 1695.

Zeit, bei welcher Gelegenheit, für wen und in welcher Sprache er seine Schriften verfasst hat. Das genügt noch nicht, man muss auch das Schicksal eines jeden einzelnen Buches berichten, insbesondere uns sagen, wie es zuerst aufgezeichnet wurde und in welche Hände es in der Folge gekommen ist, was für Lehren man daraus hat ziehen wollen, wer es zum Rang der heiligen Bücher erhoben hat, und wie schließlich alle diese Werke . . . zu einem einzigen Ganzen zusammengefasst worden sind . . .[160]«

Hatten die Katholiken in ihren eigenen Reihen nicht Louis de Launoy, den Entdecker von Heiligen, und den gelehrten Mabillon, der so geschickt war in der Textkritik? Selbst der Abbé Fleury, der sehr orthodoxe Verfasser der *Histoire ecclésiastique*, entkleidete das Leben der Jungfrau Maria und das der Apostel all jener Legenden, mit denen man sie nach Gefallen ausgeschmückt hatte: so war der Geist der Zeit.

Aber alle diese Tendenzen flossen erst in eins zusammen, als ein Mann auftrat, der wagte, die folgenden, so einfachen und doch so entscheidenden Worte zu sprechen:

»Die, deren Beruf es ist, Kritik zu üben, dürfen sich mit nichts anderem befassen, als den buchstäblichen Sinn ihrer Autoren darzulegen, und müssen alles vermeiden, was nicht ihrem Zwecke dient [161]«.

Mit Richard Simon und der Veröffentlichung seiner *Histoire critique du Vieux Testament* im Jahre 1678 wird sich die Kritik ihrer Macht bewusst.

Kritik war ein Fachausdruck, wie Richard Simon im Vorwort zu seiner Arbeit hervorhob: »Da noch nichts

---

160 Tractatus theologico-politicus, VII.
161 Richard Simon, Histoire critique du Vieux Testament, Band III, Kap. XV.

dergleichen in französischer Sprache erschienen ist, mag man sich nicht wundern, dass ich mich manchmal gewisser Ausdrücke bedient habe, die nicht ganz gebräuchlich sind. Jede Kunst hat ihre besonderen Ausdrücke, die ihr in gewisser Weise allein Vorbehalten sind. In diesem Sinne wird man in dieser Arbeit häufig das Wort Kritik und einige andere ähnliche Bezeichnungen finden, deren ich mich bedienen musste, um mich in den termini der Kunst auszudrücken, die ich behandelte. Zudem sind die Gelehrten bereits an den Gebrauch dieser Fachausdrücke in unserer Sprache gewöhnt. Spricht man zum Beispiel von dem Buch, das Cappelle unter dem Titel Critica sacra hat drucken lassen, und von den Kommentaren zur Heiligen Schrift, die in England unter dem Namen Critici sacri herausgekommen sind, so sagt man auf Französisch: *La critique de Cappelle, les critiques d'Angleterre.*«

Diese besondere Kunst, die nunmehr aus dem reinen Gelehrtengebrauch heraus und vor der Allgemeinheit ihre Macht beweisen will, ist sich Selbstzweck: Sie entscheidet den Grad der Zuverlässigkeit und Echtheit der Texte, die sie studiert, und schließt alles außerhalb ihrer selbst Liegende aus, zum Beispiel alle Rücksicht auf Wahrung von Schönheit und Moralität. Wendet sie sich irgendeinem heiligen Buche zu, so ignoriert sie bewusst die Theologie, die in keiner Weise in ihr Fach schlägt. Es ist weder ihre Sache, sie anzugreifen, noch sie zu verteidigen. Ihr Standpunkt ist, dass sie den Text nicht beeinflussen kann; keine Autorität vermag einen Text zu etwas anderem zu machen als genau dem, was er ist. Widerspricht irgendeine Stelle einem Dogma und ist authentisch, so gilt nicht das Dogma, sondern das Geschriebene. Ist irgendeine für ein Dogma unentbehrliche Stelle apokryph, so muss sie fallen! Ob es sich nun um die Ilias, die Äneis oder den Pentateuch handelt, die Prinzipien der Kritik bleiben dieselben; sie weist jegliches *a priori* zurück. Im Augenblick, wo sie sich gegenüber in Stein gemeißelten oder auf Pergament geschriebenen Schriftzeichen sieht, ist sie souveräne und einzige Herrin ihrer Handlungen.

Sie stützt sich auf die Philologie, die aus einer bescheidenen Dienerin zur Königin aufrückt. Das, was Renan von der überragenden Würde der Philologie geschrieben hat, muss Richard Simon im Reich der Schatten gutgeheißen haben; denn es war seine Ansicht. Kritiker und Philologe, das wollte er sein. Kritiker hatten die Chronologen vor ihm sein wollen. Auch sie wollten nichts anderes kennen als den Gegenstand ihrer Kunst: die Berechnung der Zeiten. Aber vor ihren eigenen Entdeckungen hatte sie Angst erfasst. Vor allem fehlte ihnen das Bewusstsein, dass es eine Revolution war, worauf sie hinarbeiteten, und auf jeden Fall waren sie nicht eigentlich von den heiligen Texten selbst ausgegangen. Auch Grotius war ein Kritiker gewesen, als er das Alte und Neue Testament mit Anmerkungen versah, aber ihm fehlte die nötige Unerbittlichkeit. Er hatte nämlich selbst zweimal das Gesetz, das er sich gemacht hatte, übertreten: einmal, indem er sich auf die weltliche Antike berief, die mit der Sache gar nichts zu tun hatte, dann indem er sich von seinen eigenen Anschauungen beeinflussen ließ: als Arminianer und Socinianer hatte er zwar meist die beste Textauslegung gewählt, aber manchmal auch die Version, die für die Arminianer und Socinianer günstig war. Kritisch war auch Spinoza gewesen, und es wäre schwer, in ihm nicht einen unmittelbaren Vorläufer von Richard Simon zu sehen. Dieser diskutiert seine Ansichten selbstverständlich und lehnt sie in ihren Schlussfolgerungen ab, aber doch mit jenem Respekt, den man für einen großen Lehrer hegt: »Wendet mir nicht ein, dies sei die Sprache des ungläubigen Spinoza, der die Wunder, welche die

Heilige Schrift erwähnt, strikt ableugnet. Befreit euch von diesem Vorurteil, das manche sich heute zunutze machen. Die gottlosen Schlussfolgerungen, die Spinoza aus gewissen Grundsätzen, die er aufstellt, zieht, sind zu verdammen, aber diese Grundsätze selbst sind nicht immer in sich falsch und zu verwerfen.[162]« Spinoza, dieser geniale Erfinder, war nicht immer genügend Philologe gewesen, und der konstruktive Teil seiner Exegese litt darunter. Spinoza hatte seiner Metaphysik erlaubt, sein wissenschaftliches Denken zu beherrschen. Mit Richard Simon trat die Kritik zum ersten Mal in ihrer vollen Reinheit und der ihr eigenen Unerbittlichkeit in Erscheinung. Weder die Philosophie noch die Dogmen beeinflussten seine Entscheidungen; allein maßgebend waren: das Manuskript, die Tinte, die Schrift, das Schriftbild, die Buchstaben, die Kommata, die Punkte, die Akzente. Die weltliche Wissenschaft weigerte sich, die geheiligte Autorität anzuerkennen.

Richard Simon war ein kleiner Mann mit einer Fistelstimme; er war hässlich und von wenig intelligentem Aussehen: »Man kann von ihm nicht sagen, wie man von einigen anderen getan hat, die Natur habe ihm einen Empfehlungsbrief aufs Gesicht geschrieben.« Die Natur hatte ihn auch nach Geburt und Reichtümern nicht begünstigt: er war der Sohn eines armen Grobschmiedes in Dieppe. Aber sie hatte ihm die leidenschaftliche Liebe zum Studieren verliehen, einen starken und durchdringenden Verstand, einen unbeugsamen Willen und gleichzeitig eine große Geschmeidigkeit und eine große Hartnäckigkeit. Er legte seine Examen in Humaniora und Philosophie bei den Oratorianern in Dieppe ab, ließ sich vom Strom treiben, indem er beschloss, in den Or-

---

162 Lettres choisies, Ausg. von 1730, Band IV, Brief 12.

den einzutreten, und wurde als Stipendiat in das Pariser Novizenhaus geschickt. Er hätte den Orden fast verlassen »aus irgendeinem Ekel, den er nicht überwinden konnte«, und wäre so beinah schon bei den ersten Schritten gestolpert, hätte nicht ein reicher Beschützer, der Abbé de La Roque, ihm wieder auf die Beine geholfen, indem er ihm die nötigen Mittel gab, um nach Paris zurückzukommen und seine theologischen Examen zu machen. Hier entschied sich seine Berufung. Er war kein Humanist und gar kein Scholastiker. Dagegen zog ihn die unabgedroschenste aller Gelehrsamkeiten an, die allerschwierigste: er machte sich ans Studium des Hebräischen.

Als er im Jahre 1662 ins Oratorium zurückkehrte, erlaubte man ihm, diese Studien fortzusetzen. Hierher gehört eine jener Anekdoten, wie sie das Leben solcher Männer immer ausschmücken und seinen Sinn symbolisch unterstreichen. Seine Kameraden waren entrüstet, weil sie in seinem Zimmer häretische Bücher vorfanden, wie zum Beispiel die polyglotte Bibel aus London und verschiedene Kritiken der heiligen Texte: sie zeigten ihn an. Nun stellte sich heraus, dass Simon einen Helfershelfer hatte: es war ausgerechnet der Direktor des Hauses, Père Bertad. Dieser hatte sich mit sechzig Jahren bei diesem blutjungen Meister in die Lehre begeben und las jeden Tag mit ihm die Originaltexte der Heiligen Schrift. So trug Simon den Sieg davon.

Die glücklichste Zeit seines Lebens war vielleicht die, welche er in der Bibliothek des Hauses in der Rue Saint-Honoré damit zubrachte, den Katalog der orientalischen Bücher aufzustellen, die der Orden besaß. Seine philologischen Kenntnisse erweitern und vertiefen, direkt an die Quellen herangehen, um sich herum in Reichweite seiner Hände die besten und — die Wahrheit zu sagen — einzigen Lehrmeister haben: welches Glück in jedem

Augenblick! Überdies beschränkte er sich nicht auf den täglichen Umgang mit den Drucken, den Manuskripten: er machte die persönliche Bekanntschaft jüdischer Rabbiner, namentlich eines gewissen Jonas Salvador, mit dem er die Bibel las. Im Jahre 1670, dem Jahr, in dem er zum Priester geweiht wurde, verfasste er auf dessen Bitte einen Schriftsatz, in dem er die Sache der Juden von Metz verteidigte, die angeklagt waren, einen Ritualmord begangen zu haben.

Wollt ihr das große rabbinische Meer befahren, so wählt einen Lotsen, der diese lange und schwierige Überfahrt gewöhnt ist. Sie dauerte jahrelang, die Überfahrt über dies große Meer, und er verabsäumte nichts, was sie direkter und sicherer machen konnte: er befragte alle Seekarten und betrachtete alle Gestirne. Er spannte seinen Willen an und rief alle seine Fähigkeiten zur Hilfe: seine Klarheit — denn es gelang ihm, auch noch in den verwickeltsten Fragen der Grammatik klar zu sein — seinen gesunden Menschenverstand, sein Unterscheidungsvermögen, seine Unbefangenheit, seinen Scharfsinn, seine Genauigkeit.[163] Er schöpfte aus der Gelehrsamkeit, die er angehäuft hatte, »besonders der jüdischen«. Zum Schluss fühlte er sich fähig, dem Publikum seine *Histoire critique du Vieux Testament* zu geben.

»Erstens ist es unmöglich, die heiligen Bücher vollkommen zu verstehen, es sei denn, man kenne zuvor die verschiedenartigen Zustände, in denen der Text dieser Bücher sich, je nach Zeit und Ort, jeweils befunden hat, und sei genau unterrichtet von den Veränderungen, die daran vorgenommen worden sind . . .« Sofort werden Prinzip und wesentlichste Regeln seiner Methode deut-

---

163 Das alles sind Ausdrücke, die Spanheim anwendet in seiner Lettre à un ami où ʾon rend compte dʾun livre qui a pour titre, Histoire critique du Vieux Testament, publié à Paris en 1678 (1679).

lich. Er wiederholt sie; ist so nachdrücklich wie möglich.
Er sagt: »Ich bin überzeugt, dass man die Bibel nur dann
mit Nutzen lesen kann, wenn man vorher die Ergebnisse
der Textkritik kennt.« Hier habt ihr ein packendes Beispiel für die Bedeutung der Philologie: lasst ein bescheidenes Bindewort weg wie: nun aber, das an sich ganz
bedeutungslos zu sein scheint, und schon unterstützt ihr
eine Ketzerei. Das dritte Kapitel des Lukasevangeliums
beginnt also: *Nun*[164] *geschah es aber im fünfzehnten Jahre des
Kaisertums Kaisers Tiberius* ... Was einen vorhergegangenen Bericht voraussetzt, da die Partikel nun aber, welche
die Grammatiker *adversativ* nennen, eine notwendige
Verbindung mit etwas Vorhergegangenem bezeichnet.
Sag im Gegenteil: *Im fünfzehnten Jahre des Kaisertums
Kaisers Tiberius* ... und ihr gebt den antiken Häretikern,
den Marcioniten, recht, die behauptet haben, die beiden
ersten Kapitel des Lukasevangeliums seien seinem Evangelium hinzugefügt worden. Mit noch viel mehr Grund
kann man an das Alte Testament, das von Schwierigkeiten starrt, deren Existenz der Laie nicht einmal vermutet,
nur im Besitz dieser Regeln und von diesem Geiste erfüllt
herangehen.

Nehmen wir die Bibel zur Hand, und betrachten wir
sie ohne jede vorgefasste Meinung: als was wird sie uns
erscheinen? Ist es möglich, sie als Gottes Wort anzusehen, das er unmittelbar eingegeben, schriftlich niedergelegt hat und das in seiner Urform auf uns gekommen ist?

Eine Prüfung ergibt unleugbar, antwortet Richard Simon, dass die heiligen Texte die Spuren von Eingriffen
und Abänderungen aufweisen, dass sie chronologische
Schwierigkeiten bieten, dass sie in gewissen Berichten
seltsame Umstellungen enthalten, die manchmal ganze

164 Französisch: »or«. In der Lutherbibel und in der De-Wette-Bi-
bel fehlt das »nun aber«. Anm. d. Übers.

Kapitel betreffen. Versetzen wir uns also in die Zeit, wo sie redigiert worden sind, versuchen wir die hebräische Kultur kennenzulernen und zu verstehen. Wer waren die Propheten? Schreiber, Redaktoren im öffentlichen Dienst, deren Amt es war, die Staatsakten treulich zu sammeln und in zu diesem Zweck bestimmten Archiven aufzubewahren. »Wenn es diese offiziellen Redaktoren gegeben hat, wie es sehr wahrscheinlich ist, so wird es leicht, auf alle Einwände zu antworten, die man vorbringt, um zu beweisen, dass der Pentateuch nicht von Moses sei. Dies beweist man gewöhnlich aus der Art, wie er geschrieben ist, denn diese scheint nahezulegen, dass jemand anders als Moses die Urkunden gesammelt und niedergeschrieben hat. Nimmt man solche offiziellen Redaktoren an, so wird man ihnen alles Historische in diesen Büchern zuschreiben und Moses alles, was die Gesetze betrifft, das heißt das, was die Heilige Schrift das Gesetz Moses nennt.« Und da diese Propheten oder offiziellen Redaktoren nicht nur beauftragt waren, die Akten über das zu sammeln, was sich zu ihren Lebzeiten ereignete, und sie in die Archive zu tun, sondern manchmal den von ihren Vorgängern gesammelten Akten eine neue Form gaben, so erklären sich die Zusätze und Abänderungen, die wir in den anderen heiligen Büchern finden. Da zudem diese Bücher nur Auszüge aus sehr viel längeren Aufzeichnungen sind, hat es gleichfalls nichts Erstaunliches, dass man auf die Heilige Schrift keine genaue und zuverlässige Chronologie aufbauen kann. Es wäre zum Beispiel lächerlich, wollte man keine anderen Perserkönige anerkennen als die, deren die Bibel Erwähnung tut, und die Zeit nach den aufeinanderfolgenden Regierungszeiten dieser Herrscher berechnen, da ja die offiziellen Redaktoren nur das erwähnten, was die Juden anging, während man bei den weltlichen Autoren mehrere andere Könige angeführt findet und dementsprechend eine viel ausgedehntere Chronologie. Bedenken wir ferner die Schäden der Zeit, die Nachlässigkeit der Kopisten, und stellen wir uns die materiellen Bedingungen vor, unter denen diese schrieben. »Da die hebräischen Manuskripte ehemals auf kleine Rollen oder Blätter geschrieben wurden, die man aufeinanderlegte, und von denen jede einen Band ausmachte, so kam es vor, dass dadurch, dass man die Reihenfolge dieser Rollen zufällig vertauschte, die Ordnung der Dinge gleichzeitig umgestellt wurde.«

Kurz, Richard Simon legte seine Gedanken mit so viel scheinbarer Einfachheit und mit solchem Nachdruck dar, dass die Laien, die ihm zunächst nur zögernd in eine Welt der heiligen Mysterien gefolgt waren, ihrem Führer mit immer größerer Aufmerksamkeit zu lauschen begannen: er besaß die Gabe, seiner Erklärung des Tatsächlichen das Aussehen logischer Beweiskraft zu leihen. Außerdem weigerte er sich, die Sprache der Theologie zu sprechen und schrieb seine *Histoire critique* schlecht und recht auf Französisch. Das Lateinische reicht für gewisse Dispute unter Bibelforschern aus, die allgemeine Entwicklung der Texte der Heiligen Schrift aber soll für alle deutlich zutage treten.

Die großen handelnden Figuren, die wir bisher studiert haben, waren von verhältnismäßig einfachem Charakter: es waren Rebellen von Geburt, die nur in der Opposition frei atmen konnten. Die Psychologie von Richard Simon ist komplizierter. Er ist katholischer Priester und erklärt, er bleibe nicht nur der Doktrin in all ihrer Strenge, sondern auch dem Geist der Kirche treu. Selbst als die Kirche ihn verdammt, strengt er alle Kräfte an, um zu beweisen, dass sie sich irrt und im Unrecht ist.

Denn er behauptet, er sei rechtgläubig. Tatsächlich ist er weit davon entfernt, die Inspiration zu leugnen; er dehnt sie sogar auf diejenigen aus, welche die heiligen Bücher überarbeitet haben. Er erklärt, Gott habe sich, nachdem er sich Moses offenbart habe, auch den Sekretären und Annalisten offenbart, die von Jahrhundert zu Jahrhundert den mosaischen Text überarbeitet haben. Die Urheber der Veränderungen, die sich in der Bibel finden, »hatten die Kraft, heilige Bücher zu schreiben, und also auch die Kraft, sie zu verbessern«. Die Propheten, die offiziellen Redaktoren, bleiben weiterhin die Interpreten Gottes. Die aufeinanderfolgenden Abänderungen sind zwar der Durchführung nach menschlich, aber der Inspiration nach göttlich. Die Bearbeiter der Bibeltexte sind von Gott für ihre heilige Funktion, die zur Zeit des Moses begonnen und sich durch die Jahrhunderte fortgesetzt hat, bestellt worden. Das Volk Israel ist das auserwählte Volk. Das ist nicht nur eine Floskel: »Die Republik der Hebräer unterscheidet sich dadurch von allen anderen Staaten der Erde, dass sie als oberstes Haupt nie jemand anders als Gott allein anerkannt hat, der sie als solches zu leiten fortgefahren hat, selbst zu der Zeit, wo sie Königen untertan war. Das hat ihr den Titel einer heiligen und göttlichen Republik eingetragen; und ihr Volk hat ebenfalls den Charakter eines heiligen Volkes angenommen und unterscheidet sich durch diesen glorreichen Namen von den anderen Nationen. Aus demselben Grunde hat Gott selbst durch die Vermittlung des Moses und der anderen Propheten, die auf ihn folgten, einem Volke Gesetze gegeben, das er auserwählt hatte, auf dass es ganz sein eigen sei.[165]« Mögen andere den Wert der Überlieferung leugnen: er für sein Teil verteidigt sie. Es

165 Buch I, Kap. II.

256

ist nicht wahr, dass die Heilige Schrift immer klar ist, und auch nicht, dass es genügt, sie zu lesen, um leicht alle Gebote Gottes zu finden. Die Überlieferung ist ihre unentbehrliche Ergänzung; sie dient dazu, sie zu erläutern, zu interpretieren. Die *Histoire critique du Vieux Testament* betont nachdrücklich den Wert der Überlieferung: »Man wird in dieser Arbeit erkennen, dass, wenn man das, was gelten soll, trennt von dem, was gilt, das heißt, wenn man die Heilige Schrift nicht durch die Überlieferung ergänzt, man so gut wie nichts in der Religion für gewiss erklären kann. Es heißt nicht, das Wort Gottes opfern, wenn man es durch die Überlieferung der Kirche ergänzt; denn Gott, der uns auf die Heilige Schrift verweist, hat uns auch auf die Kirche hingewiesen, der er dieses heilige Vermächtnis anvertraut hat[166].« Richard Simon fährt fort. Er setzt auseinander, bevor Moses das Gesetz niedergeschrieben habe, hätten die alten Patriarchen die Reinheit des Glaubens allein durch die Überlieferung bewahrt; nach Moses hätten die Juden, wenn sie in Schwierigkeiten waren, immer die Interpreten dieses Gesetzes zu Rate gezogen. Man möge vergleichen, was sich beim Neuen Testament zugetragen habe: Die Lehre des Evangeliums war in verschiedenen Kirchen festgelegt, ohne dass noch irgendetwas davon aufgeschrieben war. Dies selbe ungeschriebene Wort hat sich in den von den Aposteln gegründeten Hauptkirchen erhalten und verewigt, so dass ein Irenäus, ein Tertullian es in ihrem Streit mit den Ketzern sogar vorgezogen haben, sich an sie zu halten, anstatt an das Wort Gottes, wie es in den heiligen Büchern niedergelegt ist. Auf den Konzilien haben die Bischöfe durch die Überlieferungen ihrer Kirchen zur Erklärung der schwierigen Stellen der Heiligen

---

166 Ib., Vorwort des Verfassers.

Schrift beigetragen. »Deshalb haben die Kirchenväter des Konzils von Trident weise angeordnet, man solle die Heilige Schrift nicht *entgegen der einhelligen Meinung der Kirchenväter* auslegen. Und ferner hat dies selbe Konzil den wahrhaften ungeschriebenen Überlieferungen die gleiche Autorität zugesprochen, wie dem in den heiligen Büchern enthaltenen Wort Gottes; weil es nämlich gleichzeitig angenommen hat, dass diese ungeschriebenen Überlieferungen von unserm Heiland stammten, der sie seinen Aposteln übermittelt hat, und dass sie dann bis auf uns gekommen seien. Man kann diese Überlieferungen einen Leitfaden der christlichen Religion nennen, deren Grund seit Beginn des Christentums in den ersten christlichen Kirchen unabhängig von der Heiligen Schrift gelegt worden ist . . .«

Auf der sicheren Grundlage dieser ausdrücklichen Erklärungen wettert Richard Simon gegen die Protestanten, die sich allein an die Heilige Schrift halten und damit an einen abgeänderten, verstümmelten Text; die zusammen mit der Überlieferung die Hilfe des Heiligen Geistes ablehnen, der vor diesem undurchsichtigen Text war, ihn begleitet und erhellt hat. Er führt lange und leidenschaftliche Polemiken mit Isaac Vossius, dem Domherrn von Windsor, und Jacques Basnage, der erst in Rouen, dann in Rotterdam Pastor war. Er wettert ganz besonders gegen die Socinianer, die nicht nur die Überlieferung für null und nichtig halten, sondern auch noch einen Teil der Heiligen Schrift preisgeben, und die nur noch das glauben, was ihnen zu glauben beliebt, und einige Maximen anerkennen, welche die allgemeine Vernunft bestätigt, und weiter nichts. In dieser Hinsicht gibt er sich als ein guter Verteidiger des Katholizismus.

In dieser Hinsicht! Aber wer sähe hier nicht den schwachen Punkt in seinem Gedankengang und seinen plötzlichen Übergang von einer Wertung zu einer spezifischen anderen? Erstens ist der Text des Mosaischen Gesetzes von einer Unzahl späterer Anschwemmungen bedeckt: das ist für ihn eine Tatsache. Zweitens sind die Autoren, die den Text des Gesetzes überarbeitet haben, wie weit man sie auch verfolgen mag, weiter von Gott inspiriert worden: das ist keine Tatsache mehr, sondern ein Glaube, eine Auslegung. Auf der einen Seite ein historisches Phänomen, das man wissenschaftlich nachweisen kann, auf der anderen Seite ein Glaubenssatz. Man kann sich, wenn man außerhalb des Glaubens steht, von dem ersten Punkt überzeugen lassen, ohne den zweiten zu akzeptieren. Man kann als denkender Laie zugeben, dass die Heilige Schrift ganz voll von den Fingerabdrücken der Menschen ist, wie Simon hat nachweisen wollen, ohne zuzugeben, dass die Juden, welche den ursprünglichen Text bearbeitet haben, fortfuhren, die Gedanken Gottes zum Ausdruck zu bringen, wie er aus persönlicher Überzeugung und ohne objektiven Beweis hinzufügt. Richard Simon verlässt den Bereich der Kritik und der Philologie, dessen Grenzen und Gesetze er selbst so strenge vorgezeichnet hatte.

Er verlässt diese Grenzen dort, wo er in seinen Vorreden seine Absichten zum Ausdruck bringt, aber wenn wir ihm in die Einzelheiten seiner *Histoire critique* folgen, erkennen wir sehr wohl, nach welcher Seite die natürliche Tendenz seines Geistes ihn zurückführt. Da steht er vor dem Pentateuch: er bemüht sich nachzuweisen, dass Moses nicht sein einziger Verfasser gewesen sein kann. — Der Pentateuch enthält Zitate, Sprichwörter, Lieder, Verse in einer Sprache und einem Stil, die nachmosaisch sind. — Der Pentateuch enthält auch den Bericht über nachmosaische Ereignisse: »Will man am Ende behaupten, Moses sei der Verfasser des letzten Kapitels des

Deuteronomiums, in dem sein Tod und sein Begräbnis beschrieben werden[167]? Der Pentateuch enthält eine Unzahl Wiederholungen; so zum Beispiel die Beschreibung der Sündflut, wie wir sie in Kapitel VII der Genesis finden.« »Dort heißt es im siebzehnten Vers: . . . *und die Wasser wuchsen und hoben den Kasten auf und trugen ihn empor über die Erde*; dann im achtzehnten Vers: . . . *also nahm das Gewässer überhand und wuchs sehr auf Erden*; und im Vers neunzehn: Und das Gewässer nahm überhand und wuchs so sehr auf Erden, dass alle hohen Berge unter dem ganzen Himmel bedeckt wurden; was im zwanzigsten Vers noch einmal wiederholt wird, wo es heißt: . . . *fünfzehn Ellen hoch ging das Gewässer über die Berge, die bedeckt wurden.* Alles spricht dafür, dass, wenn ein einziger Autor diese Arbeit verfasst hätte, er sich mit weniger Worten ausgedrückt haben würde, vor allem in einer geschichtlichen Darstellung . . .« Richard Simon setzt seine Arbeit weiter fort, und welcher Eindruck verbleibt dem Leser, wenn er das Ende erreicht hat? dass der Bericht der Bibel über die Erschaffung der Welt ohne inneren Zusammenhang ist, dass er zu sehr verschiedenen Zeiten von ungeschickten Händen zusammengearbeitet wurde, dass er zum mindesten oft und so ungeschickt überarbeitet worden ist, dass es unmöglich scheint, den ursprünglichen Verfasser herauszuschälen. Von welchem Nutzen kann diesem Resultat gegenüber ein Appell an die Überlieferung sein?

Und eben diese Überlieferung überprüft Richard Simon nunmehr mit einem unverfälscht kritischen und keineswegs gläubigen Geist. Verfolgen wir ihn auch hier noch einmal bei der Arbeit, und sehen wir uns die Art aus der Nähe an, wie er an den heiligen Augustin heran-

---

167 Buch I, Kap. 5.

geht. Dieser große Heilige nimmt infolge seiner geistigen Kraft und seines richtigen Urteils einen hervorragenden Platz in der Bibelkritik ein. »Er hat in seiner *Doctrina Christiana* und an mehreren anderen Stellen seiner Werke die Eigenschaften sehr richtig hervorgehoben, die zu einer guten Interpretation der Bibel erforderlich sind.« Nur hat er, »da er bescheiden war, offen eingestanden, dass die meisten dieser Eigenschaften ihm abgingen«. Und in seinen Kommentaren hat er wenig Exaktheit bewiesen. Er hat eingesehen, dass, da er kein Hebräisch konnte, die Arbeit über die Genesis, die er unternommen hatte, um den Manichäern zu erwidern, seine Kräfte überstieg, und er »scheute sich nicht einmal, das, was er übereilt und ohne die Hilfsmittel, die für eine gute Bibelauslegung notwendig sind, gemacht hatte, zu verurteilen«. Anstatt den buchstäblichen Sinn zu suchen, »verbreitet er sich einzig und allein über den allegorischen Sinn, der wenig Beziehung zu der Geschichte und dem buchstäblichen Text hat«. »Da er scharfen und durchdringenden Geistes war, entdeckte er leicht die schwierigen Punkte der Heiligen Schrift und entdeckte sogar dort welche, wo es gar keine zu geben schien, aber er hatte nicht genug Übung in derartigen Studien, um geeignete und den Leser befriedigende Lösungen dafür zu finden.« »Er war zudem voll von gewissen theologischen und philosophischen Vorurteilen und mischte sie in alle seine Arbeiten ...[168]« Fügen wir dem noch hinzu, dass Richard Simon sich ein teuflisches Vergnügen daraus macht, den heiligen Augustin mit dem heiligen Hieronymus in Widerspruch zu setzen, und fragen wir uns hiernach, welche Vorstellung von der Autorität des heiligen Augustin sich der weltliche Leser noch machen konnte ...

---

168 Buch III, Kap. 9.

261

Simon kommt wieder sehr schnell auf die Kritik, die Philologie, zurück; denn sie sind es, die ihn recht eigentlich inspirieren. Seinem innersten Wesen nach denkt er, nichts könne gegen »gute Gründe« aufkommen, am allerwenigsten die Intuitionen jener »erleuchteten und fanatischen Gesellen«. Ein »besonderer Geist«, ein »innerer Meister«, der »uns die verborgensten Wahrheiten der Heiligen Schrift offenbart«, das war recht gut für die legendären Zeiten. »Solchen besonderen Geist finden wir heutzutage nur noch bei den Quäkern und anderen Schwärmern, die ihn aus Mangel an gesundem Menschenverstand und sonstigen Fähigkeiten nur zu gern zur Hilfe herbeirufen.«

Gegen Sturm und Flut hielt er seinen Kurs. Am 21. Mai 1678 teilte man ihm seinen Ausschluss aus dem Oratorium mit, und im selben Jahr wurde die *Histoire critique du Vieux Testament* durch Spruch des Königlichen Rats verboten. Infolgedessen beschlagnahmte der Polizeileutnant die Exemplare des Werks und ließ sie einstampfen. Im Jahre 1683 verdammte die Index- Kongregation ihrerseits das Buch. Da Simon klar war, dass er mit der Zensur doch nie ins Reine kommen würde, und da er eine von einem »Herrn Elzevier« auf Grund einer Manuskriptkopie verfertigte und höchst mangelhafte Ausgabe im Ausland kursieren sah, beschaffte er selbst einen authentischen Text und ließ ihn 1685 in Amsterdam erscheinen. Er ging seinen Weg weiter: die Kraft, die in ihm war, musste ihren Ausdruck suchen und wandte sich mit logischer Konsequenz nach dem Alten nunmehr dem Neuen Testament zu. Er veröffentlichte also zunächst eine größere Zahl von Arbeiten, durch die er sich seinem Ziel näherte. Im Jahre 1689 publizierte er die *Histoire critique du Texte du Nouveau Testament*, im Jahre 1690 die *Histoire critique des Versions du Nouveau Testament*, im Jahre 1693 die *Histoire critique des Commentaires du Nouveau Testament*. In jedem dieser Titel tauchte das Wort »kritisch« auf, und damit niemand im Zweifel bleibt, erklärt Richard Simon es noch, erklärt es immer wieder : Die Kirche hat vom Beginn der ersten Jahrhunderte des Christentums Gelehrte in ihren Reihen gehabt, die sich mit Sorgfalt bemüht haben, die Fehler auszumerzen, die sich von Zeit zu Zeit in die heiligen Bücher eingeschlichen haben. Diese Arbeit, die eine genaue Kenntnis der heiligen Bücher und die eindringliche Suche nach Manuskriptexemplaren erfordert, nennt man *Kritik*, weil man dabei beurteilt, welche die beste Lesart ist, die im Text erhalten werden muss; das Wort *Kritik* ist ein Fachausdruck, der bis zu einem gewissen Grade auf die Arbeiten beschränkt bleibt, in denen man verschiedene Lesarten vergleicht, um die richtigen wiederherzustellen. Dass diese Kunst den Jahrhunderten unbekannt war, in denen die Barbarei in Europa herrschte, mag noch hingehen, aber, dass man sie heute geringschätzt, ist unerhört. Heutzutage muss man der Kritik die Rolle zuweisen, die man einstmals der Theologie übertrug . . . Man kann sich die Empörung der Theologen gegenüber einer solchen Sprache vorstellen. »Man sollte sich also, nach Meinung dieses Kritikers, wenn man das Neue Testament erläutern will, nur an die Regeln der Grammatik halten und nicht auf die Theologie und die Überlieferung hören . . . Nichts kann meines Erachtens den Socinianern mehr zugute kommen . . .[169]«

Schließlich erschien 1702 in Trévoux das große Werk, das *Nouveau Testament de N. S. Jésus-Christ, traduit sur l'Ancienne édition latine avec des remarques*. Es war eine Übersetzung, die allein den Text in Betracht ziehen, auf

---

169 Arnault an Bossuet, Juli 1693.

den Text zurückgehen, den buchstäblichen Sinn des Textes wiedergeben wollte, unter Beiseitelassen der überlieferten Interpretationen, die — so sagte der Verfasser —, obwohl sie eben nur Interpretationen, Irrtümer, ja sogar widersinnig seien, Gesetzeskraft erhalten hätten. Die Übersetzung brachte Randbemerkungen vergleichender Art, die Richard Simon durch seine Kenntnisse des Griechischen und Hebräischen nahelagen, und war, wenn man will, eine kritische Übersetzung. »Im übrigen möge man, da ich mit meinen Bemerkungen nichts beabsichtigt habe, als den buchstäblichen Sinn der Evangelien und der Apostel zu erläutern, darin nichts von jenem mystischen Getue (*mystiquerie*) suchen, an dem nur Personen von geringer Urteilskraft Gefallen finden.« Der Sinn, nichts als der buchstäbliche Sinn: «sonst verfällt man häufig in wer weiß welchen Jargon, den man dann geistlich nennt«. — Diese Bibelübersetzung von Trévoux wurde verdammt.

Man darf in Richard Simon keinen Romantiker sehen, noch weniger ihn versüßlichen; denn er war bitter und hart. Sein geistiges Leben war intensiv, aber sein Gefühlsleben war arm. Er liebte die großen Ideenkämpfe, aber auch die Listen: »denn Sie müssen wissen, Monsieur, dass der anonyme Theologe der Pariser Fakultät, dass René de l'Ile, Priester der gallischen Kirche, Jérôme Le Camus, Jérôme de Sainte-Foi, Pierre Ambrun, Diener des Heiligen Evangeliums, dass Origenes Adamantius, Ambrosius, Jérôme Acosta, der Sieur de Moni, der Sieur de Simonville, dass alle diese Autoren und noch einige mehr in der Person eines einzigen Mannes, Richard Simon, beschlossen sind«. In seinen Debatten mit den Katholiken war er nicht immer vollkommen loyal, da er den Doktoren der Sorbonne eine Abschrift seiner *Histoire critique* vorlegte, welche die gefährlichen Kapitel nicht enthielt; und wir bemerken außerdem, dass er sich in sei-

nen langen Polemiken mit den Protestanten wenig um
die christliche Nächstenliebe kümmerte. Hochmütig und
hart äußerte er oft Worte von verletzender Ironie, fand
er ein gewisses Vergnügen daran, spitze Pfeile abzusen-
den. Auch in seinen großen Abhandlungen spürt man,
trotz der Zurückhaltung, die er zu üben vorgibt, dass
seine hohe Selbsteinschätzung gern von Verachtung der
anderen begleitet ist. Aber hauptsächlich in seinen *Briefen*
— es sind eher Streitschriften und Broschüren als wirkliche Briefe — entdeckt man in ihm eine Dosis Bosheit
und sogar Hass. Er ist nicht nur ein Mann, der sich, da
er die Macht nicht auf seiner Seite hat und unterdrückt
wird, mit allen Mitteln verteidigt, ein verbissener, ver-
bitterter Mensch: er findet Geschmack an der Ketzerei,
er setzt gern Doktrinen auseinander, die danach riechen,
spricht gern von Theologen, die aus der Kirche ausge-
schieden sind, lenkt gern die Aufmerksamkeit auf versteckte, verbotene Bücher, die den Samen für ein Schisma enthalten, mit Explosivstoffen geladen sind. Wie lässt
sich eine solche Geistesverfassung mit dem religiösen
Stand vereinigen, den er beizubehalten vorgab?

> For some, who have his secret meaning guessed,
> have found our author not to much a priest . . .[170]

Aber über seine inneren Kämpfe, falls er solche hatte,
hat er uns nichts anvertraut. Um genau zu wissen, was
er glaubte, hätte man die umfangreichen Notizen lesen
müssen, die er in einem Anfall von Vorsicht verbrannte.
Er hatte sich in seine Pfarrei Bolleville in der Norman-
die geflüchtet. Eines Tages wurde er vor den Intendanten
der Provinz zitiert und vernommen und fürchtete, man

---

170 Denn einige, die seine geheimste Meinung erraten haben, haben
gefunden, dass in unserem Autor nicht allzu viel von einem Priester
steckt. Dryden, Religio laici, 1682.

werde kommen und seine Papiere beschlagnahmen: er packte sie in mehrere dicke Fässer, rollte diese während der Nacht hinaus auf eine Weide und legte sie in Asche. Was er ganz im Innersten dachte, weiß der allein, der die Herzen ergründet. Obwohl das Oratorium ihn ausgeschlossen hatte, betrachtete er selbst sich immer als dessen Mitglied. Weit davon entfernt, den Stempel: *Tu es sacerdos in aeternum*, du bist ein Priester in Ewigkeit, auslöschen zu wollen, bewahrte er ihn vielmehr hartnäckig. Bis zum Schluss blieb er bei seiner Arbeit als Gelehrter, der nichts kennen will als seine Wissenschaft, und behielt trotz aller kirchlichen Zensuren die Haltung eines hartnäckigen Sohnes der Kirche bei. »Er empfing die Sakramente in einer christlichen und erhebenden Art und entschlief im Herrn im Monat August 1712 in seinem vierundsiebzigsten Lebensjahre . . .[171]«

Mit seinem Protest gegen die Redewendungen: *man hat immer geglaubt, es ist allzeit gelehrt worden, es ist eine Überlieferung, die so alt ist wie die Welt*, trägt Richard Simon zu jener Umwertung der Werte bei, die wir sich auf so vielerlei Art schon im Bewusstsein der Menschen vollziehen sahen. Er wirkt ferner dadurch, dass er der Kritik zum vollen Bewusstsein ihrer Kraft und ihrer Aufgaben verhilft. *Critici studii utilitas et necessitas.* Unter diesem Titel veröffentlicht sein Feind, Jean Le Clerc, der ihm in gewissen geistigen Zügen viel ähnlicher war, als sie beide dachten, 1697 das Gesetz- und Handbuch der triumphierenden Kunst der Kritik. Drittens ruft Simon eine ganze Bewegung der Bibelauslegung ins Leben, wenn auch nicht bei den Katholiken, deren Gewissen er beunruhigt, so doch bei den Protestanten: nicht weniger als vierzig Widerlegungen der *Histoire critique du Vieux Testament*

---

171 Bruzen de Lamartinière, Éloge de Richard Simon.

beweisen zur Genüge, welchen Sturm er hervorrief. Er hat wenig unmittelbare Schüler gehabt, obwohl Raphael Levi, genannt Ludwig von Byzanz, den Koran auf Grund einer Methode übersetzte, die er von ihm gelernt hat. Aber in vielen Geistern hat er eine neue Kühnheit geweckt. So weist 1707 ein Neapolitaner, Biagio Garofalo, nach, dass die Bibel rhythmische und sogar sich reimende Verse enthält. Hätte er gewagt, solch irdische Spuren in Gottes Wort zu finden, wenn der Verfasser der *Histoire critique* nicht allen Verwegenheiten Tür und Tor geöffnet hätte?

Und für die Ungläubigen, welcher Zuzug! Sie vermögen nicht selbst die heiligen Texte zu prüfen; aber sie sind geneigt, alles zu glauben, was deren Autorität vermindern kann; und sie sagen etwa: »Wie willst du, dass ich an die Echtheit dieser Bibeln glaube, die vor so vielen Jahrhunderten geschrieben, aus mehreren Sprachen übersetzt worden sind von Ignoranten, die den wirklichen Sinn gar nicht verstanden haben werden, oder von Lügnern, welche die heute darin enthaltenen Worte wahrscheinlich ausgewechselt, vermehrt oder vermindert haben . . .[172]?«

BOSSUET UND SEINE KÄMPFE

Man stellt sich Bossuet meist in seiner souveränen Majestät vor, so wie er auf dem Gemälde von Rigaud erscheint. Die scheinbare Banalität, dies prunkvolle Porträt ins Gedächtnis zu rufen, mag man damit entschuldigen, dass es gewissermaßen notwendig ist: sein Prunk, sein Glanz, sein Stil sind uns immer vor Augen. Oder wir stellen uns den Redner vor, im Begriff irgendeine Grabrede

---

172 Baron de Lahontan, Dialogues curieux, 1703, S. 163 der Ausgabe von Chinard.

zu halten: vom ersten Akkord an fühlen wir uns in die Regionen des Erhabenen fortgetragen; das von Schluchzen und Klagen erfüllte Crescendo erweckt in unserer Seele eine Resonanz, die in ihrer Gewalt schmerzhaft wird, und wenn diese weihevolle Musik dann in eine Hymne an das Jenseitige ausklingt, so glauben wir einem Propheten des Herrn gelauscht zu haben, der stets nur im Überirdischen gelebt hat.

Dieses Bild von Bossuet ist nicht falsch, aber es setzt eine besondere Beleuchtung voraus. Die Zeit hat weggesiebt, was an ihm nicht Adel, Majestät, Triumph war. Es hat einen anderen Bossuet gegeben: einen gedemütigten und schmerzerfüllten.

Nicht als ob wir irgendetwas von der starken und bewundernswürdigen Einfachheit seiner tiefen Überzeugung wegstreichen wollten. Ein für alle Mal hat er auf das Ewige, das Universale, gesetzt: *quod ubique, quod semper* . . . »Die von Gott stammende Wahrheit hat von Anbeginn Seine Vollkommenheit«; in dieser Maxime liegt sein unbeugsamer Glaube beschlossen: Es gibt eine Wahrheit; Gott hat sie den Menschen offenbart; sie ist im Evangelium aufgezeichnet, von den Wundern verbürgt, und da sie göttlich und daher vollkommen ist, ist sie unwandelbar: wandelte sie sich, so wäre sie nicht die Wahrheit. Die Rolle der Kirche ist, ihre Hüterin zu sein: »Die Kirche Christi ist die sorgsame Hüterin der ihr zur Verwahrung anvertrauten Dogmen, und sie ändert nie etwas daran, nimmt nie etwas weg, fügt nie etwas hinzu; sie beschneidet das Notwendige nicht, sie fügt das Überflüssige nicht hinzu. Ihre ganze Arbeit besteht darin, die ihr von alters her übergebenen Dinge blank zu erhalten, die, welche genügend erklärt worden sind, zu bestätigen, und diejenigen, die bestätigt und definiert worden sind, zu bewahren . . .[173]« Nach dieser einen und unabänderlichen Wahrheit hat das Individuum sich zu richten: wenn jeder seine persönliche Wahrheit haben wollte, so würde man im Chaos enden und im Widerspruch; denn es ist ja klar, dass es über ein und denselben Gegenstand nicht Millionen Wahrheiten geben kann, oder tausend, oder hundert, oder zehn, oder zwei, sondern nur eine einzige. »Hieraus geht der wahre Ursprung des *Katholischen* oder *Häretischen* klar hervor. Häretisch ist derjenige, der eine Meinung hat: und das ist das, was das Wort selbst bedeutet. Was heißt eine Meinung haben? Es heißt, seinen eigenen Gedanken und Gefühlen folgen. Aber der Katholik ist katholisch, das heißt, er ist universal; und ohne Privatmeinung folgt er ohne Zögern der Kirche.[174]«

O Bibel, o geliebte Bibel, die du in so vollkommen schöner Form, so farbig, so rührend den Menschen zugleich die Geschichte ihres Geschlechts darbietest und das Gesetzbuch ihrer Pflichten! Die Bibel enthält die Prinzipien, auf die der Katholizismus sich gründet; durch die Überlieferung erläutert, bildet sie die Autorität, welche verhindert, dass diese Prinzipien immer von neuem in Frage gestellt werden. Bossuet lässt seine Bibel nicht aus der Pfand; seit seiner frühesten Jugend hat er sie innig geliebt und wird sie innig lieben bis ans Ende seiner Tage. Er kann sie nicht entbehren; sie ist seine Nahrung, sein Brot. Und wie ein demütiger Landpfarrer ein Gebetbuch, das er auswendig kennt, immer wieder liest, so kennt Bossuet die Bibel auswendig und liest sie immer wieder. Da die Kirchenväter die ursprüngliche Wahrheit erläutert, bestätigt, entwickelt haben, so darf man sich

---

173 Premier avertissement aux Protestants, 1689, Ausgabe Lachat, Band XV, S. 184. (Zitiert bei Vincent de Lérins.)

174 Première instruction pastorale sur les promesses de l'Église (1700). Ausgabe Lachat, Band XVII, S. 112.

nicht darüber wundern, dass er immer wieder zu ihnen seine Zuflucht nimmt. Er hat eine Leidenschaft für Gedrucktes; sobald eine Debatte beginnt, beschafft er sich alle einschlägigen Schriftstücke; die Unerschütterlichkeit seines Glaubens hindert ihn nicht, sich zu unterrichten, aus Neigung sowohl wie aus Pflichtgefühl . . . Aber diejenigen unter allen Büchern, die er am liebsten zu Rate zieht, sind die der Kirchenväter, dieser Diener der Kirche, und unter allen Kirchenvätern bevorzugt er den heiligen Augustin. Le Dieu, sein aufmerksamer Sekretär, der alle seine Taten und Gesten verzeichnet hat, hat es beobachtet: »Er war so erfüllt von der Lehre des heiligen Augustinus und hing so an dessen Grundsätzen, dass er kein Dogma aufstellte, keine Instruktion erteilte, keiner Schwierigkeit begegnete, ohne den heiligen Augustinus zu Rate zu ziehen; er fand alles dort . . . Wenn er seinem Laienvolk eine Predigt halten musste, so verlangte er von mir außer seiner Bibel den heiligen Augustinus, wenn er einen Irrtum zu bekämpfen, einen Glaubenssatz zu verteidigen hatte, so las er im Sankt Augustinus.«

Sicher in seinem Glauben und aufgeklärt durch das Studium der Bücher, fügt sich Bossuet einer Ordnung ein, die seinem eigenen Dasein Berechtigung verleiht, und seine persönliche Anstrengung gilt dem Bemühen, an dieser Weltanschauung festzuhalten, sie zu stärken, sie dem Geist der anderen Menschen sichtbar zu machen. Die Grenzen dieser Ordnung stören ihn nicht; er bejaht sie. Innerhalb seines eigenen Denkens kann er sein Leben ganz ungezwungen einrichten: denn das Bemühen seines Lebens soll nicht darin bestehen, eine nach reiflicher Überlegung angenommene Ordnung immer wieder zu kritisieren, sondern er wird die Sicherheit, die sie gibt, benutzen, sich der Barmherzigkeit, der Tat zu weihen. Er hat einen herrlichen Wahlspruch, den er dem Buch der

Könige entnimmt: »Gehorsam ist besser denn Opfer.«
Man gehorcht; man gehorcht Gott, und man gehorcht
dem König, der Gott auf Erden repräsentiert; und man
hat das schöne Gefühl, im Sinne eben desjenigen zu handeln, der die Ordnung eingesetzt hat, der man sich unterwirft, und der die Wahrheit und das Leben ist. Man ist
von allen Spekulationen, allen Ängsten befreit: so wie ein
klassischer Dichter, der sich ein für alle Mal der Regel
der drei Einheiten unterworfen hat, weil sie ihm richtig
und vernunftgemäß schien, im Schutz dieser Regel ein
Meisterwerk hervorbringt.

Er ist dem Temperament nach kein Asket. Er liebt und
schätzt zwar Rancé[175]: wenn er ihn im Trappistenkloster
besucht, sehen die Mönche ihren Prior und den Bischof
von Meaux lange zusammen auf und ab wandeln und
die Zeit mit herzlichen Gesprächen und mit Gebet verbringen. Aber er bleibt nicht im Kloster. Auch darin den
Klassikern ähnlich, meidet er in allem die Übertreibung;
selbst die Übertreibung der Frömmigkeit erscheint ihm
gefährlich. Unerbittlich gegenüber den »Verstockten«,
ist er mitleidig mit den Schwachen, barmherzig gegenüber den Armen. An seinem Tisch, an dem auch ein Vol-
nay[176], ein Saint Laurent[177] geschenkt werden, wird gut,
aber nicht üppig gegessen. Er hat Sinn für die Natur, für
die Bequemlichkeit der Gärten von Germiny, der schönsten der Welt, für die Annehmlichkeit einer Allee, in der
man sein Brevier lesen und darüber nachsinnen kann;
und selbst für die Beziehung, die zwischen dem Anblick

175 Rancé, Armand Jean le Bouthillier de Rancé (geb. Paris, 9. Januar 1626, gest. in Soligny-la-Trappe in Orne am 12. Oktober 1700) war
der Reformator des Trappistenordens und der Abt des Klosters. Anm.
d. Übers.

176 Bekannter Wein der Cote d'Or.

177 In Frankreich ziemlich seltene rote Weinsorte.

einer Landschaft und einem gerührten Herzen bestehen kann. Er war zuweilen sehr hart und war doch großer Zärtlichkeit fähig: er besaß die Gabe der Freundschaft. Er ist eine glückliche Mischung von Sankt Augustinus und seinem Lehrer Saint Vincent de Paul. Er ist nicht nur widerstandsfähig, er ist vorzüglich im Gleichgewicht.

Zweifel dringt in eine so geformte Seele nicht mehr ein, eine Seele, der nichts widerfahren ist, was sie nicht vor ihrem eigenen Richterstuhl gerechtfertigt hätte, und die eine außerordentlich klare Vorstellung von dem hat, was sie glaubt und will: denn Bossuet gibt sich genau wie der anspruchsvollste Skeptiker Rechenschaft über die Entwicklung seines Denkens und weiß, wohin es führt. In einem Gespräch mit seinem Neffen, dem Abbé, erzählt er ihm von einer Frage, die ihm einst ein Sterbender gestellt hat, und was er ihm darauf geantwortet habe:

»Ein Ungläubiger ließ mich an sein Sterbebett rufen. ›Monsieur‹, sagte er, ›ich habe Sie immer für einen Ehrenmann gehalten, jetzt bin ich dem Tode nahe, sagen Sie mir aufrichtig, ich habe Vertrauen zu Ihnen, was glauben Sie von der Religion?‹ ›Dass sie gewiss ist und dass ich nie den geringsten Zweifel daran gehabt habe‹...[178]*«*

Über diesen unerschütterlichen Glauben bleibt nichts weiter zu sagen. Aber anstatt uns Bossuet in Pracht und Einsamkeit vorzustellen, wollen wir versuchen, ihn mitten unter seinen Zeitgenossen, inmitten der Streitigkeiten, Sorgen und Mühen zu sehen; wollen ihn nicht in seiner Jugend, in seinem ruhmreichen Aufstieg, sondern in seinen alternden Jahren betrachten; wollen versuchen zu unterscheiden, was aus ihm außerhalb seines Goldrahmens wird, mitten im Leben, wo er, von seinen Zeitgenossen so gut wie verlassen, eine von allen Seiten angegriffene Überlieferung verteidigt.

178 Le Dieu, Journal, 15. Mai 1700.

Den Tractatus theologico-politicus, den Antoine Arnauld ihm gesandt hat, und von dem er ein Exemplar in seiner Bibliothek besitzt, hält er nicht nur für ein gottloses, sondern für ein höchst ärgerliches Buch. Was? Dieser Spinoza, dieser miserable holländische Jude spielt den Überlegenen, weil er Hebräisch kann! Er dekretiert, Latein genüge nicht, nicht einmal Griechisch: sprecht nicht über die Bibel, wenn ihr nicht Hebräisch könnt.

Bossuet hatte sich mit der Vulgata zufriedengegeben, da er kein Hebräisch konnte : das war bedenklich, er fühlte es wohl. Wollte er mit Sachkenntnis antworten, wollte er nicht zurückgeblieben, veraltet und sogar ein bisschen lächerlich wirken, wollte er überdies dem empfindlichen Gewissen, das er sein eigen nannte und das ihm seine Pflicht vorschrieb, Genüge tun, so musste er sich wieder auf die Schulbank setzen. Das war nicht leicht . . . Er arbeitet. Es ist reizvoll, sich im Geiste das kleine Konzil vorzustellen; ein schönes und frommes Bild: einige kluge Laien, einige Priester versammeln sich regelmäßig; jeder von ihnen hält in Händen ein Exemplar der Bibel, der eine liest den hebräischen Text und ein anderer den griechischen, und man zieht auch den heiligen Hieronymus und die Theologen zu Rate; und man kommentiert und diskutiert, und Bossuet entscheidet, und der Herr Abbé Fleury[179] hält die Ergebnisse schriftlich fest. Ein Konzil von Menschen, die guten Willens sind, die sich zusammenschließen, ihr Wissen vermehren und sich stärken, weil sie fühlen, dass die Zeit großer Prüfungen gekommen ist. Aber Hebräisch, wird Bossuet es jemals können?

179 Abbé Fleury, Claude (1640 — 1723), Priester und französischer Schriftsteller. Präzeptor des Prinzen Condé und des Grafen Vermandois, Unterpräzeptor der Herzoge von Burgund, Anjou und De Bérry, wurde 1696 Nachfolger La Bruyères in der Akademie. Seine Schriften wurden später auf den Index gesetzt. Anm. d. Übers.

Es war am Gründonnerstag des Jahres 1678, da legte der Abbé Eusèbe Renaudot, der zu dem Konzil gehörte, dem Prälaten das Inhaltsverzeichnis eines Buches vor, das im Erscheinen begriffen war, das der *Histoire critique du Vieux Testament* von Richard Simon. Das Buch hatte die Druckerlaubnis erhalten, die Billigung der Zensoren, die Genehmigung des Generalvorstehers des Oratoriums: Es war nicht weit davon, dass der König die Widmung annahm, denn der Père La Chaise hatte versprochen, sich in dieser Richtung zu verwenden. Bossuet war außer sich; diese sogenannte kritische Geschichte ist nichts als ein Haufen von Gottlosigkeiten, ein Bollwerk der Libertinage, man muss es zurückhalten. Der Würde des den kirchlichen Zeremonien und der Buße geweihten Tages zum Trotz, eilt er zum Kanzler Michel Le Tellier; überzeugt ihn, drängt ihn, erreicht, dass das Buch am Erscheinen verhindert wird.

Aber welch ein Schmerz! Ein Priester vom Oratorium wagt so mit der Bibel umzugehen! Richard Simon wird sein Leben lang für Bossuet ein Gegenstand der Beunruhigung und des Kummers bleiben. Richard Simon wird um ihn herumschwänzeln, versuchen ihm zu beweisen, dass er nicht verstockt ist; aber er wird die unbezwingliche Kraft, die ihn treibt, vor so wachsamen Augen nicht verbergen können. Dieser Mann wollte die Grammatik an die Stelle der Theologie setzen, er war ein Übeltäter.

Behält man bei der Lektüre des zweiten Teils des *Discours sur l'Histoire* universelle im Gedächtnis, dass Bossuet von dem Gedanken an Spinoza und Richard Simon verfolgt wird, so wird man nicht nur die leidenschaftliche Sprache, die der Verteidiger katholischer Rechtgläubigkeit spricht, besser verstehen, sondern auch den ganzen Charakter des Buches. Es widerlegt mehr, als es erklärt; es antwortet auf Argumente, die ihrer Natur und ihrem

Wesen nach dem spezifischen Denken des Autors fern-
liegen: es ist für ihn eine schwierige Aufgabe, einem
Glaubensbekenntnis, einem Prinzip a priori, eine historische Rechtfertigung anzupassen, aber seine Gegner
zwingen ihn dazu, und sie ist notwendig geworden, wenn
er ihnen wirklich die Stirn bieten will. Seine Behauptung
ist ganz eindeutig: da die Heilige Schrift aus göttlicher
Quelle stammt, so hat man nicht das Recht, sie wie einen rein menschlichen Text zu behandeln. Und nachdem
dies gesagt ist, muss man, um den neuen Bibelauslegern
zu antworten, auf ihre Gedankengänge eingehen und
menschliche Gesichtspunkte in Betracht ziehen. Das ist
die Schwierigkeit für Bossuet: er muss die Art und Weise
erklären, wie Moses die Geschichte der vorhergehenden
Jahrhunderte gesammelt hat, muss die Hypothese, wo-
nach Esra der Verfasser des Pentateuch ist, widerlegen,
muss den Bibeltext als Text behandeln, seine Unklarhei-
ten und alle Schwierigkeiten, alle Abänderungen, die er
enthält, rechtfertigen. Ungeduldig, diesen »zwecklosen
Streitigkeiten« zu entfliehen, stürmt er in gerader Linie
vor: lassen wir alle Einzelheiten, halten wir uns an das
Wesentliche: in allen Versionen der Bibel finden wir dieselben Gebote, dieselben Wunder, dieselben Weissagun-
gen, denselben geschichtlichen Ablauf, dieselbe Gesamt-
lehre und schließlich denselben Gehalt: was will man
mehr? Welche Bedeutung haben ein paar Abweichungen
im Detail gegenüber diesem unwandelbaren Ganzen? In
seiner klaren und ehrlichen Art verdreht er einen Einwand nicht, sondern stellt ihn vor sich hin und sucht ihn
dann mit einer einzigen stürmischen Geste zu erledigen:
»Aber gibt es schließlich — und das ist der stärkste Punkt
des Einwandes — nicht Stellen im Buch Moses, die zu-
gefügt sind, oder woher kommt es, dass man Moses' Tod
am Schluss des Buches findet, das ihm zugeschrieben

wird? Ist es verwunderlich, dass die, welche seine Aufzeichnungen fortgesetzt haben, eine Darstellung seines glücklichen Endes der seiner übrigen Taten hinzugefügt haben, um aus dem Ganzen eine Einheit zu machen? Sehen wir zu, was für ein Bewenden es mit den anderen Ergänzungen hat. Handelt es sich um ein neues Gesetz oder eine neue Zeremonie, um irgendein Dogma, ein Wunder, eine Weissagung? Dafür sind nicht der leiseste Verdacht und das leiseste Anzeichen vorhanden; das hätte bedeutet, Gottes Werk etwas hinzufügen: das hatte das Gesetz verboten, und der Skandal, den man damit riskiert hätte, wäre entsetzlich gewesen. Was also? Man hat vielleicht eine begonnene Genealogie weiter fortgesetzt, den Namen einer Stadt, der sich mit der Zeit gewandelt hatte, erklärt. In Bezug auf das Manna, durch welches das Volk vierzig Jahre ernährt worden ist, wird man den Zeitpunkt angegeben haben, zu dem diese Himmelsnahrung aufhörte, und diese seitdem in einem anderen Buch aufgezeichnete Tatsache wird als Anmerkung in dem Buch Moses stehengeblieben sein, als eine unveränderliche Tatsache von öffentlicher Bedeutung, deren Zeuge das ganze Volk war. Vier oder fünf derartige Anmerkungen von der Hand Josuas oder Samuels oder irgendeines anderen gleich frühen Propheten werden ganz natürlich, da sie nur notorische Tatsachen betrafen und es niemals Schwierigkeiten damit gab, in den Text übergegangen sein; und dieselbe Überlieferung hat sie mit allem anderen auf uns kommen lassen. Ist damit alles verloren ...?«

Hierzu lächelt Richard Simon und macht sich lustig. Das Eingeständnis ist wertvoll: der Herr Bischof von Meaux gibt zu, dass man dem Buch Moses etwas hinzugefügt hat, dass man den Pentateuch abgeändert hat. Von nun an wird der Herr Bischof von Meaux (ebenso wie Herr Huet, der Bischof von Avranches) in den Augen der

Theologen ein Spinoza-Anhänger sein, der die Heilige Schrift ganz zugrunde richtet . . .

Bossuet liebt die Ironie nicht: »Scherze sind nicht nach dem Geschmack ehrbarer Leute.« Das Ganze wäre ohne Bedeutung, wenn er nicht fühlte, dass das letzte Wort noch nicht gesprochen ist, dass Richard Simon von einer Abhandlung zur anderen kühner, dass »die Sache für die Kirche recht bedeutsam wird«. Wie soll er bei seiner sonstigen Überlastung die Zeit finden: Da ist die Erziehung des Dauphin, die Pflege seiner Diözese, die Leitung der französischen Kirche, deren moralisches Oberhaupt er geworden ist, die überall aufsprießenden Ketzereien, sein Predigtamt, der Hofdienst, ach, welche Arbeitslast! Sie beansprucht nicht nur seine Tage, sondern auch seine Nächte. Wenn sein ganzes Bistum schläft, wacht er, steckt seine Lampe an, studiert seine Akten, schreibt. Nun, es heißt, diese unzähligen Geschäfte noch stärker zusammenpressen und die Überlieferung und die Kirchenväter gegen Richard Simon verteidigen; denn es gibt keine Aufgabe, die dringlicher wäre. Als die Übersetzung des Neuen Testaments erscheint, erfasst ihn von neuem Entrüstung: dies Buch muss eilends beschlagnahmt werden, wie er die *Histoire critique du Vieux Testament* einst hat beschlagnahmen lassen. Aber vierundzwanzig Jahre sind seitdem vergangen: wir sind im Jahre 1702. Er hat die Grabrede für Michel Le Tellier, der seinen Anweisungen ehemals so willfährig folgte, selbst gehalten. Der heutige Kanzler, Pontchartrain, hört nicht mehr auf ihn, ist ihm feindlich gesonnen und will ihn sogar zwingen, die Instruktionen, die er gegen Richard Simon vorbereitet, durch die Zensur gehen zu lassen. Ohne den König, der ihm treu bleibt, verlöre er die Partie. Er, Bossuet, der Zensur unterworfen! Er, Bossuet, von den Behörden belästigt! Er, Bossuet, in der Rolle eines Störenfrieds und

277

fast eines Besiegten! Die Autorität entgleitet ihm, die Zeiten haben sich geändert, die Freigeister tragen den Sieg davon: nichts hätte sein Herz empfindlicher treffen können.

Oft lässt er sich seine große Arbeit bringen, die *Défense de la tradition et des Saints Pères.* Er liest sie durch, nimmt sie wieder vor und beginnt von neuem daran zu arbeiten. Vollenden wird er sie nie. Das kommt daher, dass er seinem Buch immer neue Kapitel hinzufügen muss und nicht so sehr gegen einen einzelnen Menschen, wie gegen eine weitverbreitete geistige Haltung kämpft, die sich bei jeder Gelegenheit äußert. Die Sache mit Richard Simon war noch nicht ausgetragen, als der Fall Ellies Du Pin auftauchte. Du Pin war ebenfalls Priester; er zeigte sich allerdings weniger verstockt, aber seine gelassene Sorglosigkeit war sehr bezeichnend. Er veröffentlichte eine umfangreiche Sammlung kirchlicher Autoren und schrieb darin, die Ketzer seien manchmal hellsichtiger und wahrheitsliebender beim Studium der geweihten Texte gewesen als die Katholiken, und fügte folgende Ungeheuerlichkeit hinzu: die hauptsächlichsten, die Sakramente und sogar das Dogma betreffenden Punkte hätten im 3. Jahrhundert nach Christo im Geist der Kirchenväter noch nicht ganz festgestanden. Als erster habe der heilige Cyprian sich klar über die Erbsünde geäußert. Derselbe Autor habe sich ebenfalls als erster eingehend über die Buße ausgesprochen und so fort . . . Bossuet hält Wache. Er will Ellies Du Pin nicht zu hart anfassen; denn der ist ein Verwandter des Dichters Racine und zudem bereit, seine Irrtümer einzusehen; aber einige Dinge kann er nicht dulden: die Begünstigung der Ketzer, die Abschwächung der Überlieferung sowohl über die Erbsünde wie über viele andere Punkte; die vermessene Art, in der hier mit den Kirchenvätern umgegangen wird und die

Katholiken früher ferngelegen hätte. Die ärgsten Übergriffe werden in »einem so kritischen Zeitalter wie dem unsrigen« Mode.

Fénelon schreibt ihm am 23. März 1962: »Ich habe mit Entzücken die Kraft und Energie des alten Theologen und Bischofs wahrgenommen. Ich sah Sie im Geist in Ihrem Bischofshut, wie Sie Herrn Dupin gepackt hielten, wie ein Adler einen schwachen kleinen Sperber in seinen Fängen hält.« Fénelon mag noch so sehr lächeln, das Feld des Herrn wäre recht unsicher, wenn der Adler von Meaux nicht noch die Wache hielte. Aber er ist manchmal recht müde.[180]

Er wird weder die *Défense de la tradition et des Saints Pères, noch die Politique tirée des propres paroles de l'Écriture Sainte* zum Abschluss bringen: wie viele Arbeiten wird er nicht zu Ende führen, die alle notwendig und dringend sind! Er brennt darauf, nach England zu fahren, mit den dortigen Theologen zu disputieren, ihnen die Augen zu öffnen, und doch wird er nie nach England fahren. England hat das Schisma noch vertieft, seinen König verjagt und vorgezogen, den schlimmsten Feind Frankreichs und der Kirche zum König zu nehmen. »Ich tue nichts als über England jammern.[181]« Er hatte einstmals davon geträumt, einen Kreuzzug gegen die Türken ins Leben zu rufen: wo ist die Zeit, da er in der Kirche der *Pères de la Merci* [182] die Lobrede auf den heiligen Petrus

---

180 Tagebuch von Le Dieu, 1. Dezember 1703: »Zu alldem, sagte er zu mir, kann ich nicht noch diese Arbeit leisten, das fühle ich. Gottes Wille geschehe! Ich bin ganz bereit zu sterben. Er wird seiner Kirche schon Verteidiger zu geben wissen. Gibt er mir meine Kräfte wieder, so werde ich sie auf diese Arbeit verwenden.«

181 22. Dezember 1688 an den Abbé Perroudot.

182 Ordre de Notre Dame de la Merci, war etwa 1218 gegründet; neben den Mönchsgelübden verpflichteten sich die Mitglieder, sich als

von Nolasque hielt, und wo er sich über die großen und erschreckenden Fortschritte des Islam entrüstete? wo er beklagte, dass man dem Türken, diesem Erzfeind, das furchterregendste Reich überließ, das die Sonne je beschienen hatte? »O Jesus, Herr der Herren, Gebieter über alle Reiche und Herrscher über alle Könige dieser Erde, wie lange wirst Du dulden, dass Dein erklärter Feind, auf dem Thron Konstantins sitzend, den Blasphemien seines Mohammed mit so viel Armeen Nachdruck verleiht, Dein Kreuz unter seinen Halbmond beugt und jeden Tag die Christenheit durch das Glück seiner Waffen verkleinert?« Damals lächelte der junge Ludwig XIV. großen Unternehmungen entgegen. Jetzt kam ein Zug in den Fernen Osten nicht mehr in Frage. Es war keine Zeit für Träume mehr. Sprach man von Kreuzzügen, so spotteten nicht nur die Freigeister, sondern auch die frommen Kirchenmänner dachten, es sei besser, den Türken in Frieden zu lassen. Von Kreuzzügen will man nichts mehr wissen, sagte der Abbé Fleury; sie spielen nur noch in den Wünschen von Leuten eine Rolle, die mehr Eifer als Vernunft haben, und in dem Gesalbader einiger dichtender Schmeichler.

Bossuet blieb sich gleich und ganz unerschütterlich; aber es schien, als wären die Dinge um ihn herum ins Gleiten geraten; er erkannte sie nicht wieder. Man hatte ihn stets mit Rücksicht umgeben; selbst bei den lebhaftesten Polemiken hatte man seinen Glaubenseifer, seine christliche Nächstenliebe, seinen guten Glauben geachtet. Auswärtige Bischöfe und Fürsten hatten ihm ihre Hochachtung bezeugt, ihn mit Ehren überhäuft. Aber seit die Reformierten sich in Holland niedergelassen hat-

Bürgen für die ohne Lösegeld Freigelassenen in die Hände der Mauren zu überliefern. Später verlor der Orden den militärischen Charakter und wurde ein reiner Mönchsorden. Anm. d. Übers.

ten, gab es keine Ehrerbietung mehr, nicht einmal mehr Höflichkeit; man beschimpfte ihn. Jener allen gegenüber so hemmungslose Jurieu war es ihm gegenüber ganz besonders. Er warf ihm Verstellung vor und Lüge; er zweifelte die Reinheit seines Lebenswandels an, sprach von Konkubinat. Er war grob, wie im folgenden: Bossuet lässt sich Monseigneur anreden. Sieh einer an! Diese Herren Bischöfe sind beträchtlich im Rang gestiegen seit jenen Zeiten, da die Begründer des Christentums keinen anderen Titel trugen als den der Diener Jesu Christi. Bossuet ist ein Schönredner ohne Ehre und Aufrichtigkeit; Bossuet besitzt weder gesunden Menschenverstand noch Schamgefühl; Bossuet ist von gröblicher Unwissenheit, von einer Unverfrorenheit, die ans Wunderbare grenzt. Um das zu bestreiten, was Bossuet bestreitet, muss man eine Stirne von Erz haben oder von einer abgründigen und überraschenden Unwissenheit sein . . .

Bossuet gehört nicht zu denen, die Beschimpfungen nicht rühren oder die sogar ein gewisses Vergnügen darin finden, sie herauszufordern und zu empfangen. Er machte lebhafte Ausfälle, hatte Zornesausbrüche, die seine Fähigkeit zu leiden verrieten: Er litt, wenn es sich um solche Leute handelte, die er sehr geliebt hatte, wie Fénelon, oder wenn die Beschimpfungen seine Autorität minderten, ihn weniger geeignet erscheinen lassen konnten, Gottes Wort zu verkünden. Auf seinem dornenvollen Weg taucht Jurieu auf und bewirft ihn mit Kot, schilt ihn einen Menschen ohne Ehr' und Glauben, klagt ihn der Lüge und Heuchelei an. Da bricht es aus ihm wie ein Schrei, ein erschütternder Appell an Ihn, der alles weiß und der alle Dinge zum Besten der Seelen wendet:

»O Herr, höre mich; o Herr, man hat mich vor Dein schreckliches Gericht als einen Verleumder gerufen. Ich soll den Reformierten fälschlich Gottlosigkeiten, Lästerungen,

*unerträgliche Irrtümer vorgeworfen haben; ich soll ihnen all
diese Verbrechen nicht nur vorgeworfen, sondern einen Prediger angeschuldigt haben, er habe sie gestanden. O Herr, vor
Dir bin ich angeklagt worden . . . Wenn ich die Wahrheit gesprochen habe, wenn ich diejenigen der Gotteslästerung und
Verleumdung überführt habe, die mich als Verleumder, als
Mensch ohne Glauben, ohne Ehre, ohne Gewissen vor Dein
Gericht gerufen haben, so rechtfertige mich vor ihnen! Mögen
sie erröten, mögen sie verwirrt sein, aber, o Gott, ich beschwö-
re Dich, es möge jene heilsame Verwirrung sein, welche die
Reue und das Seelenheil bewirkt . . .[183]«*

Jeder Hauch von Unglauben lässt Bossuet erschauern.
Alles, was die Freidenker drucken, kennt er. Er arbeitet
nicht nur Grotius durch, diesen Socinianer; er gräbt noch
aus der *Bibliotheca Fratrum Polonorum* die Werke von
Crellius aus und die von Socinus, dem Schöpfer der Doktrin. Das ist die Quelle, aus der das Gift in die Seelen gedrungen ist . . . — Wir dürfen nicht glauben, dass ihm die
Diskussionen über die »Australländer« unbekannt geblieben sind oder der Einwand, den man gegen den Katholizismus mit der Behauptung erhebt, er sei nicht universell,
da es einen Kontinent gebe, wo Menschen gelebt haben,
ohne je Christi Namen zu hören: all das ist ihm bekannt.
»Geht doch«, ruft er aus, »und ärgert Sankt Paulus und
Jesus Christus selbst, indem ihr ihnen im Hinblick auf
die Australländer bestreitet, dass ihre Predigt von der
ganzen Erde gehört worden ist!«

Ebenso kennt er die so unbequemen Chinesen ganz
genau; er macht sogar gemeinsame Sache mit den ausländischen Missionaren, als diese die Jesuiten zwingen wollen, einzugestehen, dass die Zeremonien Chinas tatsächlich Götzenanbetung sind. Bei ihm wird der Entschluss

---

183 Deuxième avert. aux Protestants, 1689. Ausg. Lachat, XV, S. 275.

gefasst, die *Lettre au Pape sur les idolâtries et les superstitions chinoises* drucken zu lassen, ohne sie vorher dem König zu zeigen, der aus Rücksicht auf die Ehrwürdigen Väter von der Gesellschaft Jesu einschreiten könnte. Die Missionare begeben sich zum Bischofssitz und lassen sich dort darüber unterrichten, was sich denn fern in der Gegend von Peking eigentlich zuträgt: »Monsieur de Lionne, Bischof von Rosalie, ist heute Morgen und heute nach Tisch gekommen, um sich mit Monsieur de Meaux über die Angelegenheiten jenes Landes, die Sitten seiner Bevölkerung und das Wesen seines Volkes zu unterhalten . . .« »Von einer chinesischen Kirche zu sprechen, welche Gotteslästerung!« Er entrüstet sich: »Eine seltsam geartete Kirche ohne Glauben, ohne Gelübde, ohne Bund, ohne Sakramente, ohne das leiseste Anzeichen eines göttlichen Zeugnisses; eine Kirche, in der man nicht weiß, was man anbetet, und nicht weiß, wem man Opfer bringt, ob dem Himmel oder der Erde oder deren Genien oder denen der Berge und der Flüsse; eine Religion, die alles in allem nichts als ein wirrer Haufen von Atheismus, Politik, Religionslosigkeit, Götzenanbetung, Magie, Hellseherei und Zauberei ist . . .!«

Die Chronologen mit ihrer tiefschürfenden Arbeit sind ihm nicht unbekannt. Wer ihn näher kennt, kann kaum erstaunt sein, in seiner Bibliothek Marsham zu finden und seinen *Chronicus Canon Aegyptiacus*. Jean Le Clerc wirft Monsieur de Meaux vor, von Marsham viel entlehnt zu haben, ohne ihn zu zitieren. In Wahrheit war er sich vom Augenblick an, als er im Jahre 1681 seinen *Discours sur l'Histoire Universelle* herausgab, über die Erschütterung klar, die seine Zeitgenossen angesichts der aufbrechenden Widersprüche zwischen der weltlichen und der heiligen Geschichte bewegte. Da er selbst die Überlieferung vorzog, glaubte er dem Dauphin die Gründe dar-

283

legen zu müssen, die ihn bestimmten, sie beizubehalten. Wie unbequem ist diese Chronologie, fürwahr! Auf der einen Seite berichtet uns die Heilige Schrift, wie Nebukadnezar Babylon, das sich mit der Beute aus Jerusalem und dem Orient bereichert hatte, verschönte; wie nach ihm das Babylonische Reich die Macht der Meder nicht ertragen konnte und ihnen den Krieg erklärte; wie die Meder den Cyrus, den Sohn des Perserkönigs Cambyses zum Heerführer nahmen, wie Cyrus die Macht Babylons zerstörte und das bis dahin wenig bekannte Perserreich mit dem Reich der Meder verband, das er durch seine Eroberungen so sehr vergrößert hatte. So wurde Cyrus der friedliche Beherrscher des ganzen Orients und gründete das größte Reich, das es je auf der Welt gegeben hat. Im Gegensatz hierzu aber sprachen die weltlichen Geschichtsschreiber Justinus, Diodorus und die meisten griechischen Autoren, deren Schriften auf uns gekommen sind, ganz anders. Sie kennen diese babylonischen Könige nicht. Sie billigen ihnen unter den Monarchen, deren Geschlechterfolge sie uns aufzählen, keinen Rang zu. Wir erfahren so gut wie nichts aus ihren Arbeiten über jene berühmten Könige Teglathphalasar, Salmanassar, Sennacherib, Nebukadnezar und über so viele andere, die in der Heiligen Schrift und in den orientalischen Geschichtsbüchern eine so große Rolle spielen.

»Diesen weltlichen Historikern werden Sie keinen Glauben schenken, Monseigneur! Griechische Geschichtswerke sind verlorengegangen, und vielleicht erzählen gerade sie dasselbe, was die Heilige Schrift berichtet. Die Griechen, welche die Römer hernach kopiert haben, haben sehr spät geschrieben. Sie waren mehr beredt in ihrer Darstellung, als wissbegierig in ihren Nachforschungen und wollten Hellas durch Geschichten aus dem Altertum unterhalten, die sie auf Grund unklarer

Aufzeichnungen verfassten. Sie werden ihnen keinen Glauben schenken, Monseigneur, Sie werden viel eher der Heiligen Schrift glauben, die den Dingen des Orients so viel mehr Interesse entgegenbrachte und die schon deshalb so viel wahrscheinlicher wäre — selbst dann, wenn wir nicht wüssten, dass sie vom Heiligen Geist diktiert ist . . .[184]«

Im Jahre 1700 gibt Bossuet denselben *Discours* zum dritten Mal heraus, und nun kann man die Arbeit seines Geistes besonders deutlich erkennen. Die *Antiquité des temps* von Pater Pezron stammt aus dem Jahre 1687, die Antworten des Pater Martianay und des Pater Lequien sind von 1689 und 1690: das Gedankengut, das sie repräsentieren, hat Bossuet in sich aufgenommen. Wie die Chronologen geriet auch er durch die Ägypter, die Assyrer und die Chinesen in Verlegenheit, die alle so viele Jahrhunderte für den Ablauf ihrer Geschichte beanspruchten, dass sie den Rahmen der Heiligen Schrift dadurch sprengten. Wie Pater Pezron wies auch Bossuet, um der ernsten Schwierigkeit abzuhelfen, auf die Version der Septuaginta hin, welche fünf Jahrhunderte mehr bewilligt, in denen die Störenfriede untergebracht werden können; wie Pezron ließ er sich bei der Wahl zwischen zwei Versionen der Heiligen Schrift, die in der Zeitberechnung nicht übereinstimmten, durch Rücksichten auf die Datierung bestimmen. Niemals hat er sich gewisslich in einer schmerzlicheren Verlegenheit befunden.

Bossuets wahre Physiognomie zeichnet sich immer deutlicher ab. Br ist nicht der geruhsame Erbauer einer prächtigen, ganz im Stile Ludwig XIV. gehaltenen Kathedrale, sondern weit eher ein Arbeiter, der rastlos und eilig umherläuft, um die jeden Tag drohenderen Mauer-

---

184 Discours sur l'Histoire Universelle, Ausg. von 1681, S. 41 ff.

risse zu reparieren. Er war hellsichtig genug, bis auf den Grund zu sehen, und so ermaß er Umfang, Stärke und Vielfalt des von den Ungläubigen zur Zerstörung der eigentlichen Fundamente der Kirche Gottes Geleisteten.

Spinoza leugnet das Wunder und will Gott den Naturgesetzen unterwerfen. Ach, möge doch der Geist der Menschen sich von dieser Gottsubstanz nicht verlocken lassen, von diesem Gott, der nicht mehr ist als ein Schatten! Da hat der Gott des Moses eine ganz andere Macht: »er vermag zu binden und zu lösen, wie es ihm gefällt; er gibt der Natur Gesetze und stößt sie um, wann er will ... Wenn er, um sich zu einer Zeit, da die meisten Menschen ihn vergessen hatten, zu offenbaren, erstaunliche Wunder vollbracht und die Natur gezwungen hat, von ihren unumstößlichsten Gesetzen abzuweichen, so hat er damit weiterhin gezeigt, dass er ihr absoluter Herr ist und dass sein Wille das einzige Band ist, das die Ordnung der Welt aufrechterhält ...« Betrachtet die Schöpfung: »Indem er die Welt durch sein Wort erschafft, zeigt er, dass nichts ihm Mühe verursacht, indem er sie in mehreren Absätzen erschafft, macht er deutlich, dass er der Herr seiner Materie, seines Handelns, seines ganzen Werkes ist und dass er nach keiner anderen Regel handelt als nach seinem in sich selbst immer folgerichtigen Willen ...« Betrachtet die Sündflut: »Damit die Menschen aufhören zu glauben, die Welt liefe ganz allein und das, was gewesen ist, werde immer sein, lässt Gott, der alles erschaffen hat und durch den alles weiter besteht, alle Tiere und alle Menschen ertrinken, das heißt, er zerstört den schönsten Teil seines Werkes.« Bossuet denkt an die Verheerungen, welche der Gott der Ethik in den christlichen Gewissen anrichten kann, und für sie hat er Angst vor diesem Gott.

Auch Malebranche macht ihm Sorge, denn er findet auf dem Grund seiner Philosophie denselben Gedanken. Er ruft am 1. September 1693 bei seiner Grabrede für Maria Theresia von Österreich aus: »Wie verächtlich sind mir diese Philosophen, die Gottes Wege an ihren eigenen Gedanken messen und ihn nur zum Urheber einer allgemeinen Ordnung machen, aus der sich das übrige so gut wie möglich entwickelt! Als ob er, so wie wir, allgemeine und unbestimmte Ziele hätte, und als ob der höchste Verstand in seinen Plänen die Einzeldinge, die allein wirklich existieren, nicht mit einbegreifen könnte!« Pater Malebranche ist bescheiden, seine Absichten sind die besten, das gibt Bossuet zu; aber er weiß auch, dass trotz alledem seine Schüler auf dem geraden Wege zur Ketzerei sind. Gelingt es einem, den grässlichen Galimathias zu durchdringen, mit dem er sich umgibt, so findet man auf dem Grund seiner Philosophie eine Erklärung der Welt, die das Übernatürliche ausschließt. Und diese Erklärung selbst gründet sich auf eine Methode, die »schreckliche Ungebührlichkeiten« enthält. Dies ist eine der Stellen in seinem Werk, wo Bossuet zugleich am scharfsinnigsten und am meisten er selbst ist.

Von diesen selben falsch verstandenen Grundsätzen ausgehend, greift eine andere entsetzliche Ungebührlichkeit unbemerkt um sich. Denn unter dem Vorwand, man dürfe nur das annehmen, was man deutlich begreift — was bei Beschränkung auf gewisse Grenzen sehr wahr ist —, nimmt sich jeder heraus zu sagen: »Ich begreife dies, und jenes begreife ich nicht«, und mit dieser einzigen Begründung heißt man das eine gut und lehnt das andere ab, ganz wie es einem gefällt. Dabei bedenkt man nicht, dass es neben unseren klaren und deutlichen Ideen noch unbestimmte und allgemeine gibt, die trotzdem so wesentliche Wahrheiten enthalten, dass man alles umstürzte, wollte man sie verneinen. Unter diesem Vorwand schleicht sich eine solche Zügellosigkeit des Urteilens ein, dass man ohne Rücksicht auf die Überlieferung alles unverfroren vorbringt, was man denkt...[185]«

Aber auf wen geht Malebranche zurück? Auf Descartes! In einem von Cartesius' Lehre berauschten Jahrhundert und selber bis zu einem gewissen Grade Cartesianer, überlegt Bossuet, analysiert, unterscheidet und verteidigt sich. Bei Descartes findet sich dreierlei: zunächst einmal Argumente, die gegen die Atheisten und Freidenker von Nutzen sind; zweitens physikalische Theorien, die man annehmen oder verwerfen kann und die, da sie für die Religion gleichgültig sind, keine große Bedeutung haben; und schließlich ein Grundsatz, der den Glauben bedroht:

Ich sehe... sich im Namen der cartesianischen Philosophie einen großen Kampf gegen die Kirche vorbereiten. Ich sehe aus ihrem Schoß und aus ihren, nach meiner Meinung falsch verstandenen Grundsätzen mehr als eine Ketzerei entstehen, und ich sehe voraus, dass die Folgerungen, die man aus ihr gegen die Dogmen, denen unsere Väter angehangen haben, zieht, sie zum Abscheu machen und die Kirche all jener Früchte verlustig gehen lassen werden, die sie sich davon erhoffen konnte, um den Philosophen die Göttlichkeit und Unsterblichkeit der Seele zu beweisen [186].

Gehen wir weiter: Gibt es nicht vielleicht eine geistige Haltung, deren Exponent anfangs die Philosophie von Descartes ist, und die sie dann ihrerseits verstärkt hat? Findet man nicht unsichtbar, tief mit dem Leben verwachsen einen Willen, auf den alles zurückgeht? Handelt es sich nicht um eine gewaltige Weigerung, der Autorität zu gehorchen, um ein unbesiegliches Kritikbedürfnis,

185 An einen Schüler von Malebranche, am 21. Mai 1687.
186 Ib. und Brief an Huet vom 18. Mai 1689.

288

das »die Krankheit und Versuchung unserer Zeit ist?[187]«
Nach einer Zeit, da der Mensch sich vor Gott gedemütigt
und dem König Gehorsam geleistet hat, ist nunmehr die
Epoche einer »Zügellosigkeit des Geistes« gekommen.
Hier schmückt Bossuets Beredsamkeit die Wahrheit aus,
die er entdeckt, und mit folgenden feierlichen Worten be-
schreibt der Redner jenen sich allmählich verbreitenden
Geisteszustand, der im Bewusstsein der Menschen den
Sieg davonzutragen droht und der ihm ein wahres Grau-
en einflößt:

*Ihr Verstand, von dem sie sich leiten lassen, bietet ihrem
Geist nichts als Mutmaßungen und Schwierigkeiten; die Ab-
surditäten, in die sie dadurch verfallen, dass sie die Religion
leugnen, werden schwerer zu vertreten als die Wahrheiten,
deren Erhabenheit sie in Erstaunen versetzt, und weil sie
keine unverständlichen Mysterien glauben wollen, jagen sie
einem unverständlichen Irrtum nach dem andern nach. Was,
meine Herren, ist denn schließlich ihre unglückliche Glaubens-
losigkeit anderes als ein Irrtum ohne Ende, eine Vermessenheit, die alles aufs Spiel setzt, ein gewollter Taumel, in einem
Wort ein Hochmut, der sein Heilmittel nicht vertragen kann,
nämlich eine rechtmäßige Autorität? Glauben Sie ja nicht,
der Mensch ließe sich nur durch die Zügellosigkeit seiner Sinne hinreißen: die Zügellosigkeit des Geistes ist nicht weniger
einschmeichelnd; genau wie jene verschafft sie sich verborgene Genüsse und wird wie sie durch das Verbot gereizt. Solch
ein Hoffärtiger glaubt sich über alles und sich selbst erhaben,
wenn er sich, wie ihm scheint, über die Religion erhebt, die er
so lange hochgeschätzt hat. Er stellt sich in die Reihe der Aufgeklärten, beschimpft in seinem Herzen die schwachen Seelen,
die nur den anderen folgen und nie selbst etwas finden; und*

---

187 Bossuet an Rancé am 17. März 1692. »Die falsche Kritik, welche
die Krankheit und Versuchung unserer Zeit ist . . .«

289

so *wird er das einzige Objekt seines Wohlgefallens und sein eigener Gott* [188].

Nichts ist mehr einfach, es gibt kein Gleichgewicht mehr und kein Maß, da man sich der Autorität nicht mehr unterwirft; die Frömmsten und Gelehrtesten sind imstande, sich seltsamen Fantasien hinzugeben, man ist keiner Sache mehr sicher, man weiß nicht mehr. Lässt man sich nicht einfallen, das Werk einer spanischen Nonne, Maria de Jesus, Äbtissin von Agreda, zu veröffentlichen und in den Himmel zu heben, die man für eine Mystikerin erklärt und die verrückt ist? Und jener ungeheuerliche Irrtum seines lieben Fénelon ... Man versucht das Theater zu verteidigen; man will um jeden Preis dartun, dass die Kirche die Zuchtlosigkeit der Bühne duldet. Man zerquält die Texte der Kirchenväter, um ihnen ihre Zustimmung zu entreißen. Man wagt das Beispiel der Heiligen Schrift heranzuziehen, indem man behauptet, auch sie gebrauche Worte, die Leidenschaften ausdrückten, und wenn man alle Dinge verbieten wollte, die unerfreuliche Folgen haben könnten, so müsse man die Lektüre der Bibel selbst auf Lateinisch verbieten, da sie die unschuldige Ursache aller Ketzereien sei. Und wer, ich bitte, bringt alle diese Torheiten und Gotteslästerungen vor? Ein Mönch, ein Pater Caffaro! — Aus einer Übertreibung stürzt man in die andere; unter dem Vorwand, dem König zu gehorchen, verweigerte man um ein Haar dem Papst den Gehorsam, so dass die gallikanische Kirche eine schismatische Kirche würde, wenn er, Bossuet, nicht da wäre, um dem Kaiser zu geben, was des Kaisers ist, und Gott, was Gottes ist. Es ist ein ständiges Geplänkel; von einer Verteidigung muss man zur anderen

188 Grabrede für Anne de Gonzague, Ausgabe Lachat, Band XII, S. 552.

übergehen; und mehr noch: man müsste an allen Punkten zugleich sein. Wie glücklich wären seine Feinde, ihn abtreten zu sehen! Von Zeit zu Zeit setzt man das Gerücht in Umlauf, Monsieur de Meaux habe einen Schlaganfall gehabt, und man versichert sogar, Monsieur Simon habe gesagt: man muss ihn sterben lassen, er macht's nicht mehr lange. Und Monsieur de Meaux behauptet noch immer seinen Platz.

Vielleicht deshalb, weil er in einer verzweifelten Wachsamkeit lebt, in einer Anspannung ohne Nachlassen, wird der Ton so wild, in dem er alles verflucht, was der trügerischen Welt zugehört: die Begehrlichkeit des Fleisches, die uns nach unten zieht, die Begehrlichkeit der Augen und die des Geistes. Nichts findet mehr Gnade vor seiner Strenge, weder der Wunsch, zu experimentieren und zu erkennen, noch der geschichtliche Sinn noch die Wissenschaft, wenn sie nur eine besondere Form des sündigen Ehrgeizes darstellt, noch die Liebe zum Ruhm noch der Heroismus. Und angeekelt von den zahllosen Verirrungen der Menschen wird er unmenschlich. Deshalb auch strebt er mit trostbedürftigem Herzen zum Göttlichen. In solchen Augenblicken greift er zum Evangelium, nicht um darüber zu diskutieren, sondern um über seine schönsten Stellen fromm zu meditieren, um sich der Süßigkeit des Glaubens, der Süßigkeit zu lieben hinzugeben: »Lies ihn noch einmal, meine Seele, diesen süßen Befehl zu lieben . . .« Er erhebt sich von Gipfel zu Gipfel bis zu den himmlischen Wohnungen und gelangt zu jenem äußersten Grad, wo Gebet und Dichtung eins werden, wo sein Wort kein anderes Gefühl mehr ausdrückt als das Streben seines ganzen Wesens nach jener Wahrheit und jener Schönheit, die ewig dauern werden.

LEIBNIZ UND DAS MISSLINGEN EINER
EINIGUNG DER KIRCHEN

»Er war schmal und blass. Seine mit unzähligen Run-
zeln bedeckten Hände liefen in dünne Finger aus. Da seine Augen von Anbeginn wenig scharf waren, fehlten ihm
beherrschende visuelle Bilder. Er trug den Kopf geneigt
und hasste alle brüsken Bewegungen. Er liebte Wohlgerüche und schöpfte daraus wahre Erholung. Er zog die
Meditation und die einsame Lektüre dem Gespräch vor;
aber wenn ein Gespräch sich entspann, so setzte er es
gern fort. Er liebte die Nachtarbeit. Er machte sich nichts
aus vergangenem Geschehen; der geringste gegenwärtige
Gedanke fesselte ihn mehr als die größten weit zurück-
liegenden Dinge. So schrieb er denn auch unaufhörlich
Neues und ließ es unvollendet; am nächsten Tag vergaß er es und gab sich keinerlei Mühe, es wieder aufzufinden . . .[189]«

So war Leibniz. Welch ein Wissenshunger war auf
dem Grund seiner vielseitigen Seele! Er ist seine beherrschende Leidenschaft. Er möchte alles kennen bis zu
den äußersten Grenzen des Realen und darüber hinaus
bis zum Imaginären. Er sagt: Derjenige, der am meisten
Bilder von Pflanzen und Tieren, am meisten Abbildun-
gen von Maschinen, am meisten Beschreibungen und
Darstellungen von Häusern oder Festungen gesehen hat,
der am meisten erfindungsreiche Romane gelesen, am
meisten interessante Erzählungen gehört hat, wird mehr
Kenntnisse besitzen als andere, selbst wenn kein wahres
Wort in all dem ist, was man ihm geschildert und erzählt hat . . . Er hatte alles gelernt, zunächst Latein und
Griechisch. Rhetorik und Poesie, so dass seine Lehrer,

---

189 Jean Baruzi, Leibniz (La pensée chrétienne), S. 10-12.

erstaunt über seine Unersättlichkeit, schon fürchteten, diese Anfangsstudien würden ihn nicht mehr loslassen. Aber gerade in diesem Augenblick machte er sich frei. Von der scholastischen Philosophie und der Theologie ging er zur Mathematik über, in der er später geniale Entdeckungen machen sollte, von der Mathematik kam er zur Jurisprudenz. Er befasste sich mit Alchemie, denn er suchte ja das Verborgene, das Seltene, das, was vielleicht auf Wegen, die gewöhnlichen Sterblichen unzugänglich sind, zur Erklärung der Erscheinungen führen kann. Jedes Buch, jeder Mensch, denen er zufällig begegnete, forderte seinen Erkenntnisdrang heraus. Sich »wie mit einem Nagel« an einen bestimmten Fleck, eine bestimmte Disziplin, eine bestimmte Wissenschaft zu heften, das eben konnte er nicht ertragen. Einen bestimmten Beruf wählen, Advokat werden oder Professor, sich jeden Tag zur gleichen Stunde der gleichen Beschäftigung hingeben — nur das nicht! Er reiste, sah deutsche Städte, sah Frankreich, England, Holland, Italien, besuchte die Museen, pflegte Umgang mit den gelehrten Gesellschaften, bereicherte seinen Geist durch tausend Beziehungen und machte sein Leben zu einem ständigen Neuerwerben. Er willigte schließlich ein, Bibliothekar zu werden, um so dem unaufhörlichen Ruf aller menschlichen Gedanken sein Ohr zu leihen. Er wurde Historiograf, um so viel wie irgend möglich vom Vergangenen und Gegenwärtigen zu erfassen. Er korrespondierte mit aller Welt, war ein Berater der Fürsten und eine lebende Enzyklopädie, die immer bereit war, Auskunft zu geben. Aber der Sinn seines Daseins war, in der Welt einen Dynamismus zu verkörpern, der unerschöpflich schien, weil er nie aufhörte, immer neue Tatsachen, Ideen, Gefühle, immer neue Menschlichkeit einzusaugen.

Aus seinem ständig arbeitenden, die neuen Erkenntnisse jeder Art bewegenden und einschmelzenden Bewusstsein entsprangen, je nach der Laune des Tages, nützliche Erfindungen, philosophische Systeme oder großherzige Träume. Er beherrschte schließlich alle Wissenschaften und alle Künste, ganz abgesehen von dem unendlichen Material für seine idealen Konstruktionen. Er war, wie man von ihm gesagt hat, »Mathematiker, Physiker, Psychologe, Logiker, Metaphysiker, Historiker, Jurist, Philologe, Diplomat, Theologe und Moralist«, und an dieser märchenhaften Aktivität, die wir in diesem Maß wohl bei keinem andern Menschenkind finden, gefiel ihm am besten ihre Mannigfaltigkeit: *utique enim delectat nos varietas.*

Utique delectat nos varietas, sed reducta in unitatem [190]. Die Zurückführung auf die Einheit, das ist in der Tat die zweite große Leidenschaft von Leibniz. Er empfindet die Gegensätze weniger stark als die Übereinstimmungen und richtet sein Augenmerk darauf, die Reihe der winzigen Abstufungen zu erkennen, die das Licht mit dem Schatten, das Nichts mit dem Unendlichen verbinden. Er möchte einen Zusammenschluss zwischen den Gelehrten herbeiführen: denn woher kommt es, dass die Wissenschaft so langsam vorankommt, wenn nicht von der Isolierung derer, die sie pflegen? Man schaffe in jedem Land Akademien, und diese mögen dann von Nation zu Nation die Verbindung aufnehmen, dann werden die Kanäle des Geistigen Fluten neuer Erkenntnis herbeitragen und die Erde befruchten. Und noch mehr! Leibniz möchte eine Universalsprache schaffen. In Wahrheit bietet die Welt ein schmerzliches Schauspiel der Uneinigkeit und Zerrissenheit: überall Barrieren, Anfragen, die

---

190 Gewiss entzückt uns die Mannigfaltigkeit, aber nur, wenn sie auf die Einheit zurückgeführt ist.

ohne Antwort bleiben, Anläufe der Wahrheit entgegen, die verurteilt sind, im Nichts zu enden: eine Verwirrung, die seit Jahrhunderten andauert. Sollte es nicht möglich sein, wenigstens einige der Hindernisse zu beseitigen, deren Anblick allein die Vernunft beleidigt, und sollte man sich, um einen Anfang zu machen, nicht über den Sinn der Worte einigen können? Man müsste eine Sprache schaffen, die für alle Geltung hätte, und die nicht nur die internationalen Beziehungen erleichterte, sondern ihrem Wesen nach von solcher Klarheit, Präzision, Geschmeidigkeit und von einem solchen Reichtum wäre, dass sie in sich die vernünftige und sinnliche Evidenz darstellen würde. Man würde sich ihrer für alle geistigen Betätigungen bedienen, wie die Mathematiker es mit der Algebra tun: nur wäre es eine konkrete Algebra, in welcher jeder Terminus beim ersten Blick das Bild aller möglichen Beziehungen zu verwandten Ausdrücken aufsteigen ließe. Man besäße somit eine »universelle Charakteristik«, das feinste Instrument, dessen der menschliche Geist sich je bedient hätte.

Leibniz leidet unter der Uneinigkeit Deutschlands, unter der Uneinigkeit Europas, das er befrieden und dessen Überfluss an kriegerischen Energien er notfalls nach dem Orient ablenken möchte. Und wenn wir in die tieferen Regionen seines Geistes Vordringen, so finden wir dort die gleiche Sehnsucht: Seine große Entdeckung auf dem Gebiet der Mathematik, die Infinitesimalrechnung, bedeutet einen Übergang vom Unstetigen zum Stetigen; sein großes psychologisches Gesetz ist das der Kontinuität: eine deutliche Wahrnehmung ist an dunkle Wahrnehmungen gebunden, die uns allmählich über eine Reihe nicht wahrnehmbarer Abstufungen bis zur ursprünglichen Schwingung der Lebenskraft hinleiten. Harmonie bleibt die höchste metaphysische Wahrheit. In ihr lösen sich schließlich alle unvereinbar erscheinenden Mannigfaltigkeiten auf, indem sie sich zu einem Ganzen zusammenfügen, in dem jede auf Grund einer göttlichen Ordnung ihren Platz hat. Das Universum ist ein gewaltiger Chor; das Individuum bildet sich ein, es singe seinen Gesang alleine, aber in Wirklichkeit folgt es nur für sein Teil einer unendlichen Partitur, in der jede Note so eingefügt worden ist, dass alle Stimmen sich entsprechen und ihr Zusammenklang eine Musik hervorruft, die vollkommener ist als die Harmonie der Sphären, von der Plato träumte.[191]

Lesen wir noch einmal die schöne Stelle, in welcher Emile Boutroux die Schwierigkeiten hervorhebt, auf die ein so gearteter Geist in eben der Zeit stoßen musste, in der er zur Welt kam. — »Die Aufgabe ist nicht die gleiche wie für die Menschen des Altertums. Er findet ausgesprochene Gegensätze vor, die durch das Christentum und das moderne Denken entstanden sind, Unvereinbarkeiten, wenn nicht sogar richtige Widersprüche in einem Ausmaß, wie sie die Antike nie gekannt hat. Das Allgemeine und Besondere, das Mögliche und das Tatsächliche, das Logische und das Metaphysische, das Mathematische und das Physikalische, Mechanismus und Teleologie, Materie und Geist, Erfahrung und angeborene Erkenntnis, universale Bindung und Spontaneität, Verkettung von Ursache und Wirkung und Freiheit des Menschen, die Vorsehung und das Böse, Philosophie und Religion, all diese Gegensätze sind ihrer gemeinsamen Elemente durch die Analyse mehr und mehr beraubt worden und stehen sich so schroff gegenüber, dass es unmöglich scheint, sie miteinander zu versöhnen, und dass sich einem nach Klarheit und Folgerichtigkeit trach-

191 In dem Seite 466 beginnenden Abschnitt »Die Metaphysik der Substanz« wird auf diese Philosophie noch näher einzugehen sein.

tenden Denken die Entscheidung für die eine Seite unter völliger Ablehnung der anderen aufzudrängen scheint. Unter solchen Umständen setzt Leibniz sich das Ziel, die Aufgabe des Aristoteles wieder aufzunehmen und die Einheit und Harmonie der Dinge, die der menschliche Geist scheinbar nicht mehr begreifen kann und vielleicht sogar nicht mehr zugeben will, wieder aufzufinden.[192]

So stellte sich dieser wunderbare, zugleich kühne und ruhige Kopf zu einer Zeit, da die Ideen mit einer bis dahin unbekannten Heftigkeit gegeneinander zum Kampf antraten, absichtlich auf einen so hohen Standpunkt, dass jede Wahl, die das Gegensätzliche ausschloss, ihm nicht ein Anzeichen der Stärke, sondern ein solches der Schwäche und des Verzichtes erschien. Würde er ans Ziel gelangen? Wenn er nun zu den Tatsachen hinuntersteigt, von der Spekulation zum Praktischen übergeht und das zerrissene und verwundete religiöse Bewusstsein seiner Zeitgenossen durch das Mittel der Versöhnung zu heilen versucht, so fragt sich, ob ihm das gelingen wird, oder ob er nichts tun wird, als dem bestehenden Schisma auch noch den Charakter der Unabänderlichkeit zu verleihen. War es möglich, selbst für ein Genie, von allen Überlieferungen gerade die Idee der »Christenheit« zu retten?

Sobald man Europa betrachtet, fällt der Blick auf eine Wunde: seit der Reformation ist seine Einheit zerbrochen. Seine Bewohner sind in zwei Parteien gespalten, die sich feindlich gegenüberstehen. Kriege, Verfolgungen, bitterer Streit, Beschimpfungen sind das tägliche Brot dieser feindlichen Brüder. Die erste Aufgabe dessen, der von Harmonie träumt, muss es sein, eine Krankheit zu heilen, die von Tag zu Tag schlimmer wird. Seit 1660 ist der Kampf zwischen Katholiken und Protestanten

---

192 Vorwort zur Monadologie, 1881.

tatsächlich wieder heftiger geworden. Bis zu welchem Übermaß wird er sich noch steigern? Wenn er andauert, wird es bald mit dem Glauben aus sein, mit jedem Glauben; denn die Freidenker, die Deisten und sogar die Atheisten führen gegen den Glauben einen Kampf, der täglich an Kühnheit zunimmt und dem nur geteilte Kräfte begegnen. Wenn es dagegen Katholiken und Protestanten gelänge, sich zu verständigen, so würde die versöhnte Christenheit in ihrer Einigkeit eine unwiderstehliche Kraft finden, gemeinsam gegen den Unglauben aufstehen und die Kirche Gottes retten.

Leibniz stellt all seine Kräfte dem Werk der Einigung zur Verfügung. Er kennt die Ansprüche der beiden Parteien. Er hat die Streitschriften ausgiebig gelesen und weiß sogar, dass sie im Allgemeinen nicht viel Gutes enthalten. Er kennt die Menschen. Er ist nicht der erste beste, da er durch seine Entdeckungen Anspruch auf einiges Ansehen bei denkenden Menschen hat: in allen Ländern Europas können erstklassige Gelehrte für ihn gutsagen. Er ist Lutheraner; aber er will, nach einem Wort, das er in der Bemühung um sein schönes Ziel, die Einigung der Kirchen, geäußert hat, nicht »unterscheiden, was unterscheidet . . .« Um eine Methode zu finden, braucht er nur seiner natürlichen Neigung zu folgen, braucht er nur zu zeigen, dass die Abweichungen nicht wesentlich sind, dass die Ähnlichkeiten zahllos sind und fast einer Identität gleichkommen, und kann so versuchen, eine allgemeine Einigung auf Grund der einfachsten Formen des Glaubens, die zugleich die tiefsten sind, herbeizuführen.

Zur Zeit seiner Reise nach Paris hatte er bei Arnauld, dem Jansenisten, ein Vaterunser gesprochen, das nach seiner Meinung alle akzeptieren konnten: »O Du einiger, ewiger und allmächtiger Gott, Du einziger wahrhaftiger und unendlich herrschender Gott; ich, Dein armseliges

298

Geschöpf, glaube an Dich und hoffe auf Dich; ich liebe Dich über alles, ich bete zu Dir, lobe Dich, danke Dir und weihe mich Dir. Vergib mir meine Schuld und gib mir und allen Menschen das, was nach Deinem gegenwärtigen Willen für unser zeitliches und ewiges Wohl nützlich ist, und bewahre uns vor allem Übel. Amen.« Aber Arnauld hatte dieses Gebet zurückgewiesen, weil es den Namen Jesu Christi nicht enthielt. Es würde immer Leute geben, die seine Formulierungen zurückwiesen, und die Aufgabe würde nicht sehr einfach sein, aber zum mindesten wollte er sie in Angriff nehmen. Hatte er damit Erfolg, so würde er für sein Teil jene Harmonie verwirklichen, die das Gesetz des Universums ist. Misslang es, so trugen andere die Verantwortung, die Verstockten, die Blinden; andere würden das Schisma verlängern, es unheilbar machen und den Zusammenbruch des religiösen Bewusstseins von Europa vollenden.

Vorbereitende Arbeiten dehnen sich über Jahre aus. Sie beginnen schon 1676, als Leibniz, der seinen Weg auf dem Gebiet der Alchemie abtastet, in Nürnberg einen Adepten dieser Kunst, den Freiherrn v. Boinebourg, findet, einen bekehrten Protestanten, der seine besten Jahre den »irenischen Verhandlungen«, wie man damals sagte, widmete. Boinebourg nimmt ihn nach Frankfurt mit, dann an den Hof zu Mainz, wo die religiösen Kontroversen gerade in vollem Gange sind. Als Leibniz 1676 bei seiner Rückkehr aus Paris die Stelle eines Bibliothekars in Hannover annimmt, trifft er in der Person des Herzogs Johann Friedrich, eines katholischen, aber über protestantische Untertanen herrschenden Fürsten, auf den Mann, durch den Rom Norddeutschland zu bekehren hofft. Die Bewegung beschleunigt sich, die Akteure auf der Hannoveraner Bühne sind mächtig bei der Arbeit: Ernst August, der Nachfolger von Johann Friedrich, und der Bischof Spinola, ein Schützling des Kaisers, der zwischen Wien, den deutschen Fürstentümern und Rom hin und her fährt und die Fäden der Einigung spinnt. Im Jahre 1683 bringt Spinola eine Formulierung, die als Basis dienen soll, *Regulae circa christianorum omnium ecclesiasticam reunionem*. Die Theologen aus beiden Lagern versammeln sich, halten Besprechungen ab und arbeiten unter dem geistigen Einfluss von Molanus, dem Abt von Lockum — einem Menschen von großzügigem Geist und Herzen — eine Methode aus, die endlich die langersehnte Aussöhnung herbeiführen soll: *Methodus reducendae unionis ecclesiasticae inter Romanenses et Protestantes.*

Leibniz geht weiter als alle. Um die Zeit, da im französischen Reich die Aufhebung des Ediktes von Nantes vorbereitet und vollzogen wird, bleibt er den vorübergehenden Gewalttaten gegenüber unempfindlich und überzeugt, dass der Geist der Einigkeit die Wahrheit und das Leben ist. Er sinnt nach und verfasst jenes Glaubensbekenntnis, das man *Systema theologicum* nennt und das in einem so ernsten und schönen Ton gehalten ist: nachdem ich durch lange und inbrünstige Gebete den göttlichen Beistand erfleht habe, habe ich, soweit es dem Menschen möglich ist, jeden Parteigeist beiseite getan und über die religiösen Streitigkeiten so nachgesonnen, als ob ich aus einer neuen Welt käme ... Als einfältiger, mit keiner der Konfessionen vertrauter und von jeder Verpflichtung freier Neuling habe ich nach reiflicher Überlegung schließlich die Punkte niedergelegt, die ich nun darlegen werde: ich habe geglaubt, sie annehmen zu müssen, weil die Heilige Schrift, die Autorität des gläubigen Altertums, die gesunde und aufrechte Vernunft selbst und das zuverlässige Zeugnis der Tatsachen sich mir alle zu vereinigen scheinen, um jeden vorurteilsfreien Menschen davon zu überzeugen ...

Welche Überzeugung meint er? Er hat nicht nur die Dogmen über die Existenz Gottes, die Erschaffung des Menschen und der Welt, die Erbsünde, die Mysterien nachgeprüft, sondern auch die am heftigsten umstrittenen Punkte der religiösen Praxis, die frommen Gelübde, die Werke, die Zeremonien, die Bilder, den Heiligenkult. Er ist danach überzeugt, dass nichts im Wege steht, dass Katholiken und Protestanten sich einander nähern, sich einigen und, indem beide Teile in Bezug auf ein paar scheinbare Schwierigkeiten nachgeben, die Einheit des Glaubens wiederherstellen. Folgendermaßen äußert er sich über die katholischen Ordensregeln, die gerade den Zorn oder die Verachtung seiner Glaubensbrüder, der Lutheraner, hervorrufen:

Ich gestehe, dass die religiösen Orden, die frommen Bruderschaften, die heiligen Vereinigungen und alle anderen derartigen Einrichtungen immer meine ganz besondere Bewunderung hervorgerufen haben. Sie sind so etwas wie auf Erden kämpfende himmlische Heerscharen, sofern man nur jeden Missbrauch und jede Korruption fernhält, sie im Sinne und nach den Regeln ihrer Gründer leitet, und wenn der souveräne Pontifex sie zum Nutzen der universellen Kirche einsetzt.

Oder noch besser: *Die Töne der Musik, der sanfte Zusammenklang der Stimmen, die Poesie der Hymnen, die fromme Beredsamkeit, der Glanz der Lichter, die Wohlgerüche, die reichen Gewänder, die mit kostbaren Steinen verzierten Vasen, die reichen Geschenke, die die Frömmigkeit anregenden Statuen und Bilder, die Gesetze einer erfahrenen Architektur, die Wirkungen der Perspektive, die Feierlichkeit der öffentlichen Prozessionen und die reichen Teppiche, welche die Straßen schmücken, der Klang der Glocken, in einem Wort all jene Ehren, welche die Frömmigkeit des Volkes so gern darbringt, begegnen, glaube ich, bei Gott nicht jener Verachtung, welche die verdrießliche Einfachheit einiger Menschen unserer Tage*

301

zu empfinden vorgibt. Das bestätigen im Übrigen sowohl die Vernunft als die Tatsachen . . .

Kann man sich danach wundern, dass man Leibniz in Rom, wohin ihn 1669 seine historiografischen Arbeiten und seine allumfassende Wissbegierde führen, die Leitung der Vatikanischen Bibliothek anbietet? Hat man dort nicht Grund anzunehmen, er sei im Herzen katholisch und ganz nahe daran, sich zu bekehren?

Bossuet ist es, den man erreichen müsste, um ans Ziel zu gelangen. »Sie sind wie ein zweiter Sankt Paulus, dessen Arbeiten nicht auf eine einzige Nation oder auf eine einzige Provinz beschränkt bleiben. Ihre Arbeiten sprechen gegenwärtig in den meisten europäischen Sprachen, und die von Ihnen Bekehrten verkünden Ihren Triumph in Sprachen, die Sie selbst nicht verstehen . . .[193]«

Lange hatte Bossuet geglaubt, man könnte die Protestanten durch Disputationen zurückgewinnen. Als er im Jahre 1671 seine *Exposition de la doctrine catholique* herausgab, schien er die Hand auszustrecken, die Arme zu öffnen. Wie Leibniz wollte er nicht mehr »unterscheiden, was unterscheidet«, sondern das betonen, was einigen konnte. Indem er die katholische Doktrin von allem überflüssigen Beiwerk befreite, mit dem die Wirrköpfe und die Maßlosen sie überladen hatten, indem er aufzeigte, dass die fundamentalen Glaubenssätze die gleichen waren, indem er sich zum Heiligenkult, zu der Frage der Bilder und Reliquien, zum Ablass, den Sakramenten, der Rechtfertigung durch die Gnade auf das verständigungsfreundlichste äußerte, indem er die Überlieferung und die Autorität der Kirche rechtfertigte; indem er nachwies, dass der Glaube an die Transsubstantiation die einzige

---

193 Mylord Perthe an Bossuet, 12. November 1685.

wirkliche Schwierigkeit darstelle und dass zudem diese Schwierigkeit nicht unüberwindlich sei, machte er eine so großzügige, so warmherzige Geste, dass die ganze protestantische Welt davon gerührt war. Man hatte sogar seine Exposition für zu liberal erklärt, um rechtgläubig zu sein, aber mit der Zustimmung der Bischöfe und des Papstes selbst versehen, triumphierte sie, verbreitete sich über ganz Europa und tat ihre Wirkung: »Diese Darlegung unserer Lehre wird zweierlei gute Auswirkungen haben: die erste wird sein, dass mehrere Streitigkeiten ganz einschlafen werden, weil man erkennen wird, dass sie auf einer falschen Auslegung unseres Glaubens beruhen; die zweite wird sein, dass die verbleibenden Unterschiede nach den Grundsätzen der sogenannten Reformierten nicht so grundlegend erscheinen werden, wie sie zunächst haben glauben machen wollen, und dass sie auch nach eben diesen Grundsätzen nichts enthalten, was die Grundlagen des Glaubens verletzt...«

Aber Bossuet hat den Widerruf des Ediktes von Nantes gutgeheißen (er entsprach in logischer Konsequenz seinem Denken), und hiermit vollzog sich der endgültige Bruch. Von dem Tage an, an dem er vor dem versammelten Hof über das *Compelle intrare* gepredigt hat — es war am Sonntag, dem 21. Oktober 1685 —, mussten die Protestanten ihn nicht nur zu ihren Gegnern, sondern zu ihren Feinden zählen. Und man weiß, welchen Sturm im Jahre 1688 die Veröffentlichung der *Histoire des Variations des Églises protestantes* hervorgerufen hat. Monate, Jahre hindurch erschienen Widerlegungen, Erwiderungen, Erwiderungen auf die Erwiderungen. Weder die einen noch die anderen waren sanft: »Man braucht nicht das ganze Meer auszutrinken, um zu wissen, dass sein Wasser salzig ist, noch braucht man uns alle Verleumdungen, die man uns anhängt, aufzutischen, damit wir uns darüber klar werden, wieviel Bitterkeit man gegen uns hegt.[194]«

Hier erhält Leibniz' Versuch seinen grandiosen Charakter und seine erhabene Bedeutung: nach der Aufhebung des Ediktes die Einigung erstreben! Von allen Seiten hatte man sie ersehnt. Es hatte Leute in Schweden, in England und selbst noch in Russland gegeben, die versucht hatten, diejenigen, die guten Willens waren, zu einer Herde zu vereinigen. Aber jetzt, wo die Hirten nichts anderes mehr taten, als sich miteinander herumschlagen, noch immer an die Wiederversöhnung zu denken, welch Beginnen! Und doch war gerade das der Traum von Leibniz, und Bossuet war es, den er zu Hilfe herbeirief.

Sie beginnen zu konferieren, nicht als Personen von Fleisch und Blut, wohl aber mit ihren Ideen, mit ihrem Wollen. Sie sitzen sich dabei nicht gegenüber, aber sie unterhandeln so ins Einzelne gehend miteinander, als ob sie in irgendeinem schmucklosen Sitzungssaal zusammensäßen und unter einem Kruzifix. Mit Hilfe einiger Eingeweihter entspinnt sich in dem mystischen Halbdunkel, das sich für langwierige und schwierige Unterhandlungen eignet, zwischen diesen beiden großen Seelen eine ergreifende Diskussion.

Wenn man eine erste Phase, die nichts war als ein rasch aufeinanderfolgender Austausch von Briefen und Höflichkeiten, nicht mitrechnet, so begann die Debatte um 1691 in ihrem vollen Umfang. Von Frankreich aus blickte eine kleine Gruppe religiöser Gemüter hoffnungsvoll nach Hannover: Pelisson, der ehemalige Freund Fouquets, gehörte dazu. Er war ursprünglich Hugenotte. Nachdem er in die Bastille gesperrt, wieder befreit und

---

194 Seconde Instruction pastorale sur les promesses de Jesus-Christ à son Église (1701), Ausg. Lachat, Band XVII, S. 239.

zum Katholizismus übergetreten war, war er Direktor der Konversionskasse geworden. Jetzt suchte er mit glühender Seele die Kirche, die er verlassen hatte, mit der römischen Kirche zu vereinigen. Ferner gehörte dazu Louise Hollandine (die Schwester der Herzogin von Hannover), die den Protestantismus abgeschworen und sich in die Abtei von Maubuisson bei Pontoise zurückgezogen hatte; und Madame de Brinon, ihre voll Eifer zum Ruhme Gottes tätige Sekretärin. Wer weiß? Vielleicht würde die Herzogin von Hannover sich auch bekehren? Vielleicht würde ihr Gemahl ihrem Beispiel folgen? Und vielleicht würde dies hannoversche Land, wo die gute Saat aufzugehen schien, eine herrliche Ernte geben? Signale werden ausgetauscht: Leibniz und Pellisson korrespondieren, argumentieren, lernen sich über die Entfernung hinweg schätzen und lieben. Bossuet wird aufmerksam und »billigt den Plan«.

Schon sind sie im Nahkampf. Leibniz sucht den geeigneten Punkt für eine Verständigung, die am schlechtesten bewachte oder am schwächsten verteidigte Stelle, durch die man in die Festung eindringen kann. Es ist diese: man kann sich in Glaubenssachen irren, ohne ein Ketzer oder Schismatiker zu sein, sofern man nur nicht verstockt ist. Wenn die Protestanten zugeben, dass jedes ökumenische Konzil über alles, was das Seelenheil betrifft, die Wahrheit verkündet, oder wenn sie sich irren, indem sie annehmen, das Konzil von Trident, das die endgültige Trennung sanktioniert hat, habe keinen ökumenischen Charakter gehabt, so irren sie sich doch ohne böse Absicht. Sie sind weder ketzerisch noch schismatisch und verbleiben durch ihre Bereitwilligkeit, sich den Entscheidungen eines zukünftigen ökumenischen Konzils zu unterwerfen, im Geiste in der Gemeinschaft der Kirche . . . Welch große Hoffnung! Und welch einen

Schritt dem Frieden der Seele entgegen täte man, wenn Bossuet ihm günstig gesinnt wäre!

Dass man die von einem Konzil aufgestellten Grundsätze so herumdreht, bis man sie im Endergebnis als null und nichtig ansieht, das wird der Bischof von Meaux so leicht nicht zulassen. »Um sich bei diesen Einigungsprojekten nicht zu täuschen, muss man sich ganz klar darüber sein, dass die römische Kirche sich zwar je nach Zeit und Gelegenheit in unwichtigen Punkten und in solchen der Kirchenzucht nachgiebig erweisen wird, aber niemals in irgendeinem Punkt der festgelegten Doktrin, insbesondere nicht derjenigen, die vom Konzil von Trient festgelegt worden ist . . .« Den Lutheranern gewisse Genugtuungen, wie zum Beispiel das Abendmahl in beiderlei Gestalt, gewähren, das geht an, aber in Bezug auf das Autoritätsprinzip, diesen Eckstein der Kirche, kapitulieren, bestimmt niemals. So geht Bossuet denn in seiner kraftvollen, für diplomatische Verhandlungen wenig geeigneten Art zur Offensive über: wenn Herr Leibniz an die Katholizität glaubt, wenn er erklärt, er erkenne die Glaubenssätze an, die das Wesen der Katholizität ausmachen, liegt die Sache ja ganz einfach: er mag sich zum Katholizismus bekehren!

Bossuet täuscht sich; er kennt seinen Gegner nicht richtig. Diesen unbestimmten Zwischenraum, diese kaum sichtbare Linie, die ihn von der römischen Kirche trennt, wird Leibniz nicht überschreiten. Er wird sie niemals überschreiten, weil das eine Angelegenheit des persönlichen Gewissens ist, auf die keinerlei äußerer Druck zu wirken vermag: und vor allem, weil das gar nicht der Punkt ist, um den es geht. Es handelt sich für die Protestanten nicht darum, abzudanken, sondern sich zu einigen; und er selbst ist ein Unterhändler, kein Überläufer. Bossuet mag sich darüber klar werden, er mag seine allzu kurz angebundenen Befehlsmanieren aufgeben: »Man hat sehr große Schritte getan, um dem gerecht zu werden, was man der Nächsten- und Friedensliebe zu schulden glaubte. Man hat sich den Ufern des Flusses Bidassoa genähert, um einen Tag auf der Insel der Konferenz[195] zu verbringen. Man hat absichtlich alle Manieren, die nach Streit schmecken, beiseitegelassen und all jenes Gebaren, das eine Überlegenheit andeutet, die jeder gewöhnlich seiner eigenen Partei zuerkennt . . . jenen verletzenden Stolz, jenen Ausdruck der Sicherheit, in der beide Teile sich in der Tat befinden, mit der aber vor denen zu paradieren überflüssig und unangebracht ist, die ihrerseits nicht weniger davon ihr eigen nennen...« Nochmals: die Frage, die man von Bossuet beantwortet haben möchte, ist die, ob, wenn man ohne böse Absicht der Ansicht ist, dass das Konzil von Trient kein ökumenisches war, seine Entscheidungen aufgehoben werden können. Die Antwort des Herrn Prälaten erfolgte übereilt, er möge die Voraussetzungen der Frage nachprüfen, man wird warten.

Und Bossuet macht sich an die Arbeit: trotz seiner bereits erdrückenden Arbeitslasten studiert er im Einzelnen die bis dahin redigierten Texte, die für die Einigung festgelegten Formulierungen. »Die erste Mußestunde, die ich finden werde, wird darauf verwandt werden, Ihnen meine Meinung in voller Offenheit zu sagen . . .« — »Möge dies Jahr für Sie und alle die, welche ernsthaft die Einigung der Christen erstreben, ein glückliches sein.[196]« Er macht sich an die Arbeit. »Ich billige den Plan, und wenngleich ich mich nicht auf alle Mittel einlassen kann, so sehe ich doch, dass, wollte man dem

---

195 Die Fasaneninsel im Fluß Bidassoa, auf der 1659 der Pyrenäenfriede zwischen Frankreich und Spanien geschlossen wurde. Anm. d. Übers.

196 Brief vom 17. Januar 1692.

Herrn Abbé Molanus und den anderen, gleich ihm Ehrenwerten, glauben, die Mehrzahl der Schwierigkeiten beseitigt wäre. Sie werden binnen kurzem meine Meinung erfahren

Leibniz wartet nicht tatenlos. Er sucht Argumente, die seine Sache unterstützen. Er hatte schon darauf hingewiesen, dass Frankreich selbst das Konzil von Trient nicht für ökumenisch gehalten habe: jetzt entdeckt er zu seiner großen Freude einen Tatsachenbeweis, einen Präzedenzfall, der ihm nicht bestreitbar scheint. Einmal zum mindesten — in Wahrheit auch in mehreren anderen Fällen, aber einmal zum mindesten und das in einem typischen Fall — hat die römische Kirche den Beschluss eines Konzils aufgehoben. Da die böhmischen Calixtiner die Autorität des Konzils von Konstanz, was das Abendmahl in beiderlei Gestalt anbetraf, nicht anerkannt hatten, gingen Papst Eugen und das Konzil von Basel über diesen Punkt hinweg und verlangten nicht von ihnen, sich zu unterwerfen, sondern verwiesen die Sache an eine neue Entscheidung der Kirche. Was hält Bossuet von der Beweiskraft eines solchen Präzedenzfalls? Ist es nicht in *terminis* der gleiche Fall wie der, um den es sich heute handelt? »Entscheiden Sie, Monsieur, ob der größte Teil dessen, was Deutsch spricht, nicht zum mindesten ebenso viel Entgegenkommen verdient, wie man den Böhmen gezeigt hat . . .«

Endlich kam sie, die langerwartete Antwort; sie kam in Form einer Abhandlung, die Punkt für Punkt, den *Pensées particulières sur le moyen de réunir l'Église protestante avec l'Église catholique romaine* von Molanus folgte und ihre eigenen Schlüsse zog. Bossuet sagte, die vorgeschlagene Methode sei unangenehm, die Methode des Hinausschiebens nämlich, welche die Befriedung anerkannt sehen wolle, ehe noch die Prinzipien erörtert seien; allein angängig sei die Methode der Feststellung, welche die Prinzipien festlege, ehe man zu den Tatsachen überginge. Mit einer Versöhnung in der Praxis beginnen, dann eine Versammlung einberufen, die sich gütlich über die Doktrin einigt, und endlich mit einem Konzil schließen, das über die Punkte entscheidet, über die man sich nicht hat einigen können, welcher Irrweg! Als erstes ist ein Konzil erforderlich, das die Erklärung der Sinnesänderung der Protestanten entgegennimmt. Hierauf wird man sich zu verständigen suchen. Auf dem anderen Weg gibt man von vornherein im entscheidenden Punkt nach: die Protestanten wollen in die Gemeinschaft der römischen Kirche zurückkehren, ehe sie sich unterworfen haben, weil sie ihren Irrtum nicht zugeben und sich weigern, die Autorität der Kirche anzuerkennen; darin liegt alles beschlossen.

Die Methode bezieht tatsächlich schon die Ideen mit ein, um welche die Diskussion wesentlich geht. Die Kirche ist unfehlbar; die Entscheidungen des Konzils von Trient gelten auf ewig. Behaupten, Frankreich habe seinen ökumenischen Charakter nicht anerkannt, heißt sich selbst täuschen; denn die Weigerung Frankreichs betrifft nur den Vorrang, die Prärogativen, Freiheiten und Gebräuche des Königreichs und berührt in keiner Weise die Glaubensfragen. Das Beispiel der böhmischen Calixtiner heranziehen heißt gleichfalls sich täuschen: die Nachprüfung in Basel, die man zusagte, erfolgte nicht, um die Entscheidung von Konstanz erneut in Frage zu stellen, sondern um sie dadurch, dass man sie erläuterte, zu bestätigen. Und da Leibniz ausdrücklich fragt, ob Leute, die bereit sind, sich der Entscheidung der Kirche zu unterwerfen, die aber Gründe haben, ein bestimmtes Konzil für nicht ökumenisch zu halten, als Ketzer zu betrachten sind — so antwortet ihm Bossuet ausdrücklich: »Ja, diese Leute sind Ketzer; ja, diese Leute sind verstockt.« Danach kann Leibniz sich noch so viel verteidigen und antworten, es sei ein recht seltsamer Grundsatz zu sagen: »Gestern hat man solches geglaubt, daher muss man heute dasselbe glauben«; er wird keinen Schritt mehr vorankommen. Bossuet hat vor ihm eine Mauer errichtet, die er für lückenlos hält; und so könnte die Diskussion geschlossen werden.

Trotzdem wurde sie wieder aufgenommen. Die Autoren zweiten Ranges verschwanden, vom Tode dahingerafft; aber Leibniz und Bossuet überdauerten, und solange sie lebten, gab es noch eine Hoffnung. Am 27. August 1698 verfasste Leibniz im Kloster von Lockum ein neues *Projet pour faciliter la réunion des protestants avec les catholiques romains*, an dessen Schluss er ein erschütterndes Gebet zu Gott setzte, und nahm seine Korrespondenz mit Bossuet wieder auf. Aber die Argumente waren dieselben, bis auf eines. In seinem hartnäckigen Bestreben, zu zeigen, dass es nicht wahr sei, dass der Standpunkt der Kirche sich nie geändert habe, greift er die Frage der Echtheit der Heiligen Bücher auf. Die Kirche hält heute Schriften für authentisch, welche die alte Kirche für apokryph hielt; die Überlieferung hat sich also gewandelt ... Die Kontroverse geht, schwerfällig und ins einzelne gehend, weiter bis zu dem Augenblick, da Bossuet seinem Ende nahe ist. Die gewechselten Briefe werden zu langen Abhandlungen, von denen eine bis zu hundertundzweiundzwanzig Artikeln umfasst; aber man braucht wohl nicht zu sagen, dass Leibniz, als er die Echtheit der Heiligen Bücher in Frage zog, den Weg der Versöhnung verließ.

Diese beiden großen Arbeiter, die nie Mühe und Anstrengung gescheut haben, wirkten bis zu ihrem Ende, jeder nach seinem eigenen Gesetz, Leibniz hat sich seines durchdringenden und geschmeidigen Verstandes bedient und seines diplomatischen Sinnes. Er hat voll Vorsicht und Diskretion begonnen; denn es kam, wie er sagte, nicht darauf an, zu disputieren, Bücher zu schreiben, sondern die Meinungen zu prüfen und die Kräfte zu messen. Ganz allmählich hat er sich erhitzt; gereizt durch einen Widerstand, den weder sein guter Wille noch seine Offenheit zu brechen vermochte, sprach er von »Spitzfindigkeiten«, warf Bossuet vor, er mache Winkelzüge, suche irrezuführen, sei pathetisch. Mit der Zeit trat eine gewisse Bitterkeit in seinen Ausführungen zutage. Dieser Bischof ist von Natur intransigent; man täte besser, ihm Laien beizugeben und mit ihnen zu verhandeln. Die Herren Geistlichen haben ihre eigenen Ansichten und Vorurteile. Er selbst ist für Vergleiche, Kompromisse. Sein wunderbares Gedächtnis ist jederzeit bereit, ihm Beispiele zu liefern, nach denen sich die Gegenwart richten kann. Seine Art zu denken lässt ihn stets im sich Widersprechenden die Möglichkeit des Ausgleichs entdecken, alle Schwierigkeiten in winzig kleine Schwierigkeiten verwandeln, die Harmonie herstellen. Sein Sinn ist weniger religiös als politisch; die Bedeutung des Einsatzes scheint ihm zu rechtfertigen, dass man in Bezug auf die Spielregeln ein Auge zudrückt. Nur in einem einzigen Punkt ist er unnachgiebig, und der zieht dann allerdings alles andere nach sich: in Bezug auf das Recht zur freien Prüfung, die Weigerung, sich einer dogmatischen Autorität zu unterwerfen. Dass er mit seinem Versuch scheitert, bereitet ihm Kummer, sogar Schmerz, und er gibt nur schwer einen Plan auf, von dem er sich so viel Gutes für Europa und die Menschheit erhoffte. Bitterkeit und einen Vorwurf für die Gegner glaubt man auch aus der hartnäckigen Art, mit der er immer denselben Gedanken wiederholt, herauszuhören: er »entlastet sich von der Verantwortung für alle Übel, die das Schisma für die christliche Kirche noch im Gefolge haben kann«. »Wir haben hier den Trost, nichts unterlassen zu haben, zu dem wir verpflichtet waren, und dass man uns das Schisma nicht mehr ohne schreiende Ungerechtigkeit vorwerfen kann.« Die römische Kirche ist es, »die das Schisma hervorruft und die Nächstenliebe verletzt, welche die Seele der Einheit ausmacht«.

Bossuets Empfindlichkeit ist weniger offenkundig. Als er Leibniz verletzt, indem er ihn ketzerisch und verstockt nennt, und Leibniz sich über dieses Verdammungsurteil beklagt, grämt er sich; aber, so führt er aus, Leibniz selbst hätte mich getadelt, wenn ich Umschreibungen gemacht hätte, während er forderte, man solle deutlich miteinander reden. Er antwortet auf die Vorwürfe mit einer Art treuherziger Bescheidenheit: »Wenn Sie so gut sein wollen und mir angeben, worin ich Ihren Wünschen nicht entsprochen habe, so können Sie versichert sein, dass ich Ihnen volles Genüge leisten werde, ohne jeden Blick nach rechts oder links, mit aller Gradheit und allem guten Willen, die Sie von einem Manne erwarten können, für den es nie eine größere Freude geben kann, als die, mit so geschickten und ehrenwerten Leuten daran zu arbeiten, wenn möglich die noch blutenden Wunden zu schließen, welche der Kirche durch ein so beklagenswertes Schisma geschlagen worden sind.« Der Gedanke, auf den Leibniz verfällt: durch den Bischof von Spinola ein Memorandum verfassen zu lassen, das den protestantischen Standpunkt zum Ausdruck bringt, während er ein anderes schreiben wird, das den Standpunkt der Katholiken wiedergibt, kann Bossuet nicht einleuchten. Die Wahrheit hat nicht solch doppeltes Gesicht. Sie ist einzig, ist unwandelbar. Sie ist auch ewig. Er hält sich an die Maxime, die seinen

Geist genährt hat, die das Gesetz seiner Seele ist, die sein Leben und Tun geleitet hat: sich nur an das zu halten, was Dauer hat.

Mit einem weniger schmerzerfüllten Herzen als Leibniz, aber auch ohne Groll und Bitterkeit, sieht Bossuet eine Fata Morgana schwinden, die ihn nie ganz betört hatte. Der religiöse Sinn trägt bei ihm den Sieg über den politischen davon. Auf die Aussöhnung verzichten, heißt sich weigern, Europa den seelischen Frieden wiederzugeben, den es noch nie so bitter nötig hatte. Aber wenn man, um zur Einigung zu gelangen, zugeben muss, dass die katholische Kirche nicht unfehlbar ist, dass sie zu Unrecht ausgeschlossen und verdammt hat, dass sie widerrufen und sich wandeln kann, dann zerstört man sie in ihren Fundamenten. Wird in die Autorität nur eine einzige Bresche gelegt, so werden alle Ketzereien, eine nach der anderen, durch sie hereinkommen; und der Tempel der Wahrheit wird zerstört werden. Zwischen den beiden Möglichkeiten hat er gewählt: mögen die Schismatiker in ihrem Irrtum verbleiben und dafür die Kirche leben als ein Baum, der die Jahrhunderte überdauert und nur einen morschen Zweig verloren hat.

Nun ist es soweit; er hat zu lange gelebt, ist zu alt. Gerade die, welche ihn stützen sollten, verlassen ihn. Er leidet an Steinen, er stöhnt und schreit. Wenn sein Leiden ihm eine Atempause gewährt, lässt er sich in seine Sänfte setzen und macht sich auf den Weg zum König, bei dem er ehemals Kraft und Mut zurückgewann: aber der König, der selbst im Abstieg ist, kann das Wunder nicht vollbringen, die zu verjüngen, die auf dem Weg zum Grabe sind.

Sich gegen das Leiden straffend, das ihn peinigt, und sich »mit Mühe auf den Beinen haltend«, versucht er mit

313

rührender Ungeschicklichkeit dem höchsten Herrn seine Aufwartung zu machen. Er fällt auf in Versailles, und die Höflinge machen sich lustig über den großen, gebrechlichen Greis, der ein wenig lächerlich wirkt und überall im Wege ist. »Will er denn am Hof sterben?« murmelt die wenig barmherzige Madame de Maintenon. Als er 1703 an der Prozession zu Mariä Himmelfahrt teilnimmt, bietet er einen traurigen Anblick, der seine Freunde betrübt, bei den Gleichgültigen Mitleid erweckt und die Höflinge zum Spott herausfordert. »Mut, Monsieur de Meaux«, sagt Madame ihm den ganzen Weg entlang, »wir werden das Ende erreichen.« Andere sagen: »Der arme Monsieur de Meaux!« Wieder andere: »Er hat sich tapfer gehalten.« Die Mehrzahl: »Er soll doch nach Hause gehen zum Sterben![197]«

Leibniz hat es nicht viel besser. Er hängt seinen Träumen nach; man müsste China bekehren, nicht, indem man den Chinesen nachweist, dass sie sich irren, sondern indem man die Analogien, die zwischen ihrer und unserer Religion bestehen, und welche auf die im Wesen des menschlichen Geistes begründete Einheit zurückzuführen sind, hervorhebt ... Aber die Realität hat ihn enttäuscht; sie ist keine Materie, die man nach seinem Belieben modeln kann; sie leistet unerschütterlichen Widerstand. Keine »universelle Charakteristik«, keine Einigung der Kirchen; alles eitle Projekte, unfassbare Schatten. Als Fontenelle vor der *Académie des Sciences* in Paris sein Porträt zeichnet, schildert er ihn als Triumphator: »Gewissermaßen jenen Alten gleichend, welche die Geschicklichkeit besaßen, bis zu acht nebeneinander gespannte Pferde zu lenken, beherrschte er gleichzeitig alle Wissenschaften.« Aber Fontenelle kennt auch sei-

---

197 V. Giraud, Bossuet, 1930, S. 139.

ne menschlichen Seiten: »Zu Hause war er der absolute Herr; denn er aß immer allein. Er richtete seine Mahlzeiten nicht nach bestimmten Stunden. Er führte keine Wirtschaft, er ließ von einem Restaurateur das erste beste holen . . . Oft schlief er nur auf einem Stuhl sitzend und erwachte deshalb nicht weniger frisch um sieben oder acht Uhr morgens. Er begann sofort wieder zu arbeiten und hat oft ganze Monate lang seinen Stuhl nicht verlassen . . .« Je älter Leibniz wird, umso mehr wird dies Bild von ihm das wahre. Er ist allein. Die Mächtigen dieser Welt, auf die er für sein Wirken gerechnet hatte, haben ihn im Stich gelassen. Nachdem der Kurfürst von Hannover im Juni 1714 König von England geworden war, hat man die Dienste des kränklichen Greises zurückgewiesen. Da er nicht in die Kirche geht und das Abendmahl nicht nimmt, hält man ihn für einen Ungläubigen, und die Pfarrer sind gegen ihn. Er stirbt am 14. November 1716. Man begräbt ihn ohne feierliches Leichenbegängnis, ohne Geleit, ohne Teilnahme: »eher wie einen Wegelagerer als wie einen Mann, der die Zierde seines Vaterlandes gewesen ist«.

Lasst uns träumen. Es gab einen Augenblick, in dem die Vereinigung der Kirchen möglich schien; einen Augenblick, wie ihn »gewöhnlich ein Jahrhundert kaum einmal bietet«. »Gott hat seine Hand nicht von uns genommen«, schrieb Leibniz am 29. September 1691 an Madame de Brinon, »der Kaiser ist geneigt; Papst Innozenz XI. und mehrere Kardinäle und Ordensgenerale, der *Maître du Sacré Palais* sowie ernsthafte Theologen haben sich, sobald sie es richtig begriffen, aufs wohlwollendste geäußert. Ich habe selbst den Originalbrief von weiland Hochwürden Peter Noyelles, dem Jesuitengeneral, gelesen, der so präzis ist wie nur möglich, und man kann sagen, dass, wenn der König (von Frankreich) und die

Prälaten und Theologen, auf die er in diesen Fragen hört, sich anschlössen, die Angelegenheit durchaus durchführbar wäre, denn sie wäre schon fast durchgeführt . . .« So wird die Einigung vollendet, die katholische Kirche reformiert sich, die germanische und die lateinische Welt finden ihre geistige Gemeinschaft wieder, die Niederlande und England kehren ihrerseits in eine zugleich römische und reformierte Kirche zurück, und die Gläubigen, alle Gläubigen, stellen sich den auflösenden Kräften entgegen, die ihren Glauben bedrohen.

Kehren wir zur Wirklichkeit zurück. Katholiken und Protestanten vermögen sich nicht zu einigen; die günstige Stunde ist vorbei; der geschickteste und wohlmeinendste der Menschen ist mit der Aufgabe, die er auf sich genommen hatte, gescheitert: Die Feinde des Christentums jubeln und triumphieren. Welche Zerstörung! was für Ruinen!

Die Stelle des Gottes Israels, Isaaks und Jakobs will ein abstrakter Gott einnehmen, der nichts anderes ist als die Ordnung des Universums, vielleicht das Universum selbst. Dieser Gott kann keine Wunder tun; Wunder würden Anzeichen seiner Launen oder seines inneren Widerspruchs sein und würden daher, weit davon entfernt, seine Existenz zu beweisen, sie vielmehr verneinen. Die Autorität gilt nichts mehr, die Überlieferung lügt, der allgemeine Consensus lässt sich nicht beweisen, und wenn man ihn bewiese, so würde nichts ihn davor bewahren, mit Irrtümern befleckt zu sein. Das Gesetz Moses' ist nicht mehr das Wort, das Gott auf dem Berg Sinai diktiert hat und das sofort in seiner Gesamtheit niedergeschrieben worden ist. Es ist ein menschliches Gesetz, das noch die Spuren der Völker trägt, von denen die Hebräer es übernommen haben, und besonders die der Ägypter. Die Bibel ist ein Buch wie andere auch, voll von Abänderungen und vielleicht voll Übermalungen, aus Rollen bestehend, die durch ungeschickte Hände aneinandergereiht worden sind, durch das nachlässige Werk plumper Köpfe, die nicht auf die Daten achtgegeben und manchmal den Anfang mit dem Schluss verwechselt haben. Sie erscheint nicht mehr göttlich. Noch weniger ist die königliche Macht von Gottes Gnaden; man hat das Recht des Widerstandes gegen sie verkündet. Überall hat man an die Stelle eines positiven Zeichens ein negatives gesetzt; und als Ludwig XIV. stirbt, scheint dieser Austausch vollzogen.

Niemals sind ohne Zweifel die Glaubenssätze, auf denen die alte Gesellschaft beruhte, solchen Erschütterungen ausgesetzt gewesen, und besonders niemals zuvor das Christentum. Swift gibt sich im Jahre 1717 einem seiner gewohnten Anfälle von Ironie hin. Es ist gefährlich, schreibt er, es ist unvorsichtig, gegen die Abschaffung des Christentums zu argumentieren zu einer Zeit, da alle Parteien einhellig entschlossen sind, es auszurotten, wie sie durch ihre Reden, ihre Schriften und ihre Handlungen beweisen. Nur ein paradoxer Geist kann sich unterfangen, es zu verteidigen, zu zeigen, dass sein Sturz nicht ohne einige Unannehmlichkeiten zu bewerkstelligen wäre und vielleicht nicht all die guten Wirkungen hervorrufen würde, die man sich davon verspricht.[198] Dieser Ausfall von Swift verrät die Besorgnis der verantwortungsbewussten Christen beim Anblick der Resultate einer Zerstörungsarbeit, die schon Jahre gedauert hat, und die nicht mit heimlichen und kleinlichen Angriffen vorgegangen ist, sondern offen, bei hellem Tage.

---

198 J. Swift, An Argument to prove that the abolishing of Christianity in England may, as things now stand, be attended with some inconveniencies, and perhaps not produce those many good effects proposed thereby, written in the year 1708.

Aber Europa liebt die Ruinen nicht; es wird sie immer nur auf Grund einer vorübergehenden Laune dulden, um eine Verzierung für seine Gärten daraus zu machen, und dort werden sie außerdem zu nichts anderem dienen, als durch ihren Gegensatz den Auftrieb der Bäume und das pulsierende Leben der Blüten hervorzuheben. Selbst die skeptischsten unter den Geistern, deren Tätigkeit wir verfolgt haben, haben vor dem Nihilismus, zu dem ihr Zweifel sie zu führen drohte, haltgemacht. Sie haben jene »vollkommene Ruhe sowohl in Bezug auf den Willen wie auf den Verstand« nicht genossen, in der Pyrrhon die Weisheit und das Glück sieht[199]: wenn ihr Verstand ihnen auch das *Wider* manchmal günstiger dargestellt hat als das *Für*, so hat ihr Wille sich doch nie aufgegeben. Sie haben erklärt, sie rissen das alte Haus nur nieder, um ein neues zu bauen, und sie haben seine Pläne gezeichnet, seine Grundsteine gelegt und seine Mauern errichtet — gerade inmitten der Trümmer. Zerstörung und zugleich Wiederaufbau. Wollen wir die Menschen vollends kennenlernen, die während dieser großen Krise gelebt haben, so müssen wir sie jetzt bei ihrem Versuch zum positiven Aufbau betrachten.

---

199 Moreri, Dictionaire, Artikel Pyrrhon.

DER VERSUCH EINES
WIEDERAUFBAUS

DER EMPIRISMUS VON LOCKE

Man musste also die große Reise von neuem antreten, die Menschenkarawane auf anderen Wegen anderen Zielen entgegenführen.

Und vor allem musste man dem Pyrrhonismus aus dem Wege gehen, vor dem selbst Bayle Angst hatte. »Über alle Dinge diskutieren und dabei nie zu einem anderen Ergebnis kommen, als sich sein Urteil vorzubehalten«, hieß in Tatenlosigkeit und Tod versinken. Der Pyrrhonismus, der ein nützliches Hilfsmittel gewesen war, um dem Geist die Freiheit der Wahl zurückzugeben, vernichtete im Endergebnis den Willen und damit wiederum die Möglichkeit einer Wahl. Es kam nicht darauf an, sich herumzuzanken und das Für und Wider abzuwägen, sondern darauf, möglichst schnell die glückhafte Ferne zu erreichen.

Fontenelle erklärte seiner Schülerin, der Marquise, während sie zusammen in die Sterne sahen, die Philosophie setze zweierlei voraus: man müsse einen wissbegierigen Geist und schlechte Augen haben; die Philosophen brächten daher ihr Leben damit zu, das nicht zu glauben, was sie sähen, und zu versuchen, das zu erraten, was sie nicht sähen: ein unerträglicher Zustand. Im Gegensatz

319

hierzu sei es unendlich angenehm, sich über das, was man nicht sieht, keine Gedanken zu machen, und das zu glauben, was man sieht. Eine Erklärung der Welt, die diese beiden Bedingungen erfüllte, wäre eine Wohltat für die Menschheit; sie würde sie vor dem Zweifel bewahren.

An diesem Punkt griff Locke ein.

Er erschien zur gelegenen Stunde als ein Wohltäter, denn er verlieh der Tatsache Wert und höchste Würde. Nicht der historischen Tatsache, die ein für allemal angeklagt, verurteilt und entthront worden war. Hieran ließ sich nichts mehr ändern. Das Verfahren war abgeschlossen. Wollte man die ohne Wiederkehr in der Vergangenheit versunkenen Tatsachen ins Leben zurückrufen, so erschienen sie nur unzureichend aufgezeichnet, schlecht interpretiert, gefälscht und gleichsam lügenbeschmutzt: Menschen von gesundem Verstand konnten ihnen kein Vertrauen schenken. Eine ganz andere Art von Gewissheit war erforderlich, und John Locke war es, der sie fand.

Denn er weist die Denker auf die psychologischen Realitäten hin, die lebendig und unverändert in den Seelen zu finden sind. In diesem Bereich lähmt ihn die Vernunft nicht, sondern unterstützt ihn. Auch wenn sie noch so misstrauisch ist, sieht sie sich gezwungen, die elementaren Gegebenheiten, die der Kritik keinerlei Angriffspunkte bieten, zu registrieren, und überdies entdeckt sie voll Freude die ihr bis dahin noch unbekannten Voraussetzungen ihrer eigenen Tätigkeit. Die Rationalisten nehmen daher ein Bündnis an, das sie vor dem Skeptizismus rettet; der Geist des 18. Jahrhunderts ist, insoweit er im 17. Jahrhundert wurzelt, seinem Wesen nach rationalistisch und aus Zweckmäßigkeit empiristisch.

Locke schien ganz eigens zum echten Philosophen geschaffen zu sein. Zunächst einmal war er Engländer: also dachte er gründlich. Dann hatte er nicht nur Metaphysik, sondern auch Experimentalwissenschaften und Medizin studiert. Bevor er sich mit der Seele befasste, hatte er den Körper kennengelernt: eine weise Vorsicht, welche die Träumer meist verabsäumten. Er hatte am öffentlichen Leben teilgenommen; als Sekretär und Vertrauensmann von Lord Ashley, Grafen von Shaftesbury, war er mit seinem Herrn zusammen in Ungnade gefallen und nach der Verbannung in Holland mit dem siegreichen Wilhelm von Oranien zurückgekehrt und hatte so zu denen gehört, die das neue, unüberwindliche England vorbereitet haben. Aber er hatte sich weise mit einem Platz in der zweiten Reihe begnügt und hatte, während er sich ein wenig im Hintergrund hielt, die Machenschaften der Menschen beobachten können.

Von schwacher Gesundheit und sein Leben lang zart, hatte er sich nicht freudig Taten hingegeben, wie kräftige Naturen tun, die sich ganz daran verlieren: er hatte sein Eigenstes zurückbehalten, gleichsam um besser nachdenken zu können. Reisen hatten ihn geschmeidig gemacht. Er hatte lange Zeit im Süden von Frankreich geweilt und hatte diese seltsamen, wenn auch nicht unsympathischen Leute, die Franzosen, aus der Nähe studiert: was für Sitten sie hatten, was sie aßen, was diejenigen dachten, die nachdachten; wie diejenigen arbeiteten, die nicht nachdachten; wie sie diese köstlichen Produkte herstellten, die England nicht hervorbringt: das Öl und den Wein; wie arm die Bauern waren und weshalb. In Paris hatte er mit Ärzten, Astronomen, Gelehrten jeder Art, mit den Forschern, den Suchenden Freundschaft geschlossen. Aber Holland hatte ihn noch mehr gefördert, wenn es stimmt, dass es keine härtere und keine bessere Schule gibt als das Exil. Aus seinem Lande vertrieben, irrte er durch die Zufluchtsstädte, verkehrte mit Geistlichen, Dissidenten,

Heterodoxen und begab sich von neuem in die Schule des Denkens. Schließlich ist er auch noch Lehrer gewesen, was nichts bedeutet als eine andere Form des Lernens, und Lehrer was für eines Schülers! — des Sohnes seines Gönners Lord Ashley, jenes Shaftesbury, der bald einen Platz unter den Meistern der neuen Philosophie beanspruchen sollte. Ohne jede Pedanterie, ohne Dünkel, einfach und, bis auf ein paar Zornesausbrüche, weise, ebenso liebenswürdig im Leben wie in seinen Werken, von angeborener Vornehmheit, war John Locke ein Gentleman. Er hat nichts von einem Doktor in Talar und Barett; seine Lunge ist nicht stark genug, um ihm zu erlauben, von einem Katheder herunterzuschreien; er spricht für die Leute von Welt, lange und ohne die Stimme zu erheben. Die echten Philosophen werden von nun an Laien sein; sie werden sich mit wenigen Ausnahmen nicht mehr aus den Pfarrern und Monsignori rekrutieren und auch nicht aus den Professoren der Sorbonne oder der Sapienza[200]: sie werden mitten im Leben stehen, um es zu lenken.

Locke ist von der aristotelischen Philosophie ausgegangen, die man in Oxford lehrte und die ihn nicht befriedigte. Er hat lange einen Weg gesucht und dabei Bacon, Gassendi und Descartes zu Führern gewählt; aber verlassen hat er sich nur auf sich selbst. Im Winter 1670/71 bemerkte er im philosophischen Gespräch mit einigen Freunden, dass ihm eine sichere Richtschnur fehle. Man konnte die Prinzipien der Moral und der geoffenbarten Religion erst sicher begründen, wenn man vorher »unsere eigenen Fähigkeiten untersucht und gesehen hatte, welche Gegenstände im Bereich unserer Fassenskraft und welche außerhalb liegen«. Man musste daher die Reichweite des Verstandes genau abmessen, ehe man

---

200 Universität von Pisa.

weiter vordrang. Es galt, nicht von Almosen zu leben, sich nicht nachlässig auf die Ansichten anderer zu verlassen, sich nicht darum zu kümmern, ob man durch die Autorität eines Plato oder Aristoteles gedeckt war, nicht auf das Wort eines Meisters eingeschworen zu sein; es galt im Gegenteil, sich die Wahrheit zum einzigen Ziel zu setzen und sie durch den kritischen Geist zu erfassen. Am Beginn der geistigen Laufbahn Lockes finden wir denselben Unabhängigkeitsdrang, dasselbe Erneuerungsbedürfnis, dasselbe Streben, nur für sich selbst zu denken, die damals so etwas wie der Hefeteig für die Gemüter waren.

Diese Methode ist keine Sache für Einsiedler. Man glaubt zu hören, wie Lockes Freunde ihm Fragen stellen, aus dem Bedürfnis heraus, von ihm beruhigt zu werden. In ihnen ist die Forderung der Zeit lebendig, und so vertrauen sie dem Würdigsten die Aufgabe, eine Philosophie zu finden, die ihre Zweifel löst. Locke ist der Beauftragte einer ganzen Epoche; während der Dauer seiner Lehrzeit bleibt er in unmittelbarem Kontakt mit seinen Zeitgenossen, hört die Frage, die sie ihm stellen, die urewige Frage, die wieder brennend wird, weil die überlieferten Antworten nicht mehr genügen: *Quid est veritas?* Was ist Wahrheit? An ihm ist es, die neue Wahrheit zu verkünden. Schon von 1671 an wirft er Ideen aufs Papier, die sehr bald ein Ganzes bilden, und die er, so wie sie sind, bekannt geben könnte; aber er lässt sie noch fast zwanzig Jahre lang weiter ausreifen, stellt sie auf die Probe, indem er sein Manuskript dem einen oder anderen seiner intimen Freunde zeigt: er ist nicht einsam, sondern gesellig.

Auf den Landstraßen Frankreichs, in den Herbergen, oder in London inmitten der Regierungsgeschäfte, in seinem angenehmen Asyl Oxford, in Rotterdam, Amsterdam, Kleve, überall sann er nach, arbeitete und vervollkommnete langsam seine Lehre. Als er endlich sprach, zeigte sich, dass er die seltene Gabe besaß, alle Gegenstände, die er behandelte, mit Leben zu erfüllen. Denn er beschränkte sich nicht auf die reine Philosophie: er fand Gefallen daran, seine religiösen, politischen und pädagogischen Ansichten zu äußern, und jedes Mal, wenn er ein Buch veröffentlichte, rief er einen Widerhall hervor, der kein Ende nahm. Es scheint mir nur noch einen zu geben, der so wie er nichts geschrieben hat, das nicht wesentlich erschien: Jean Jacques Rousseau. Der rief auch, ob er nun über Religion, Politik oder Pädagogik schrieb, jedes Mal eine Feuersbrunst hervor. Locke war eine diskretere Flamme und besaß nicht die Glut, mit der Rousseau alle die, welche ihm nahekamen, in Brand setzen sollte. Aber noch vor Rousseau hat er den Ruf der Gewissen vernommen und darauf geantwortet: daher stammt seine Wirkungskraft. Seine Schriften gleichen alle Unterhaltungen, in denen der Leser in die Enge getrieben wird und erst gehen darf, wenn er überzeugt ist, und sie überzeugen ihn, indem sie hundertmal neu ansetzen; sie erobern ihn mit Geduld. Lockes Sätze umgarnen den Leser. Er wirkt durch Höflichkeit, Ungezwungenheit und eine unbeschreiblich flüssige Klarheit. Sibyllinische Finsternisse, äußerste Konzentration, schwindelerregende Tiefen sind nicht seine Sache; er lässt nur das Verständnis gelten; er leidet, wenn er es mit einer metaphysischen Seele wie Malebranche zu tun hat. »Ich muss gestehen, dass viele Ausdrücke Vorkommen, welche, da sie meinem Geist keine klaren und deutlichen Ideen vermitteln, nichts als Töne sind und ihm infolgedessen nicht die geringste Erleuchtung bringen können . . .« — »Hier finde ich mich abermals von dichter Finsternis umhüllt . . .« — »Mir scheint, ein Autor, der sich abgequält hätte, sich recht dunkel auszudrücken, hätte dies nicht mit besserem Erfolg tun können, als es Herrn Malebranche hier gelungen ist . . .« Solche Undurchsichtigkeit sei ferne von ihm! — »Da mein Ziel bei der Veröffentlichung dieser Arbeit war, mich so nützlich zu machen, wie in meinen Kräften steht, so habe ich geglaubt, das, was ich zu sagen habe, notwendigerweise für jede Art Leser so klar und verständlich machen zu sollen, wie es mir möglich ist. Ich ziehe bei weitem vor, dass die Leute von spekulativem und durchdringendem Verstand sich beklagen, dass ich sie an einigen Stellen meines Buches langweile, als dass andere, nicht an abstrakte Spekulationen gewöhnte Personen, oder auch solche, die durch andere Vorstellungen voreingenommen sind, als die, welche ich ihnen vortrage, den Sinn nicht erfassen oder meinen Gedankengang absolut nicht verstehen können . . .«

Dieser seiner Einstellung entspricht seine ganze Manier. Ist nicht auch sie ein Zeichen der Zeit, diese eingestandene Absicht, nicht nur auf die philosophischen Spezialisten zu wirken und notfalls die »Leute von spekulativem und durchdringendem Verstand« zu verärgern, um all jenen zu dienen, die eine brauchbare Richtschnur fürs Leben suchen?

Im Jahre 1690 erschien endlich unter bescheidenem Titel der *Essay concerning human understanding*; und was auch diejenigen behaupten mögen, die in der Philosophie nur die ganz großen Würfe interessieren, mit diesem Datum setzte eine entscheidende Neuorientierung ein. Von nun ab war der unendliche Reichtum des menschlichen Geistes ein Objekt der Forschung des Menschen. Lassen wir die metaphysischen Hypothesen, sagt Locke: sehen wir denn nicht, dass sie nie zum Ziel geführt haben, und sind wir des eitlen Fragens nicht müde? Wer war je imstande, Natur und Wesen der Seele zu bestimmen?

zu zeigen, welche Bewegungen in unseren animalischen Geistern (spiritus) erregt werden, oder welche Veränderungen in unserem Körper vor sich gehen müssen, wenn mit Hilfe unserer Organe unsere Wahrnehmungen und Ideen entstehen sollen? Der Körper gehorcht der Seele, und der Körper wirkt auf die Seele: sobald die Metaphysik sich einmischt, wird diese in sich so klare Erfahrungstatsache zu einem Mysterium, dessen Undurchdringlichkeit die Gelehrtesten nur zu vergrößern vermochten. Lassen wir es beiseite; hören wir auf, es zu betrachten. Wenn es außerhalb unserer selbst Substanzen gibt (und es gibt deren ohne Zweifel), so haben wir keinerlei Mittel, sie in ihrem Sein zu erfassen: warum wollen wir sie um jeden Preis begreifen? Verzichten wir fortan auf dieses aussichtslose Forschen.

Die Gewissheit, deren wir bedürfen, findet sich in unserer Seele: betrachten wir diese Seele, konzentrieren wir uns auf sie und wenden wir den Blick von den unendlichen Räumen ab, die uns Wahngebilde vorspiegeln. Da wir ein für allemal wissen, dass unser Verstand begrenzt ist, so lasst uns diese Grenzen anerkennen; aber so begrenzt wie er ist, wollen wir ihn studieren, seine Tätigkeit kennenlernen. Beobachten wir die Art und Weise, wie unsere Ideen entstehen, sich miteinander verbinden, von unserem Gedächtnis bewahrt werden. Von dieser ganzen, wunderbaren Arbeit haben wir bisher nichts gewusst. Da liegt die einzige wahre Erkenntnis, die einzige, die sicher ist: so reich ist sie an Perspektiven, dass unser ganzes Leben kaum ausreicht, sie zu betrachten.

Es ist um uns in dieser Beziehung ähnlich bestellt, wie um einen Lotsen auf See. Es ist unendlich vorteilhaft für ihn, die Länge der Schnur an seinem Lot zu kennen, obwohl er mit dem Lot nicht immer alle verschiedenen Tiefen des Ozeans zu ermitteln vermag. Es genügt ihm zu wissen, dass die Schnur

lang genug ist, um in gewissen Teilen des Meeres die Tiefe zu
ergründen, die zu kennen für ihn wichtig ist, wenn er seinen
Kurs richtig nehmen und die Untiefen vermeiden will, die
ihn stranden machen könnten. Unsere Sache in dieser Welt ist
nicht, alles zu kennen, sondern die Dinge, die unsere Lebens-
führung angeht. Gelingt es uns, die Normen zu finden, nach
denen eine vernünftige Kreatur wie der Mensch, in der Lage,
in der er sich in dieser Welt befindet, seine Gefühle und seine
von diesen abhängigen Handlungen richten kann und soll; ge-
lingt es uns, sage ich, das zu erreichen, so sollten wir uns keine
Sorgen machen, weil einige andere Dinge sich unserer Kennt-
nis entziehen.[201]

Oder um es anders auszudrücken (denn Locke scheut
fürwahr die Wiederholungen nicht): was bleibt uns in
dieser Welt zu tun? Den Schöpfer erkennen durch die
Kenntnis, die wir von seinen Geschöpfen zu gewinnen
vermögen; uns über unsere Pflichten unterrichten; für
unsere materiellen Bedürfnisse Vorsorgen. Nichts weiter.
Nun sind aber unsere Fähigkeiten, so schwach und grob
sie auch sein mögen, diesen Erfordernissen angepasst
worden. Geben wir uns also, ohne eine vollkommene und
absolute Kenntnis der uns umgebenden Dinge zu erstreben, die außerhalb der Reichweite endlicher Wesen sind,
damit zufrieden, das zu sein, was wir sind, das zu tun,
was wir zu tun vermögen, das zu wissen, was wir wissen
können . . .

Tatsächlich stellen wir fest, sobald unser Geist sich
bemüht, seine beschränkte Sphäre zu verlassen und auf
die Ursachen zurückzugehen, dass diese Suche nur dazu
dient, uns fühlen zu lassen, wie gering die Reichweite
unserer Erkenntnis ist: wir stoßen uns an einer Wand von
Finsternissen. Sobald wir uns dagegen als bescheidene

---

201 Essay concerning human understanding. Vorwort.

Forscher mit der Sphäre zufriedengeben, die uns zugewiesen ist, so entdecken wir eine Welt der Wunder und die Weisheit und das Glück. Braucht man noch zu zweifeln, was man wählen soll? Verzichten wir auf das Unmögliche; wir werden keine Furcht mehr hegen, in den Abgrund zu stürzen, wenn wir die unumstößlichen Tatsachen, die auch unsere schwachen Hände zu ergreifen vermögen, fest darin halten.

Die ursprüngliche Bedeutung der Philosophie Lockes besteht nicht in seinem Verzicht auf die Metaphysik, mit dem viele denkende Menschen sich bereits abgefunden hatten; sie beruht eher in seiner Art, eine Insel in dem ungeheuren Meer, in dem sich der Blick verlor, abzustecken und zu sichern.

Aber dies Stück Land, das er dem Zweifel entziehen will, muss er einrichten. Das *a priori* muss so behandelt werden, als existiere es nicht: welche Veränderung! Die ganze Philosophie muss auf anderer Ebene wieder aufgebaut werden: die ganze Philosophie von Aristoteles bis zu den Letztgekommenen, den Neuplatonikern, der Schule von Cambridge, Cudworth und den übrigen, welche die Ideen wieder zum Leben erwecken wollten. Es gibt keine angeborenen Ideen. Die Idee der Ewigkeit ist nicht angeboren. Die Idee des Unendlichen ist nicht angeboren. Ebenso wenig ist es die der Identität, die eines Ganzen und die der Teile, die der Anbetung und die von Gott. Im Augenblick, wo die Kreatur ins Leben tritt, vermag man diese angebliche, wer weiß woher gekommene Realität nicht bei ihr zu entdecken: das spekulative Denken hat sie erfunden, es hat zwar die verschiedensten Formen, griechische, scholastische, sogar moderne angenommen, sich aber stets mit Worten zufriedengegeben. Schieben wir diese Hirngespinste beiseite. Der Geist ist ein unbeschriebenes Blatt, das darauf wartet, dass Schriftzüge auf ihm verzeichnet werden; eine *Camera obscura*, die der Ankunft der Sonnenstrahlen harrt.

Um alles wiederaufzubauen, existiert und genügt ein positives Element: die Wahrnehmung. Sie kommt von außen, berührt den Geist, weckt ihn und füllt ihn bald aus. Durch Gegenüberstellung und Kombination schafft sie jene immer zusammengesetzteren, immer abstrakteren Ideen, die ein Ergebnis der Arbeit der Seele auf Grund ihrer eigenen Gegebenheiten sind. Nichts ist leichter, als mit Hilfe der Wahrnehmung, sei es durch Intuition, sei es durch Beweis, eine Theorie der Erkenntnis aufzubauen, die unerschütterliche Gewissheit gibt. Die Beziehung ist nicht mehr die zwischen Subjekt und Objekt, sondern viel einfacher die von Subjekt zu Subjekt; und von nun an ist daher der Kampf gegen die Möglichkeiten des Irrtums nur noch eine Frage der inneren Ordnung, eine Frage von Vorsichtsmaßregeln, die man anwenden und aufrechterhalten muss. »Da der Geist kein anderes Objekt für sein Denken und seine Schlussfolgerungen hat als seine eigenen Ideen, die das einzige sind, was er betrachtet oder betrachten kann, so ist klar, dass unsere ganze Erkenntnis allein von unseren Ideen abhängt. Die Erkenntnis scheint mir daher nichts anderes zu sein, als das Erfassen der Verbundenheit oder Unverträglichkeit zwischen zwei unserer Ideen . . .« So dass unser Wissen, unser menschliches Wissen zugleich vollkommen möglich und unendlich gewiss ist.

Desgleichen braucht man Locke nur sein Prinzip, dass die Wahrnehmung am Anfang steht, zu konzedieren, und schon baut er ohne Zögern eine Moral auf. Wir empfinden Lust oder Schmerz, und daraus gewinnen wir die Idee des Nützlichen und Schädlichen; daher stammt die Idee von dem, was erlaubt, und dem, was verboten ist; daher eine Moral, die sich nur auf psychologische Tatsachen gründet, und der aus eben diesem Grunde eine Gewissheit eigen ist, die sie nicht hätte, wenn sie auf irgendeiner äußeren Verpflichtung beruhte. Denn da die Gewissheit nur im Erfassen der Verträglichkeit oder Unverträglichkeit unserer Ideen beruht, und die Beweisführung nichts ist als das Erfassen einer solchen Verträglichkeit durch den Gebrauch vermittelnder Ideen: da somit unsere moralischen Ideen mit gleichem Recht wie die mathematischen Wahrheiten als von unserem Geist vollzogene Abstraktionen betrachtet werden können, so besteht zwischen den einen und den anderen kein Unterschied der Art, und beide sind gleich zuverlässig.

So tritt Schritt für Schritt an die Stelle der dogmatischen Haltung ein Empirismus, der alle Tatsachen unseres psychologischen Lebens entdeckt und registriert. Was ist der Ursprung der Sprache? Hat Gott durch irgendeine Auswirkung seines Wollens jedem diesen wunderbaren Dolmetscher mitgegeben? Wir wissen es nicht. Aber wir wissen sehr wohl, dass der Mensch Organe hat, die geeignet sind, artikulierte Laute hervorzubringen, dass er mit Hilfe dieser Laute zunächst die Veränderungen zum Ausdruck bringt, die seine Sinne wahrnehmen, und dass die Worte zunächst besondere, dann allgemeine Bezeichnungen für Ideen werden. Darin liegt die ganze Beredsamkeit und die ganze Kunst zu schreiben beschlossen. Man verschone uns mit Abhandlungen über den Stil oder die Kunst der Poesie, wenn sie nicht von diesen einfachen Beobachtungen ausgehen. Der Schriftsteller, der die Herkunft und die Rolle der Worte kennt, wird sich hüten, solche anzuwenden, die keinerlei klare Ideen enthalten; er wird die Worte in einer konstanten Art und Weise anwenden, da er sonst die Ideen durcheinanderbringen würde, für welche die Worte nur als Zeichen stehen; er wird die Spitzfindigkeit vermeiden und die Übertreibung, die beide Verrat sind. Da der Zweck der Worte ist, unsere Ideen in den Geist der anderen Menschen gelangen zu lassen, und das so schnell wie möglich, so schreibt gut und spricht gut, wer die Mittel des Stils für diesen Zweck anwendet und ihn nie aus den Augen verliert. Die Grammatik selbst ist nicht das Werk kleinlicher Pedanten, die armen Schülern ihre Launen willkürlich aufgezwungen haben; sie hat ihre innere Logik, und man wird sie von der Wahrnehmung ausgehend neu aufbauen.

Zu beobachten, wie das menschliche Denken sich aufbaut, und gleichzeitig einen Glauben erwachsen sehen, der dem Menschen erlaubt, ein glückliches Leben zu führen im Bewusstsein, dass es nichts gibt, sei es Wissenschaft, Moral oder Kunst, was nicht das Ergebnis seines eigenen Wirkens ist: gibt es ein Schauspiel, das geeigneter wär, im Zuschauer Interesse, Freude und Stolz hervorzurufen? Nicht den Stolz derjenigen, welche die Götter herausfordern, da man ja zu den Eingeweihten nur gehören kann, wenn man vorher ein Opfer gebracht und eine Demütigung auf sich genommen, wenn man durch das Eingeständnis des Nichtwissens um das Sein der Dinge einen ungeheuren Verzicht geleistet hat. Aber die intensive Befriedigung dessen, der beinahe auf offener See umgekommen wäre und der, nachdem er das Ufer wieder erreichte, mit kluger und tapferer Hand seine Hütte gebaut hat. Der Titel, den Locke gewählt hat, sieht bescheiden aus. Es handelt sich nur um einen »Essay«, aber um einen Essay über den menschlichen Verstand, Wunder über Wunder. Zwei Prinzipien gibt es nur: den Eindruck, welchen die äußeren Objekte auf unsere Sinne machen, und die auf diese Eindrücke hin erfolgenden Vorgänge in unserer Seele; aber diese Prinzipien genügen, wenn man sie in ihrer Tätigkeit erfasst, studiert, analysiert, um all unsere Wissbegierde zu befriedigen : so viele Wunder, und zwar wirkliche Wunder, bringen sie hervor. Viele Gelehrte werden sich noch ablösen müssen, ehe man genau weiß, was der Wille, die Erinnerung, die Bilder eigentlich sind. Das Bergwerk ist unerschöpflich und liefert unbestreitbar ein reines Metall, dessen Qualität weder täuscht noch enttäuscht. »Wenn die Menschen sich verleiten lassen, ihre Nachforschungen weiter vorzutreiben, als ihre Fähigkeiten es ihnen erlauben, und sich solchermaßen auf dem weiten Ozean verlieren, wo sie weder Grund noch Ufer finden können, so ist es nicht verwunderlich, dass sie Fragen stellen und auf unzählige Schwierigkeiten stoßen, welche, da sie niemals klar und deutlich entschieden werden können, nur dazu dienen, ihre Zweifel zu vermehren und zu verewigen und sie schließlich einem vollkommenen Pyrrhonismus verfallen lassen.«

Im Gegensatz hierzu:

Genügt die Kenntnis unserer geistigen Kräfte und ihrer Grenzen, um uns von dem Skeptizismus zu heilen und von jener Nachlässigkeit, in die man verfällt, sobald man zweifelt, die Wahrheit finden zu können.

Pierre Coste rühmt uns in dem Vorwort, das er für die zweite Auflage des *Essai philosophique concernant l'entendement humain* (1729) schreibt, den Erfolg des Werkes. »Es ist das Meisterwerk eines der größten Genies, das England im letzten Jahrhundert hervorgebracht hat. Unter den Augen des Verfassers sind in englischer Sprache in einem Zeitraum von zehn bis zwölf Jahren vier Auflagen davon erschienen; und nachdem die französische Ausgabe, die ich im Jahre 1700 veröffentlicht habe, es in Holland, Frankreich, Italien und Deutschland bekannt gemacht hat, wurde es und wird es noch heute in allen diesen Ländern ebenso hoch eingeschätzt wie in England, wo man nicht aufgehört hat, die Weite, Tiefe, Genauigkeit und Klarheit zu bewundern, die es von Anfang bis zum Schluss erfüllen. Schließlich wurde es, und das bedeutet den Gipfel seines Ruhmes, in Oxford und Cambridge gewissermaßen adoptiert und wird dort den jungen Leuten vorgelesen und erläutert als das Buch, das am geeignetsten ist, ihren Geist zu formen und ihre Kenntnis zu erweitern, so dass Locke zur Zeit an diesen berühmten Universitäten den Platz des Aristoteles und seiner bekanntesten Kommentatoren einnimmt.«

Die Verbreitung eines philosophischen Werkes hängt immer von abenteuerlichen Zufällen ab: diejenige dieses Werkes ist besonders schnell und vom Glück begünstigt vor sich gegangen. Die Veränderungen, die sich in Europa vollzogen und an denen Locke selbst mitgewirkt hat, haben ihm Mittler zur Verfügung gestellt, die ihm von großem Nutzen gewesen sind. Die ersten Herolde seines Ruhmes waren die holländischen Journalisten, und mehr als alle anderen Jean Le Clerc in seiner Bibliothèque Universelle: *Auszug aus einem englischen Buch, das noch nicht erschienen ist und den Titel trägt »Philosophischer Versuch betreffend den menschlichen Verstand«, in welchem dargelegt wird, bis wohin unsere Möglichkeit sicherer Erkenntnis reicht und wie wir eine solche erlangen können* ... Zwei Réfugiés, David Mazel und jener Pierre Coste, den man nie müde wird, als Schatten von Locke zu beschwören, haben, der erstere sein politisches, der letztere sein philosophisches Denken interpretiert. Locke ist im Jahre 1704 gestorben, und schon 1710 vermittelt die französische Übersetzung seiner Ausgewählten Werke endgültig alle seine wesentlichen Schriften. In Deutschland hat Thomasius um 1700 den Essay gelesen, und dies Buch hat ihn zum Vorläufer der Aufklärungszeit gemacht: Locke steht an der Wende der Wege Europas, die dem neuen Zeitalter entgegenführen.

Selbstverständlich hat er gewisse Metamorphosen durchgemacht. So sehr er selbst auch Empiriker und Sensualist war, hat er doch den Idealismus eines Berkeley inspiriert: und das ist im Grunde nicht das Unlogischste, was ihm widerfahren ist, da man sich, sobald man von seinem Ausgangspunkt absieht und im Innern seines philosophischen Systems bleibt, nicht mehr in einer Welt der Realitäten, sondern nur noch in einer solchen der Beziehungen befindet. Er wollte unter keinen Umständen mit den Materialisten verwechselt werden und behauptete im Gegenteil die Existenz eines ewigen Wesens, eines unendlich weisen, denkenden Prinzips. Seine lange und exakte Beweisführung hatte etwas Eindringliches, ja sogar Feierliches; er bewies aufs trefflichste, dass die Materie nicht gleich ewig sein könne mit einem ewigen Geist.[202] Aber nebenbei erklärte er, als ob ihn gerade seine Vorstellung von der Allmacht Gottes mitrisse, Gott habe schließlich sehr wohl vermocht, »irgendeiner Anhäufung zweckmäßig angeordneter Materie, die Fähigkeit wahrzunehmen und zu denken zu verleihen . . .[203]« Ein unvorsichtiges Wort, das sofort von den Theologen angeprangert wurde, und das, nachdem Voltaire es entdeckt, ausgebeutet und vulgarisiert hat, ein langwieriges Missverständnis in Bezug auf Lockes ganzes Werk im Gefolge gehabt hat: Locke wurde Materialist wider Willen. Er wollte Christ sein, und eine seiner Bemühungen war, Vernunft und Glauben scharf zu scheiden: die Vernunft dient dazu, »die Gewissheit oder Wahrscheinlichkeit der Sätze oder Wahrheiten aufzudecken, welche der Geist durch die Schlüsse zu erkennen vermag, die er aus Ideen

202 Essay . . . IV, 10.
203 Essay . . . IV, 3.

zieht, welche er durch Anwendung seiner natürlichen Fähigkeiten, das heißt von Wahrnehmung und Überlegung,
gewonnen hat«. — Der Glaube ist »die Zustimmung zu
jeder Behauptung, die sich nicht solchermaßen auf Ver-
nunftschlüsse gründet, sondern auf der Glaubwürdigkeit
dessen beruht, der sie aufstellt und behauptet, dass sie
auf irgendeinem außergewöhnlichen Wege von Gott gekommen seien. Diese Art, den Menschen Wahrheiten zu
enthüllen, nennen wir die Offenbarung«. Er glaubte also
an die Offenbarung, an die göttliche Mission Jesu Christi, an die Autorität des Evangeliums, an die Wunder. Er
war der Meinung, der grüblerischste und zweifelsüch-
tigste Mensch könne keinerlei Zweifel an der evangelischen Offenbarung hegen: das sind seine eigenen Worte.
Aber da er andererseits den Glauben auf ein Minimum
beschränkte: auf den Glauben an Christus und die Reue;
da er sagte, die einzige Bedingung für unsere Rettung
sei die Anerkennung der Sendung Christi und ein guter Lebenswandel; da er sich weigerte zu glauben, dass
alle Nachkommen Adams zu ewigen und unendlichen
Qualen verdammt seien, nur wegen des Sündenfalls, von
dem Millionen Menschen nie etwas vernommen haben,
so rechnete man ihn zu den Deisten, setzte ihn Toland
gleich und ordnete seine *Reasonableness of Christianity* [204]
neben dessen *Christianity not mysterious* ein. Und Locke
grämte sich schwer darüber, da er ja gerade diejenigen zur
Religion zurückzuführen wünschte, welche die mechanischen Gebräuche, die Spitzfindigkeit der Dogmen, die
Unzahl der Sekten abgestoßen hatten; da er keinen Zweifel lassen wollte, dass die »natürliche Religion« an sich
unzureichend war, kurzum, da es gerade die Deisten waren, die er überführen wollte, die Deisten, die im Namen
der Prinzipien der Vernunft die Offenbarung ablehnten.

---

204 The Reasonableness of Christianity as delivered in the Scriptures.

Das waren die nachteiligen Konsequenzen eines Denkens, das in sich selbst nicht immer folgerichtig war und das leicht denen, die es widerlegte, Handhaben bot. Aber trotz der falschen Interpretationen, trotz aller Abweichungen und Gegenströmungen wirkte sein Werk weiterhin in einem Sinne, der leicht zu erfassen war. Locke blieb der Mann, der die Weisen aufforderte, nur ihren Garten zu bebauen. Einen Garten zum Bebauen: braucht man mehr, um die Illusion eines Paradieses auf Erden zu haben? oder doch wenigstens, um Trost zu finden und einen Grund zum Leben zu sehen? — Vor allem blieb Locke der Mann, der die Aufmerksamkeit auf das Spiel gelenkt hatte, das zugleich das notwendigste und das reizvollste ist: auf die Psychologie. Die Triebfedern des menschlichen Geistes studieren und, anstatt zu urteilen und zu verdammen, lieber beobachten und verstehen: das ist nicht nur eine Arbeit, sondern ein Vergnügen, welches, nachdem erst Condillac, dann die Ideologen, dann Taine es verfeinert haben, bis auf uns gekommen ist und uns noch immer beschäftigt und entzückt.

DER DEISMUS UND DIE NATURRELIGION

Unter den zahlreichen starken Banden, welche die Renaissance mit der Epoche verknüpfen, die wir untersuchen, wollen wir eine weitere aufzeigen. Der Deismus ist aus Italien gekommen. Er ist vom 16. Jahrhundert ab nach Frankreich eingewandert und hat sich dort sozusagen niedergelassen; denn in Frankreich erst ist er zu Ehren gekommen, und dort ist der Versuch gemacht worden, sein unbestimmtes Wesen in immer wieder überarbeiteten Definitionen festzulegen und abzugrenzen. Während der ersten Hälfte des 17. Jahrhunderts ist er vielfach hervorgetreten; von da ab hat er nur noch im Dunkel weitergelebt.

Aber schon hatte sich ein englischer Zweig von dem Hauptast gelöst. Im Jahre 1624 hatte Edward Herbert Baron Cherbury in Paris ein deistisches Glaubensbekenntnis verfasst, das nicht den Charakter der Verneinung und Blasphemie trug, sondern respektvoll und fromm, ja fast mystisch war. »Ich mache dich gleich zu Beginn darauf aufmerksam, lieber Leser, dass es nicht Wahrheiten des Glaubens sind, die ich hier vorbringe, sondern Wahrheiten des Verstandes . . .« Ohne Zweifel! Indessen gibt es Glaubenswahrheiten, welche der Verstand anerkennt, und zu diesen gehörten die doktrinären Vorschriften von Herbert von Cherbury: Es gibt eine höchste Macht; man muss sie anbeten. Die Ausübung der Tugend gehört zu dem Kult, den die Menschen Gott darbringen. Unfrömmigkeit und Verbrechen werden durch die Buße gesühnt. Belohnung und Strafe erwarten uns nach diesem Leben . . .

England: in dies neue Milieu versetzt, blüht und gedeiht der Deismus. Er hat den Boden und das Klima gefunden, die ihm förderlich sind. Er ist recht eigentlich zu Hause. Offen und gleichsam auf dem Markt erhebt sich der Streit zwischen seinen Verfechtern und Widersachern. Toland steigert ihn bis zum höchsten Grade fanatischer Erbitterung; Bentley, Berkeley, Clarke, Butler, Warburton verteidigen gegen ihn die geoffenbarte Religion. Kurzum, »es gibt kein Land, in dem die Naturreligion klarer Umrissen worden wäre als in England . . .[205]«

Im ständigen Wechsel von Ebbe und Flut der Ideen wird Frankreich später den Deismus von neuem bei sich aufnehmen, und er wird in seinen Augen den Reiz des

---

205 Bibliothèque anglaise, 1717, I, 318.

Fremden haben; Voltaire wird aus ihm seine Religionsphilosophie ableiten; Rousseau wird in Gestalt eines Mylord Edward Bomston den idealen Deisten zeichnen, den tugendhaften Materialisten. Aber wir sind noch nicht in der Zeit der Verherrlichung des Deismus, wir sind noch in der Zeit, da er kämpfen muss, um sich durchzusetzen.

Seine negative Seite ist leicht zu erfassen. »Man muss sich keinen Zwang antun; nichts ist weniger im Geschmack unserer Zeit.[206]« Es gab aber eine Religion, die Zwang ausübte, ob sie nun katholisch, protestantisch oder jüdisch war: man beseitigt diesen Zwang. Fort mit den Priestern, Pfarrern oder Rabbinern, die Autorität für sich in Anspruch nehmen. Fort mit den Sakramenten, den Riten, dem Fasten, der Abtötung des Fleisches; fort mit der Verpflichtung, zur Kirche zu gehen oder zur Synagoge. Die Heilige Schrift hat keinen übernatürlichen Wert mehr; die Gesetzestafeln und die Gebote fallen weg. Der Deismus entspricht dem Verlangen der Zeit nach größerer Ungebundenheit. Man gibt Gott ein neues Gesicht; man will nichts mehr wissen von seinem Zorn, seiner Rache, nicht einmal mehr etwas von seinen Eingriffen in den Lauf der menschlichen Dinge. Fern, verwischt, scheint er nicht mehr zu stören. Das Sündenbewusstsein, die Notwendigkeit der Gnade, die Unsicherheit des Heils, die im Lauf der Jahrhunderte die Gewissen immer wieder gepeinigt hatten, hören auf, den Menschenkindern Sorge zu machen.

Aber welches sind nun die positiven Seiten des Deismus?

Wenn er auch den Gott Israels, Abrahams und Jakobs ablehnte, so glaubte er doch wenigstens an die Existenz

---

206 Le P. Buffier, Eléments de métaphysique à la portée de tout le monde, 1725, S. 92.

eines Gottes. Wenn er auch die geoffenbarte Religion verneinte, so behauptete er doch nicht, dass der Himmel leer sei; er machte nicht den Menschen allein zum Maß des Universums. Es mischte sich daher in die Worte der Verdammung, die Katholiken, Hugenotten und Anglikaner gegen die Deisten schleuderten, manchmal ein weniger harter Ausdruck, ein wohlmeinendes Adjektiv: wie eben von Leuten, die mit denen, die sie widerlegen, Anfang und Ende des Glaubens gemein haben: den Glauben an Gott. Michel Le Vassor, ein Priester des Oratoriums, grämt sich über die Haltung von Richard Simon und veröffentlicht 1688 im Wunsche, die Ehre des Ordens zu retten, ein umfangreiches Werk *De la véritable religion*: »Vernünftiger und gescheiter als die Skeptiker und Epikureer geben einige Deisten unserer Zeit offen zu, dass es Prinzipien einer natürlichen Religion und Moral gibt, und dass der Mensch ihnen zu gehorchen hat. Aber diese Prinzipien, fügen sie hinzu, genügen, und wir brauchen weder die Offenbarung noch das geschriebene Gesetz, um uns deutlich zu machen, was uns in Bezug auf Gott und unseren Nächsten nottut. Man kann sich von der Vernunft leiten lassen, und Gott wird immer zufrieden sein, wenn wir den religiösen und moralischen Gefühlen folgen, die er in unsere Seelen geprägt hat . . .[207]« So stellen gewisse Deisten (gewisse, denn diese Gattung umfasst recht verschiedene Arten) für diesen katholischen Apologeten weniger einen absoluten Gegensatz dar als eine betrübliche Abirrung.

Befragen wir die Protestanten um ihre Meinung. Der sehr gelehrte Robert Boyle hatte, bekümmert über den Fortschritt des Unglaubens, die Einkünfte aus dem Haus, das er in London besaß, für jährliche Vorträge zur Ver-

---

207 De la Véritable Réligion. Buch I, Kapitel 7.

fügung gestellt, die nach ihm benannt wurden. Es waren religiöse Vorträge, die nicht dazu dienen sollten, den Streit zwischen den Sekten zu unterhalten, sondern dazu, die allgemeinen Prinzipien des Glaubens sicherer zu begründen und »die Beweise für die Wahrheit des christlichen Glaubens klar zutage treten zu lassen und sie gegen die Angriffe der notorisch Ungläubigen zu verteidigen, also gegen die Angriffe der Atheisten, Deisten, Heiden, Juden und Mohammedaner«. »Die Kontroversen, welche die verschiedenen christlichen Gemeinschaften miteinander haben«, sollten »nicht berührt werden«. Die Boyle Lectures hielten sich an diese Absichten des Stifters und hatten einen großen Erfolg. Die tiefgründigsten englischen Theologen, die beredtesten Prediger wurden aufgefordert, sie zu halten, und unter anderen hatte Samuel Clarke, der damals Kaplan des Bischofs von Norwich war, zweimal diese Ehre: im Jahre 1704 und 1705. Wie drückt er sich nun hinsichtlich der Deisten aus? — Es gibt unter ihnen vier Arten: diejenigen, die vorgeben, an die Existenz eines ewigen Wesens zu glauben, das unendlich, unabhängig und vernünftig ist, die aber die Vorsehung leugnen. Diejenigen, die Gott und die Vorsehung anerkennen, aber behaupten, Gott kümmere sich nicht um die moralisch guten oder moralisch schlechten Handlungen; die Handlungen seien gut oder schlecht nur im Hinblick auf die willkürlich von den Menschen erlassenen Gesetze. Diejenigen, die Gott, die Vorsehung und den verpflichtenden Charakter der Moral anerkennen, sich aber weigern, die Unsterblichkeit der Seele und ein zukünftiges Leben zuzugeben.

Schließlich gibt es noch eine andere Art Deisten, die . . . in jeglicher Hinsicht gesunde und billige Ansichten über Gott und alle seine Attribute haben. Sie bekennen sich zum Glauben an die Existenz eines Einigen, Ewigen, Unendlichen, Ver-

340

nünftigen, Allmächtigen und Allweisen Wesens, des Schöpfers,
Erhalters und höchsten Herrschers des Universums . . .

Das von Samuel Clarke ausgestellte Zeugnis ähnelt
dem von Michel Le Vassor: Die umgänglichsten unter
den Deisten bewahren die Elemente einer positiven Religion; das Unglück ist, dass sie die Offenbarung bestreiten.

Wenn wir nunmehr einen Laien, einen weltlichen
Dichter befragen — in der Person des geschmeidigen
und feinsinnigen Dryden —, irren wir uns da, wenn wir
glauben, in seinen Versen zwar eine Verurteilung zu finden, jedoch eine, die gedämpft klingt, und fast ein wenig
gerührt, weil er sich der vagen Religiosität bewußt bleibt,
die viele Deisten bewahren?

Dryden begegnet ihnen auf seinem Weg, als er die Philosophen an sich vorbeiziehen lässt, die sich zur Frage des
Summum bonum, des höchsten Gutes, geäußert haben;
und er definiert sie folgendermaßen: »Der Deist glaubt,
er stände auf festerem Grund. — Er ruft aus: ›Heureka‹,
das große Geheimnis ist entdeckt! — Gott ist die höchste
und vollkommene Quelle des Guten. — Wir, wir sind
geschaffen zu dienen; und das Dienen ist unser Glück.
— Wenn dem so ist, so bedarf es gewisser Kultvorschrif-
ten, — die der Himmel gleichmäßig unter alle Menschen
verteilt hat. — Sonst wäre Gott ungerecht, und einigen
wären die Mittel verweigert, — die seine Gerechtigkeit
allen verleihen muss. — Dieser universelle Kult besteht
darin, ihn zu preisen, zu ihm zu beten, — sowohl von
ihm Wohltaten zu empfangen, als auch solche zu erweisen. — Und wenn unsere schwache Natur uns in die Sünde gleiten lässt, — so ist das Sühneopfer die Reue. — Da
indessen, wie wir feststellen, das Walten der Vorsehung
— das Menschengeschlecht sehr ungleich bedenkt, — da
hienieden das Laster triumphiert und die Tugend leidet
— (ein Makel, den die höchste Gerechtigkeit nicht zu

dulden vermöchte), — so weist uns unsere Vernunft auf ein Jenseits hin — als höchsten Apell gegen das Glück und das Schicksal, — dort werden alle gerechten Wege des Herrn offenbar werden. — Die Bösen werden Strafe und die Guten Belohnung erfahren. — So nähme der Mensch aus eigener Kraft seinen Aufschwung zum Himmel, — ohne weitere Verpflichtungen gegen Gott zu haben . . .[208]« Die Deisten, die Dryden hier beschreibt, sind Rationalisten, aber Rationalisten, die Heimweh nach einer Religion haben.

Der Deismus, wie wir ihn in den Schriften der Zeit zum Ausdruck kommen sehen, entleert den Gottesbegriff, aber zerstört ihn nicht. Er macht Gott zum Gegenstand eines unbestimmten, aber immer noch positiven Glaubens, denn so gerade will er den Glauben. Das reicht aus, damit die Angehörigen dieser Sekte das Gefühl einer Überlegenheit über ihre bösen, gottlosen Brüder bewahren; damit sie beten und anbeten; damit sie sich nicht vereinsamt, verloren, verwaist vorkommen; damit in Zukunft einmal savoyardische Vikare[209] beim Anblick des Widerscheins der Sonne auf den Bergen das Geheimnis der großen Hingabe wiederentdecken und weinend wieder zu beten beginnen. Es ist schwer, Atheist zu sein und das Göttliche brutal abzuleugnen. Es ist unvergleichlich viel leichter, Deist zu sein. Die totale Rebellion, die absolute Verneinung fordern außergewöhnliche Charaktere. »Der Unterschied zwischen Atheisten und Deisten ist streng genommen fast ein Nichts«, sagte Bayle, aber wie viele Nuancen haben in diesem fast Platz! »Ein Deist«, wird später Bonald sagen, »ist ein Mensch, der noch nicht Zeit gehabt hat, Atheist zu werden.« Es scheint uns viel

208 Religio laici, 1682, Vers 42 — 63.
209 Jean Jacques Rousseau, Confessions.

eher ein Mensch zu sein, der nicht Atheist hat werden wollen.

Nicht umsonst ist der Deismus endgültig in einem Lande entwickelt worden, wo die Menschen die Gewohnheit haben, ihren Gedanken ziemlich genau an dem Punkte Halt zu gebieten, wo sie wollen; einem Lande, wo man den Elan einer Doktrin bricht, sobald sie zu weit führt und für die moralische Sicherheit des Volkes gefährlich zu werden droht. Wir können dem Zeugnis eines Zeitgenossen Glauben schenken: »Die Engländer haben immer für eine Nation gegolten, die sehr geneigt war, die Religion und die Tugend auf sich wirken zu lassen; und obwohl man die Fortschritte, welche Gottlosigkeit und Laster bei uns gemacht haben, nur mit Verwunderung sehen kann, so schmeichle ich mir, dass es nur eine vorübergehende Krankheit sein wird, da sie dem Genius des Volkes so sehr widerspricht.[210]« Den Genius dieses Volkes vermag eine willkürliche Beschränkung weder zu erstaunen noch zu erschüttern; nicht einmal ein Widerspruch. Eine Religion ohne Mysterium mag hingehen! Sie verzichten auf das Mysterium, aber sie behalten eine Religion. Für England ist Denken nicht nur eine Angelegenheit der Logik, sondern auch eine des Willens.

Zweitens bewahren die Deisten die Idee der Unterwerfung unter ein Gesetz: das Gesetz der Natur.

Die Katholiken geben die Existenz eines solchen durchaus zu: *est in hominibus lex quaedam naturalis, participatio videlicet legis aeternae, secundum quam bonum et malum discernunt* [211]; die Menschen tragen in sich ein gewisses natürliches Gesetz, das heißt, sie haben teil am

---

210 Richard Blackmore, Essays on several subjects, 1716, I, The Preface.
211 Thomas von Aquin, Summa theologiae, Prima secundae, quaestio 91, Art. 2.

ewigen Gesetz und unterscheiden auf Grund dessen Gut und Böse ... Die Protestanten sind noch bereiter, dies anzuerkennen, da sie dem Rationalismus näherstehen und geneigter sind, ein Stück Weges mit den Philosophen zu gehen, teils aus Überzeugung, teils aus der Notwendigkeit heraus, ihre Apologetik dem Zeitgeschmack anzupassen. Die Verstärkung, die ihnen in dieser Beziehung die Deisten brachten, war nicht zu verachten: umso mehr war gegen die Atheisten erreicht, die überrascht und verwirrt sein würden.

Nur traten, sobald man diesen Begriff »Natur« fester fassen wollte, unleugbare Meinungsverschiedenheiten zutage. Es gab deren mindestens drei.

Was in erster Linie weder Katholiken noch Protestanten zugeben konnten, war, dass diese anspruchsvolle »Natur«, nicht zufrieden, die Schöpfung der sieben Tage zu sein und ihre Schönheit allein Ihm zu danken, der sie aus dem Nichts geschaffen hat, sich Schritt für Schritt an die Stelle des Schöpfers setzte; dass sie sein Mittler wurde und sogar an seiner Statt wirkte; dass sie die Ordnung wurde, die höchste Ordnung, der Gott sich zu fügen hat; dass sie zum höchsten Sein wurde: wir haben gesehen, mit welchem Abscheu man die Lehre des Spinoza aufnahm.

Was die Gläubigen zum zweiten nicht zugeben konnten, war, dass die Natur so etwas wie ein moralischer Instinkt sei, der für sich allein die ganze Religion zu werden vermochte, denn damit wäre diese nur noch eine Beziehung des Menschen zu den natürlichen Gesetzen gewesen, nichts weiter.

Zum dritten: wenn man glaubt, dass die Natur »eine gute Mutter ist«, wie Lahontan sagt, dass »die Natur ohne Arg ist«, wie Shaftesbury es ausdrückt, dass man, um recht zu tun, nur den natürlichen Gesetzen zu folgen

344

braucht; wo bleibt dann der Sündenfall und die Verderbnis, die seine Folge war?, wo bleibt die Notwendigkeit einer Erlösung? Das irdische Leben ist also keine vorübergehende Prüfung mehr, während welcher wir gegen die bösen Prinzipien in uns kämpfen, um den Himmel zu verdienen?

Was ist die Natur: Die Frage erschien in ihrer ganzen Unerbittlichkeit, wie damals alle Fragen vor diesen Mutigen auftauchten, die — welcher Partei sie auch angehören mochten — weder Ausflüchte noch Verdrehungen duldeten. Denn sie waren wahrheitshungrig und kämpften alle um das Licht. Je schwieriger die Probleme waren, um so würdiger schienen sie ihnen der Untersuchung. Was ist die Natur? Sie stellten bald fest, dass dies Wort in sehr verschiedenem Sinne gebraucht wurde und so »eine grässliche Verwirrung in den Reden der Unwissenden sowohl wie in denen der Gelehrten anstiftet«. Die Natur ist sehr weise. Die Natur macht nichts umsonst. Die Natur schießt nie über das Ziel hinaus. Die Natur hat nie Überfluss an Überflüssigem, noch ermangelt sie des Notwendigen. Die Natur ist Erhalterin ihrer selbst. Die Natur heilt die Leiden. Die Natur sorgt stets für die Erhaltung des Universums. Die Natur verabscheut das Leere . . . Was für unzusammenhängende Sentenzen! Und wie viele nicht minder unzusammenhängende Deutungen bei ein und demselben Gegenstand: bald handelt es sich um den Urheber der Natur, bald um das Wesen einer Sache; bald um die Ordnung der Dinge, um eine Art Halbgöttlichkeit und um so vieles andere![212]

Es kam zu keiner Verständigung; so wenig wie früher; so wenig wie später. Aber man litt darunter. Robert Boyle selbst, der in den angedeuteten Worten diese ganze

212 Robert Boyle, De ipsa natura, sive libera in receptam naturae notionem disquisitio, Londoni 1686.

Verwirrung schilderte und forderte, man solle doch um Gottes willen ein wenig Ordnung in die verschiedenen Arten, dies Wort zu interpretieren, bringen, ging es nicht so sehr um eine Definition. Er wollte vor allem den Protest eines christlichen Gewissens zum Ausdruck bringen, da er fürchtete, der Brauch, die Natur an die Stelle von Gott zu setzen, werde einreißen. Pierre Bayle protestierte gegen jene so besonders absurde Idee, die später noch so seltsam zu Ehren kommen sollte, die Idee, dass die Menschen von Natur gut seien. Die Natur? Zunächst einmal hat man nie festgestellt, welche Regungen sie, genau genommen, im Herzen der Menschen hervorruft. »Es gibt kein Wort, das man in unbestimmterer Weise anwendet, als das der *Natur*. Es taucht in allerhand Reden bald in einem Sinne, bald im anderen auf, und man legt sich fast nie auf eine bestimmte Bedeutung fest. Aber wie dem auch sei, diejenigen, die exakt denken, werden mir zugeben, dass man, um sicher zu sein, dass dies oder jenes uns von der Natur eingegeben ist, wissen müsste, dass es junge Menschen gibt, die es ohne Hilfe irgendeiner Unterweisung kennen. Ich glaube nicht, dass man je Versuche darüber angestellt hat, was im Geiste eines Menschen vor sich geht, dem man nichts beigebracht hat. Hätte man eine Anzahl Kinder von Leuten großziehen lassen, die sich begnügt hätten, sie zu ernähren, und sie nichts gelehrt hätten, so würden wir sehen, wessen die Natur ganz allein fähig ist; aber wir kennen nur Leute, die man von der Wiege ab gegängelt hat und die man alles, was man wollte, hat glauben machen.« — Ferner muss man sich schon, sobald man die Augen öffnet und um sich blickt, klar werden, dass *Natur* und Güte nicht gleichbedeutend sind. »Wir sehen beim Menschengeschlecht sehr viel Schlechtes, von dem sich trotzdem nicht bezweifeln lässt, dass es einzig und allein das Werk der Natur ist . . . Ich

346

sehe, dass es den frömmsten Vätern, die aufs eifrigste bestrebt sind, ihre Kinder in der evangelischen Wahrheit zu unterrichten, nicht gelingt, die Rach- und Lobgier, die Spielleidenschaft und die der unreinen Liebe zu bändigen . . .[213]« Oder ferner: »Ich mache Sie darauf aufmerksam, dass Herr Sherlock annimmt, der allgemeine Consensus des Menschengeschlechtes sei die Stimme der Natur und daher ein sicheres Kennzeichen der Wahrheit. Das heißt zu viel behaupten: wenn etwas als die Stimme der Natur gelten kann, so der Trieb, uns zu rächen und die unzüchtige Liebe genau wie Hunger und Durst zu befriedigen . . .[214]« Es genügte also nicht, »Natur« zu sagen, um zu glauben, man hielte die Güte, die Tugend in der Hand . . .

So ließen sich die Deisten denn daran genügen, zu glauben, sie handelten frei im Sinne jener dunklen Kraft, welche die Erhaltung und Ordnung des Universums verbürgt. Die Tatsache, dass sie einen Gott ohne Mysterium anbeteten, gab ihnen das Gefühl, sich einem positiven Gesetz zu unterwerfen. Sie glaubten sogar manchmal, die geoffenbarten Religionen täten dem wahren Gott Abbruch, indem sie an die Stelle der Gottesidee Bilder setzten, die nicht natürlich, sondern künstlich waren, von eigennützigen betrügerischen Menschen geschaffen und durch den Aberglauben verewigt.

Unter den Deisten bildete sich eine Sekte, »eine neue Sekte von Freidenkern[215]«.

Ihr Gedankengang ist der folgende: Sie definieren die Freiheit des Denkens als »den Gebrauch, den man von

---

213 Pierre Bayle, Réponse aux questions d'un Provincial, Band II, Kapitel CV. Ce que c'est proprement qu'une chose qui émane de la nature. Si pour savoir qu'une chose est bonne il suffit de savoir que la nature nous l'apprend. — Ib. Kap. CXI.
214 Siehe Anmerkung auf der vorhergehenden Seite.
215 Anthony Collins, A Discourse of free-thinking, London 1713.

seinem Verstand machen darf, um zu versuchen, den Sinn jeder beliebigen Behauptung zu ergründen, indem man die Beweiskraft der Gründe, die dafür und die derjenigen, die dagegen sprechen, gegeneinander abwägt je nachdem, ob sie mehr oder weniger Gewicht zu haben scheinen«. Aber dies Gewissenstribunal schreitet nicht immer zur Verurteilung. Wenn eine Aussage ihm genügend begründet scheint, akzeptiert es sie; wenn eine Tatsache den Regeln der Evidenz Genüge leistet, so wird sie anerkannt. Der Freidenker schiebt das beiseite, was ihm falsch erscheint, aber bewahrt das, was ihn wahr dünkt. Weit davon entfernt, ein Skeptiker zu sein, hält er sich an die Vernunft als wirksamste Macht, auf die alle Wahrheit und Gerechtigkeit sich gründet.

Daher stammt die innere Kraft, die ihn erfüllt: Aus dem Gedanken, dass er im Besitz eines so offensichtlich wahren Prinzips ist, dass es gewissermaßen unmöglich ist, dem noch etwas hinzuzufügen, das die Wahrheit noch klarer ans Licht stellen könnte, schöpft er Vertrauen und Sicherheit; er hat das große Geheimnis ergründet, das die Schwachen nie kennenlernen werden. Er wiederholt mit Wonne die magische Formel, die ihn von seiner Macht über die Menschen und die Dinge überzeugt: ich denke frei! Es gibt niemand auf der Welt, der sich nicht geirrt hätte, aber er für sein Teil wird sich nicht mehr irren. Am Ende der strengen Prüfung, der er alles unterwirft, was seinen Augen und seinem Geist begegnet, wird

---

— Discours sur la liberté de penser, écrit à l'occasion d'une nouvelle secte d'esprits forts, ou de gens qui pensent librement. Traduit de l'anglais à Londres 1714. — Discours sur la liberté de penser et de raisonner sur les matières les plus importantes. Ecrit à l'occasion de l'accroissement d'une nouvelle secte d'esprits forts ou de gens qui pensent librement. Traduit de l'anglais. Seconde édition, revue et corrigée. A Londres, 1717.

er als Belohnung für die Kühnheit, die es ihm ermöglicht hat, sich vom Aberglauben frei zu machen, das Wahre und das Gute entdecken. Seine vernünftigen Feststellungen verschaffen ihm die Ruhe und Glückseligkeit, welche die Gläubigen ehemals in ihrem Glauben fanden: *neque decipitur ratio, neque decipit unquam* [216]. Denkt frei, und alles übrige wird euch obendrein gegeben werden, und ihr werdet die Früchte vom Baum der Erkenntnis kosten. Indessen werden die Ängstlichen, die Sklaven, in der Finsternis außerhalb des irdischen Paradieses bleiben. »Nichts ist unsinniger, als zu glauben, es sei gefährlich, den Menschen die Freiheit zu gewähren, die Grundlagen der überlieferten Ansichten nachzuprüfen. Nichts ist unsinniger, als die guten Absichten derer, die von dieser Freiheit Gebrauch machen, anzuzweifeln. Solange die Menschen keinen besseren Führer haben als die Vernunft, ist es ihre Pflicht, diesem Licht überallhin zu folgen, wohin es sie führt.«

Frei denken ist schon an sich ein Glück und darüber hinaus ein Mittel, das Leben so einzurichten, dass es zum Glück führt. Nur mit Hilfe des Denkens gelangen die Menschen dazu, das menschliche Leben von Grund auf zu kennen, nur mit seiner Hilfe gewinnen sie die Überzeugung, dass das Elend und das Unglück eine Folge des Lasters, der Genuss und ein glückliches Leben dagegen immer die Früchte der Tugend sind. Cicero war fest davon überzeugt, als er das Glück des Menschen pries, der seine Pflichten freudig erfüllt, sein ganzes Handeln sorgfältig beherrscht und dem Gesetz nicht deshalb gehorcht, weil er es fürchtet, sondern deshalb, weil er es für etwas an sich Gutes hält. Der Freidenker hat den Eindruck, er gehorche nur seinem eigenen aufgeklärten Willen, nur

---

216 Die Vernunft wird weder getäuscht, noch täuscht sie jemals.

der logischen Kraft, die seiner Vernunft innewohnt: er ist Herr seiner selbst und des Universums.

Der erste, der diese Definition des freien Denkens vorgebracht hat, war Anthony Collins; zunächst in polemischen Streitschriften, sodann ausführlicher im Jahre 1713 in seiner berühmten Rede über das freie Denken: *Discourse of free thinking*. Damals erhielten die Worte *freethinker, libre penseur, Freidenker* Bürgerrecht unter den Menschen. Es gab einen als Freidenker anerkannten Gentleman, der einstmals Schüler in Eton und Student in Cambridge gewesen war und, nach dem was Locke schreibt, ein Landhaus, eine Bibliothek in der Stadt und überall Freunde besaß. Auf Grund seines unanfechtbaren Lebenswandels war er voll jener *respectability*, die seine Landsleute für die erste aller sozialen Tugenden halten; und dieser Gentleman sammelte das verworrene Erbe der Freigeister und Deisten und gewann daraus endgültig den Extrakt alles dessen, was es an Wollen und an Grundsätzen enthielt. Um diese Zeit begannen die Freidenker Mode zu werden und den Ton anzugeben und die Gläubigen jeder Art zu bemitleiden und lächerlich zu machen, obwohl jene in der Überzahl und an der Macht verblieben. Anthony Collins spricht mit Samuel Clarke in einem völlig verächtlichen Ton: Samuel Clarke ist orthodox, das genügt, er ist abgeurteilt. »Etwas, was mich bei Herrn Clarke außerordentlich überrascht hat, und dessen ich ihn nicht fähig geglaubt hätte, ist, dass er mich, wie ich in seiner Verteidigung gelesen habe, verdächtigt, zu wenig zu glauben. Jeder kann derartige Urteile abgeben und solche Verdächtigungen aussprechen; sie machen ihrem Urheber wenig Ehre und werden im allgemeinen von jedem urteilsfähigen und anständigen Leser recht ungünstig aufgenommen. Ich sehe mich nicht veranlasst, mich gegen eine ohne Beweis vorgebrachte Verdächtigung zu verteidigen, und ich werde nicht anders darauf antworten als dadurch, dass ich die Rechtgläubigkeit von Herrn Clarke bezeuge. Ich verabschiede mich also von dem Publikum mit der Versicherung, dass Herr Clarke weder zu wenig noch zu viel glaubt, dass er vollkommen und haargenau rechtgläubig ist und es immer bleiben wird.« So entwickeln sich die Dinge, bis schließlich die Orthodoxen nicht nur als Menschen betrachtet werden, die ganz unfähig sind, selbständig zu denken, als rückständige Köpfe, sondern sogar als Personen, die jeden Fortschritt hemmen. Die Freidenker dagegen gelten nicht nur als Menschen, die richtig denken können, sondern genießen den Ruf, Positives zum Wohl der Gesellschaft beizutragen. Man kann den Freidenkern nicht mehr vorwerfen, sie seien leichtfertige Libertiner, Egoisten und Genießer oder gehörten zu jener Kanaille, die nicht mitzählt, oder seien Abenteurer und Deklassierte. Ein Freidenker wie Collins gibt das Beispiel von so viel Sittenreinheit und Würde, dass es ihn gerade in den Augen seiner zahlreichen Widersacher hebt.

Ohne sich um Nuancen zu kümmern, die seinem Geist nie Verlegenheit bereiten, aus dem einfachen Grunde, weil er sie nicht erkennt, und ohne auf die Argumente seiner Gegner einzugehen, füllt Collins, unentwegt vorwärtsstürmend, seine Rede über das freie Denken mit Verneinungen und Bejahungen an. Er wechselt die Zeichen aus, setzt negative an die Stelle der positiven und umgekehrt: er erklärt, die Notwendigkeit sei eine Doktrin der Freiheit und der Materialismus gewährleiste den Triumph des Geistes. Schon vom Jahre 1714 ab, noch zu Lebzeiten Ludwigs XIV., zirkuliert eine französische Version seines Werkes; und mit Erfolg, da ihr im Jahre 1717 die Ehre einer zweiten Auflage zuteilwird. Denn schließlich ist das Werk, so sagt sein Übersetzer, von universaler Bedeutung. Man hatte behauptet, das Buch eigne sich nur für Engländer, ein großer Kommentar sei erforderlich, wenn Ausländer es verstehen sollten, und demzufolge könne es nicht mit irgendeiner Aussicht auf Verbreitung in eine andere Sprache übersetzt werden. Ein offensichtlicher Irrtum! »Die Wahrheit, das Denken und die Vernunft sind in allen Ländern zu Hause.« — »Der Kern der Rede ist für jede Art von Leuten interessant.« Merken wir an — es ist ein höchst eigenartiger Zug —, dass Collins die Kirche des freien Denkens mit Heiligen bevölkert. Die treuen Anhänger der Vernunft werden die großen Männer verehren, die im Verlauf der Zeiten dazu beigetragen haben, den neuen Kult zu begründen: Sokrates, Plato, Aristoteles, Epikur, Plutarch, Varro, Cato den Zensor, Cicero, Cato von Utica, Seneca, Salomo, die Propheten, den Historiker Joseph, Origenes, Minutius Felix, Lord Bacon, Hobbes und sogar neben Sinesius, dem Bischof von Afrika, den Erzbischof Tillotson. (Dieser letztere war, die Wahrheit zu sagen, ein Verteidiger des Christentums, aber er setzte in seinen Predigten gern die Freiheit des Denkens neben die Religion und die Tugend, als etwas, dessen Ausübung stark zur Erhaltung von Frieden und Glück der menschlichen Gesellschaft beiträgt.) All diesen Freidenkern, deren Verdienste er darlegt, könnte Collins noch eine Menge anderer Helden hinzufügen; er begnügt sich jedoch damit, auf sie hinzuweisen, weil er fürchtet, zu langatmig zu werden. Unter anderen führt er auf: Erasmus, Montaigne, Scaliger, Descartes, Gassendi, Grotius, Herbert von Cherbury, Milton, Marsham, Spencer, Cudworth, Sir William Temple, Locke. Alles in allem, schließt Collins, ist es schwer, einen Mann zu nennen, der sich durch seinen gesunden Menschenverstand und seine Tugend ausgezeichnet und irgendeine erfreuliche Spur hinterlassen hat, ohne gleichzeitig anzuerkennen, dass er uns Zeugnisse seines *freien Denkens* gegeben hat. Ebenso kann man keinen Feind des *freien Denkens* finden, welchen Rang und welche Stellung er auch einnehmen und wie vornehm er sein mag, der nicht ein bisschen schwach im Kopf und fanatisch gewesen wäre oder der sich nicht ehrgeizig, unmenschlich und voll grässlicher Laster erwiesen hätte, mit einem Wort, der nicht bereit gewesen wäre, unter dem Vorwand der Ehre Gottes und des Wohles der Kirche alles und jedes zu tun, der nicht Anzeichen seiner tiefen Unwissenheit und seiner Brutalität hinterlassen hätte; der sich schließlich nicht zum Sklaven der Priester, der Frauen oder des Reichtums gemacht hätte . . .

Es handelt sich nicht nur um weltliche Heilige. Wieder eine Gemeinschaft des Denkens schaffen, einen Weiheakt einführen, der erlaubt, die Anhänger zu erkennen und zusammenzuschließen, wieder Riten abhalten, das sind die Wünsche, die wir am Ende der Entwicklung, deren Verlauf wir soeben verfolgt haben, auftauchen sehen.

Wer könnte Toland noch für einen Philosophen halten, sagt Swift, wenn man ihm seinen einzigen Gegenstand, den Hass gegen das Christentum, nähme? Aus Hass gegen das Christentum kommt Toland schließlich dazu, eine Organisation zu schaffen, die derjenigen der Kirche entgegentreten soll. Er verfasst eine Hymne, sie wendet sich zwar nicht an die Gottheit, sondern an die Philosophie, aber eine Hymne ist es nichtsdestoweniger. O Philosophie, Führerin unseres Lebens, die du uns zur Tugend leitest und alle Laster vertreibst! Was wären wir und alle Menschen unser Leben lang ohne deine Hilfe? Du hast die Städte gebildet, hast die verstreuten Menschen in der Gesellschaft gesammelt und geeinigt . . .

Du hast die Gesetze erfunden, hast uns die Richtschnur für unsere Sitten gegeben und uns Disziplin gelehrt. Wir wenden uns an dich. Denn ein einziger nach deinen Geboten verbrachter Tag ist der Unsterblichkeit vorzuziehen . . . Welcher Hilfe sollen wir uns denn bedienen, wenn nicht der deinigen, da du uns den Frieden in diesem Leben gegeben und uns von der Todesfurcht befreit hast? . . .

Er hasst, so verkündet er, jeden von Menschen ausgeübten Kult: und doch legt er den Entwurf für eine neue Gesellschaft vor, durch welche die Menschen besser und weiser werden sollen, die sie allzeit freudig und aufs höchste zufrieden machen wird. Die Liebe, die er zu den Menschen hegt, treibt ihn zur Gründung einer sokratischen Gesellschaft, deren Sitten und Prinzipien, deren Inspiration und Philosophie er skizziert. Die Mitglieder dieser Gemeinschaft werden geheime Versammlungen abhalten. Es wird Gesänge geben, maßvolle Trankopfer, Liebesmahle. Man wird rituelle Formen anwenden. Ein Präsident wird Verse sprechen, die Adepten werden die Antworten geben. Begeben wir uns unter Führung von John Toland in den Versammlungsraum dieser in Gleichheit vereinten Brüder und lauschen wir ihnen:

> Der Präsident:
> Auf dass sie selig und glücklich sei.
>
> Die anderen antworten:
> Gründen wir eine sokratische Gesellschaft.
>
> Der Präsident:
> Möge die Philosophie blühen!
>
> Antwort:
> Mitsamt den freien Künsten!
>
> Der Präsident:
> Ruhe! Möge diese Versammlung und alles, was darin gedacht, gesagt und getan werden soll, dem

dreifachen Wahrspruch des Weisen geweiht sein: der Wahrheit, der Freiheit, der Gesundheit.

Antwort:

Das möge allzeit gegenwärtig sein.

Der Präsident:

Lasst uns uns Gleiche und Brüder nennen!

Antwort:

Und auch Genossen und Freunde ...

So dass also derjenige, der am wildesten darauf versessen war, die Kirche zu zerstören, unter unseren Augen seine eigene Kirche errichtet. Vergessen wir nicht, dass die große Freimaurerloge in London im Jahre 1717 gegründet wurde und die erste französische Loge aus dem Jahre 1725 stammt.

DAS NATURRECHT

Es gab das göttliche Recht.

Und wie in der Religion war alles einfach und großartig. Die Politik gründete sich auf die entsprechenden Worte der Heiligen Schrift: was könnte es Unerschütterlicheres geben? »Höre Israel. Der Herr unser Gott ist der alleinige Gott. Du sollst Gott den Herrn lieben von ganzem Herzen, von ganzer Seele und von ganzem Gemüt.« Die Liebe Gottes zwingt die Menschen, sich untereinander zu lieben, und so entsteht die Gesellschaft. Die erste Herrschaft ist die der väterlichen Autorität; die Monarchie, die auf sie folgt, ist die verbreitetste Regierungsform und zugleich die älteste und natürlichste, da die Menschen ihrem Zustand nach alle Untertanen sind; und die Herrschaft des Vaters, die sie ans Gehorchen gewöhnt, gewöhnt sie zugleich daran, nur ein einziges Oberhaupt zu haben. Die Monarchie ist besser als alle anderen Regierungsformen; unter den Monarchien beruht die beste auf der ununterbrochenen Erbfolge, vor allem, wenn sie immer auf den ältesten männlichen Erben übergeht.[217]

So errichtet der Präzeptor des Dauphins, der Bischof von Meaux, eigenhändig den Thronbaldachin, der die Person des Königs beschirmt. Diese ist geheiligt, und niemand auf dieser Welt kann ihrer Macht Abbruch tun. Nicht als ob die Majestät außerhalb jeder Norm stünde: das göttliche Gesetz schreibt ihr im Gegenteil strengere und drückendere Pflichten vor als dem erbärmlichsten der Sterblichen. Die königliche Autorität ist geheiligt und väterlich; sie ist absolut, aber den Gesetzen der Vernunft unterworfen; sie wird nach allgemeinen Gesichtspunkten ausgeübt, nicht nach Launen. Nützt derjenige, der mit so ungeheurer Machtfülle ausgestattet ist, diese schlecht, so mag er zittern, denn er wird am Tage des Jüngsten Gerichts fürchterlich Rechenschaft ablegen müssen. Aber obgleich verantwortlich vor Gott, ist der König doch nicht verantwortlich vor seinen Untertanen. Er braucht sie nicht zu Rate zu ziehen noch sich nach ihren Ansichten zu richten. Denen, die zu gehorchen haben, eine wirksame Macht über die einräumen, die Gott zum Herrschen bestimmt hat, wäre in der Tat unlogisch und gottlos. Dieser Grundsatz ist so unerschütterlich, dass selbst offenkundiger Unglaube des Souveräns, selbst ungerechte Verfolgung die Völker nicht von der Gehorsamspflicht entbindet. Sie dürfen der Gewalttätigkeit des Fürsten nur durch respektvolle Vorstellungen ohne Meutern und Murren begegnen und für ihre Bekehrung beten. Gott hält im höchsten Himmel die Zügel aller Königreiche; die Könige gebieten ihren Untertanen nach seinem geheimen Ratschluss; die Untertanen gehorchen

---

217 Politique tirée des propres paroles de l'Écriture Sainte. 1709.

ohne Murren, und wir werden erkennen, dass die flüchtigen Ereignisse, welche diese Harmonie zu trüben scheinen, ihr nur ihrerseits dienen, wenn wir erst aufhören, sie mit unseren leiblichen Augen zu sehen, und fähig sein werden, sie in ihrer Verkettung zu verstehen.

Wenn wir nun das Bild suchen, das diesem feierlichen Glanz nicht Abbruch tut und zu dieser fast übermenschlichen Majestät passt, so taucht die Gestalt Ludwigs XIV. unwillkürlich vor unserem Geiste auf. Dies königliche Bild überwältigt uns gerade durch seine Leuchtkraft; es verfolgt uns durch die Zeiten, es holt uns ein, es ist da, es lebt! In unserem Gedächtnis haften die berühmten Worte, die der große König gesprochen hat, und wir glauben ihn sagen zu hören, wie an jenem Tage, da er den Beginn seines persönlichen Regiments ankündigte: *L'état c'est moi!* Wir wissen, dass er die Devise: *un roi, une foi, une loi* — ein König, ein Glaube, ein Gesetz — ganz buchstäblich hat zur Durchführung bringen wollen; dass er jeden Widerstand gebrochen hat, dass er sogar gegenüber dem Papst als dem Lotsen, der das Schiff der Kirche führt, die Rechte des Kapitäns verfochten hat, der für die Sicherheit des Schiffes sorgen muss: der Kapitän, das war er. Er ist der Heros der Monarchie. In Versailles suchen wir ihn in allen Gemächern und Höfen. Wir folgen ihm in den Spiegelsaal und sehen ihn inmitten der seines leisesten Winks gewärtigen Höflinge; und wenn wir bei sinkender Nacht die Alleen des Parks verlassen, den sein souveräner Wille einst geschaffen hat, so wenden wir den Blick nach dem Schloss zurück und glauben an einem der Fenster noch den Schatten auftauchen zu sehen, den La Bruyère beschwört: »Er selbst ist, wenn ich so sagen darf, sein erster Minister; immer um unser Wohl bemüht, kennt er keine Zeit der Entspannung, keine freie Stunde. Schon sinkt die Nacht, die Wachen an den Zufahrten seines

Schlosses werden abgelöst, die Sterne leuchten am Himmel und ziehen ihre Bahn; die ganze Natur ruht, vom Tag entlassen, in Dunkel gebettet; wir ruhen auch, indessen der König, in sein Kabinett[218] eingeschlossen, über uns und den ganzen Staat wacht

Es gab andererseits auch höchst unfromme Theorien, die, um zu beweisen, dass dem König allein alle Macht zuständе, darlegten, dass man Menschen nur regieren könne, wenn man sie als Mittel zum Zweck behandle. Das war die von Macchiavelli, schon sehr alt, aber nie ganz in Vergessenheit geraten. Neuer war die von Hobbes. Schon 1642 skizziert, hatte diese bittere und zynische Theorie ihre definitive Form im *Leviathan* erhalten. Alle europäischen Denker waren auf sie gestoßen und hatten ihr Rechnung tragen müssen, sei es auch nur, um sie zu widerlegen. Wie oft sah man beim Überfliegen eines gelehrten Buches, beim Umblättern einer Seite plötzlich den Namen von Hobbes auftauchen! Welchen Widerhall haben seine Ideen gehabt! Welch ein lebendiges Echo haben sie stets gefunden!

Ihr seid von Natur schlecht, sagte Hobbes zu den Menschen. Es gibt auf der Welt keinerlei geistiges Prinzip. »Es gibt kein anderes Gut als die Lust, kein anderes Übel als den Schmerz, kein anderes Ziel als den Eigennutz, keine andere Freiheit als das Fehlen von Hindernissen für die Leidenschaften. Da das Prinzip der Erhaltung des Lebens der Egoismus ist und jeder sein Lebensrecht verteidigt, so ist der Naturzustand der Zustand des Kampfes zwischen allen Menschen, diesen Wölfen.« »Der Zustand des Menschen innerhalb dieser natürlichen Freiheit ist der Kriegszustand, denn der Krieg ist nichts anderes als die Zeit, in welcher der Wille und das Bemühen, mit

---

218 son balustre.

Hilfe von Gewalt anzugreifen und Widerstand zu leisten, durch Wort und Tat genügend klargemacht ist. Die Zeit, die nicht der Krieg ist, nennt man Frieden.« Wird die Vernichtung der Gattung die Folge sein? Gewisslich, wenn man nicht durch irgendwelche künstliche Mittel den Übeln des Naturzustandes abhilft, wenn man nicht an die Stelle der Gleichheit zwischen den Menschen ein Regime der Ungleichheit setzt, das einzig fähig ist, sie vor sich selbst zu schützen: woraus sich die Notwendigkeit ergibt, einen politischen Körper unter der Oberhoheit eines Monarchen, der unbedingt ein Tyrann sein muss, zu schaffen.

Verträge und Schwüre sind nicht fähig, den Frieden zwischen den Menschen aufrechtzuerhalten, da diese sie stets brechen würden; die Macht allein vermag ihre Raubtierinstinkte zu bändigen und die Furcht, die diese Macht einflößt: Der König wird daher den Kriegsdegen und das Richtschwert in Händen halten. Alle Macht wird in ihm konzentriert und wird absolut sein: seine Autorität durch irgendwelche demokratischen Erfindungen wie eine gesetzgebende Versammlung zu beschränken, hieße die Anarchie fördern und bald in das Chaos des Naturzustandes zurückfallen. Der König ist niemandem verantwortlich. Er ist für nichts Rechenschaft schuldig. Er ist alles. Ohne Zweifel opfert man ihm die Freiheit, an welcher die Völker bis zu einem gewissen Grad hängen. Aber fürwahr! Da man das Leben und die Freiheit nicht vereinigen kann, so wählt man besser das Leben. Die Kunstfertigkeit des Menschen ist wunderbar. Es gelingt ihm, künstliche Tiere herzustellen, Automaten, die gehen, sich hinsetzen, den Kopf bewegen, den Mund öffnen, mit den Augen zwinkern. So ist es dem Menschen auch gelungen, eine künstliche Gesellschaft zu schaffen, eine ungeheuerliche Maschine, einen politischen Automaten, der glücklicherweise an die Stelle der natürlichen Gesellschaft getreten ist. Dieser Automat trägt den Namen Leviathan. Die universelle Gesellschaft, die ich Leviathan nenne, ist ein künstlicher Mensch, aber größer und stärker als der natürliche Mensch, zu dessen Schutz er bestimmt ist . . .«

Diesen von so verschiedenen Punkten ausgehenden, aber im Autoritätsprinzip mündenden Theorien treten andere Theorien entgegen; ein neuer Kampf entsteht: zunächst nur ein Kampf zwischen Abstraktionen, der aber trotzdem seine erhabene Schönheit hat. Man sieht die Ideen entstehen und, schüchtern und gebrechlich wie sie sind, sofort bekämpft werden; man sieht sie wachsen. Keine einzige bleibt in ihrem Geburtslande eingeschlossen. Sie fliegen davon, passieren die Grenzen, das gehört zu ihrem Wesen, das ist ihr Leben. Sie scheinen an Kraft zuzunehmen, sobald sie in neue Länder gelangen. Unaufhörlich bekämpft, werden sie auch unaufhörlich verteidigt, wiederaufgenommen, präzisiert, gewinnen an Boden, werden aggressiv, bis sie sich endlich eines Tages stark genug fühlen, an die Stelle der Prinzipien zu treten, welche die Vergangenheit beherrscht haben, und die Menschen einer Zukunft entgegenzuführen, von der sie hoffen, dass sie besser sein wird. Das Naturrecht entspringt aus einer Philosophie: aus derjenigen, die das Übernatürliche, Göttliche leugnet und die der Natur innewohnende Ordnung an die Stelle von Gottes persönlichem Eingriff und Willen setzt. Es entspringt ferner aus einer rationalistischen Tendenz, die in der sozialen Ordnung stärker zutage tritt: jedem menschlichen Wesen sind gewisse, in seiner Definition enthaltene Fähigkeiten eigen und damit die Verpflichtung, sie ihrem Wesen gemäß anzuwenden. Das Naturrecht entspringt ferner einem Gefühl: die Autorität, die im Innern die Beziehungen des Herrschers und seiner Untertanen willkürlich regelt und die nach außen nichts anderes vermag, als Kriege herbeizuführen, soll verworfen und durch ein neues Recht ersetzt werden, aus dem vielleicht das Glück erwachsen wird, durch ein politisches Recht, das die Beziehungen der Völker untereinander regelt und dabei von der Idee ausgeht, dass sie ihre eigenen Geschicke selber leiten: das Völkerrecht.

Das Recht ist eine Philosophie des Lebens, ein sozialer Wert, ein praktischer Wert. Es hat tiefgrabende Wurzeln, dichte Zweige und verändert sein Wesen nur in langen Mühen. Große streitbare Werke markieren den Weg. Ihnen folgen, indem man jedes einzelne an seinem Datum einreiht, heißt einer wunderbaren Leistung zuschauen, die sich nach jeder Etappe der Realitäten bewusster wird, denen sie nachjagt.

1625. Hugo Grotius, *De jure belli et pacis*.

Ein nach Paris geflüchteter Holländer gibt das erste Signal. Reich an Empfindungen, Wissen und Verstand und so gestellt, dass er die politischen Streitigkeiten und die religiösen Kontroversen aus nächster Nähe beobachten konnte, grämt sich dieser Mensch beim Anblick der unaufhörlichen Kämpfe, die Europa zerreißen. »Ich sah innerhalb des christlichen Universums ein solches Übermaß von Kriegen, dass es selbst barbarischen Nationen zur Schande gereicht hätte. Aus nichtigen Gründen oder ganz ohne Anlass griff man zu den Waffen, und hatte man das einmal getan, so achtete man nichts mehr, weder das göttliche noch das menschliche Recht, gleich als ob durch ein allgemeines Gesetz die Wut auf den Weg aller Verbrechen losgelassen worden wäre . . .« Grotius wird um seiner Ideen willen verfolgt, flieht auf romantische Art und Weise aus dem Gefängnis, in das seine Feinde ihn haben sperren lassen, und geht nach Frankreich hinüber: er widmet *Ludwig XIII.* im Jahre 1625 seine Abhandlung über das *Recht des Krieges und Friedens*, ein bedeutendes Buch, das die Menge nicht beachtet, wie sie es so oft mit denjenigen macht, die am stärksten auf ihr Schicksal einwirken. Wer studiert jenen Teil des Rechtes, der die Beziehungen der Völker oder der Staatsoberhäupter zueinander regelt? Niemand, stellt Grotius fest. Man behauptet sogar allgemein, der Krieg sei unvereinbar mit irgendeiner Art von Recht, und einer gewissen Staatsraison zuliebe, die Macchiavelli erfunden hat, solle man jeden Trug und jede Gewalttat verstehen und verzeihen. Das ist nicht wahr: es gibt ein Recht, das in Kriegszeiten in Geltung bleibt, das über dem Krieg steht; es heißt das Naturrecht. Die Natur hat es tatsächlich tief in die Herzen der Menschen geschrieben, denn sie wünschte sie gesellig. Nichts kann gegen dies ungeschriebene Gesetz, dies lebenswichtige Gesetz aufkommen. »Soll der Krieg gerecht sein, so darf man ihn nicht mit weniger Religion ausüben, als man bei der Ausübung der Gerechtigkeit anzuwenden gewohnt ist.« — »Während des Krieges schweigen die bürgerlichen Gesetze, aber nicht die ungeschriebenen Gesetze, welche die Natur vorschreibt.«

Und das göttliche Recht? Grotius bemüht sich, es zu retten. Was wir soeben gesagt haben, erklärt er, würde auch Geltung haben, wenn wir zugeben würden (was man nicht zugeben kann, ohne sich eines Verbrechens schuldig zu machen), dass es keinen Gott gibt oder dass die menschlichen Angelegenheiten nicht der Gegenstand seiner Vorsorge sind. Da Gott und die Vorsehung ganz ohne jeden Zweifel existieren, ist hier eine Quelle des Rechtes neben derjenigen, die der Natur entspringt: die Quelle, die aus dem freien Willen Gottes hervorgeht. »Das Naturrecht selbst kann auf Gott zurückgeführt werden, da die Gottheit gewollt hat, dass derartige Prinzipien uns innewohnen.«

Das Gesetz Gottes, das Gesetz der Natur . . . diese Doppelformel hat Grotius nicht erfunden; sie ist schon lange vor ihm gebraucht worden; das Mittelalter kannte sie schon. Was ist denn jetzt neu an ihr? Woher kommt es, dass sie von den Gelehrten kritisiert und verdammt wird? Warum ruft sie eine so gewaltige Wirkung hervor?

Das Neue liegt in der deutlich zutage tretenden Trennung der beiden Wendungen; in ihrer betonten Gegenüberstellung; in dem Versuch, sie nachträglich miteinander zu versöhnen, der schon an sich die Vorstellung eines Bruches voraussetzt. Es besteht vor allem in einem Gefühl, das schon stark, wenn auch, wie gesagt, noch unbestimmt ist: den Krieg, die Gewalttaten, die Missstände, die Gottes Gesetz nicht in Schranken hält und aus unergründlichen Absichten sogar duldet und rechtfertigt, alle diese Übel, unter denen wir leiden, vermag vielleicht ein menschliches Gesetz zu lindern, abzuschaffen. Und so geht man, unter Entschuldigungen wegen solcher Kühnheit, von der Ordnung durch die Vorsehung zu einer Ordnung durch die Menschheit über.

Das Buch wird das ganze Jahrhundert lang übersetzt und von den Lehrstühlen der Rechtswissenschaft herunter kommentiert und erläutert.

1670. Spinoza, *Tractatus theologico-politicus*.

1677. *Ethik*.

Sie bringen zwei Ideen: die Idee, dass die Könige Betrüger sind, die sich die Religion zunutze machen, um ihre unbillige Herrschaft zu sichern, und jene andere, so viel tiefere, dass jedes Sein notwendig bemüht ist, in seinem Sein zu verharren.

Es genügt hier, den Wortlaut der Ethik, Teil III, Proposition IV, ins Gedächtnis zu rufen: *Ein Ding, welches es auch sei, bemüht sich, soweit es in seinen Kräften steht, in seinem Wesen zu verharren.*

Beweis: In der Tat sind die Einzeldinge Modi, welche die Attribute Gottes auf gewisse und bestimmte Art zum Ausdruck bringen ..., das heißt Dinge, welche die Macht Gottes zum Ausdruck bringen, durch die Gott auf gewisse und bestimmte Art ist und wirkt. Und ein Ding hat in sich selbst nichts, durch das es zerstört werden könnte, das heißt, das seine Existenz aufhöbe ... Es ist im Gegenteil allem entgegengesetzt, was seine Existenz zerstören könnte, und ist daher, soweit es an ihm liegt, bemüht, in seinem Wesen zu verharren. Was zu beweisen war.

1672. Samuel Pufendorf. *De jure naturae et gentium libri octo.*

1673. *De officio hominis et civis juxta legem naturalem libri duo.*

Ein in Schweden lehrender Deutscher nimmt das Werk auf und drückt der entstehenden Theorie seinen unauslöschlichen Stempel auf. Samuel Pufendorf ist der erste Professor für Naturrecht und Völkerrecht an der Universität Heidelberg. Im Jahre 1670 nimmt er die Einladung König Karls XI. von Schweden an, der ihm einen Lehrstuhl an der Universität Lund anbietet. Die Pflicht des Menschen und des Bürgers: wie überrascht uns dieser Titel zu jener Zeit! Er scheint um mindestens ein Jahrhundert verfrüht zu sein; hätte man uns gefragt, welcher Epoche er angehört, wir hätten ihn ohne Zweifel dem Vokabular der Französischen Revolution zugerechnet. Tatsächlich enthält das Buch eine Reihe von Ergebnissen, die sich forterbten und schließlich das Denken des folgenden Jahrhunderts beherrschen sollten. Zunächst: die philosophische Abstraktion, die an die Stelle der Geschichte tritt, da wir nach Pufendorf »den ersten Menschen sozusagen als vom Himmel gefallen« betrachten können und »mit denselben Neigungen, welche die Menschen heute haben, wenn sie zur Welt kommen«. — Ferner: die soziale Moral, da die Pflicht in einer menschlichen Handlungsweise besteht, die den Gesetzen, die uns dazu verpflichten, genau entspricht — Drittens: den politischen Vertrag. Die zivilisierte Gesellschaft, die auf den Naturzustand durch die Mittel der Heirat, der Familie, der Bildung eines politischen Körpers folgt, beruht notwendigerweise auf Vereinbarungen: Die Individuen verpflichten sich, sich in einem einzigen politischen Körper zusammenzuschließen und alles, was ihre Sicherheit und ihren gemeinsamen Nutzen betrifft, gemeinsam zu regeln. Diejenigen, die mit der höchsten Autorität ausgestattet werden, verpflichten sich, mit Sorgfalt über die Sicherheit und den öffentlichen Nutzen zu wachen; und die anderen versprechen ihnen gleichzeitig einen treulichen Gehorsam.

Es gewinnt Gestalt und Kraft, das Naturrecht. Es verlangt nicht allein seinen Platz inmitten der kriegerischen Verwicklungen, es erobert ihn sich auch herrisch beim politischen Aufbau der Staaten. Es hat den Vorsitz im sozialen Leben: »das Gesetz der Natur entspricht so unveränderlich der geselligen und vernünftigen Natur, dass es ohne Beobachtung seiner Grundsätze unter den Menschen keine anständige und friedliche Gesellschaft geben könnte . . .« Pufendorf leugnet die göttliche Macht nicht, aber er verweist sie in eine andere Ebene. Es gibt die Ebene der reinen Vernunft und die der Offenbarung, also auch die Ebene des Naturrechtes und die der moralischen Theologie; die Ebene der Pflichten, die sich uns aufdrängen, weil die rechte, natürliche Vernunft sie uns als für die Aufrechterhaltung der menschlichen Gesellschaft im allgemeinen nötig erscheinen lässt, und die Ebene der Pflichten, die uns obliegen, weil Gott sie uns in der Heiligen Schrift anbefohlen hat. Und die Argumente, die er nach diesen Ausführungen bringt, um zu zeigen, dass diese Ebenen in keinem Gegensatz zueinander stehen und zusammenfallen können, beweisen gerade ihren tiefen Widerspruch. Die Theologie bezieht sich auf den Himmel, die natürliche Vernunft auf die Erde. Es beliebt Pufendorf, allein die Erde zu betrachten: der Himmel scheint ihm viel zu weit.

Die schwedischen Pfarrer begriffen nur zu wohl die Gefahr dieser Teilung oder — besser gesagt — dieser eingestandenen Vorliebe, und so erhob sich gegen den Theoretiker des Naturrechtes ein solcher Lärm, dass er die Unterstützung der weltlichen Macht nachsuchen musste, um nicht aus seinem Amt gejagt zu werden. Aber er triumphierte trotzdem.

1672. Richard Cumberland, *De legibus naturae disquisitio philosophica.*

Das ist der Zuzug aus England: der Reverend Richard Cumberland, Doktor der Theologie und zukünftiger Bischof, widerlegt die abscheulichen Grundsätze eines Hobbes. Worauf sich stützen? Auf das Naturrecht, welches das absolute Gegenteil von der vom Verfasser des *Leviathan* gepriesenen Gewalt darstellt: »Alle natürlichen Gesetze lassen sich auf das eine zurückführen, dass man wohlwollend gegen alle vernünftigen Wesen sein soll ...«

Später sollte es noch eine Unterstützung von ganz anderer Wirksamkeit gewähren, das ehrwürdige Land, in dem die politische Diskussion einen integrierenden Teil des geistigen, moralischen und religiösen Lebens der Nation ausmachte; das Land, wo das im Laufe des 17. Jahrhunderts unaufhörlich umkämpfte Königtum, gestürzt, wieder errichtet, wieder gestürzt und schließlich wiederhergestellt, aber dem Wesen nach abgewandelt, das Objekt von leidenschaftlichen Debatten war, an dem nicht nur Bürger und Edelleute sowie Dichter und Philosophen, sondern auch die Könige selbst teilnahmen. Nur gehen die Dinge nicht so schnell; man muss ein wenig warten.

1685. Die Aufhebung des Ediktes von Nantes.

Aus jenem Frankreich, das sich außerhalb von Frankreich bildet, aus jenen im fremden Land entstandenen Flüchtlingslagern ertönen die Rufe zur Auflehnung. Gewisslich erachten sich nicht alle Reformierten nach der Verfolgung und dem Exil von ihrem Treueid gegenüber dem König entbunden. Sie lösen den Gewissenskonflikt, vor dem sie stehen, nicht alle auf die gleiche Art und Weise, da einige von ihnen fortfahren zu glauben, dass das göttliche Recht eine Gehorsamspflicht gegenüber dem Fürsten begründet und die Fehler des Fürsten daher die Autorität des Königs von Gottes Gnaden nicht zu mindern vermögen. Aber andere sind darunter — und sie machen mehr Lärm —, die laut schreiend fordern, auf Gewalt solle man mit Gewalt antworten. Von 1686 bis 1689 schleudert Jurieu seine *Lettres pastorales aux fidèles qui gémissent sous la captivité de Babylone* in die Welt. Er verkündet darin das Recht zur Auflehnung: »Der Gebrauch des Schwertes des Fürsten erstreckt sich nicht auf die Gewissen.« Ludwig XIV. hat sich, indem er das Schwert anwandte, um die Gewissen zu zwingen, außerhalb der Gesetze gestellt. Der Aufruhr ist nunmehr legitim.

Als er diese Behauptung liest, entrüstet sich Bossuet und widmet ihrer Widerlegung sein *Cinquième avertissement aux protestants sur les lettres du ministre Jurieu contre l'histoire des Variations (1690): Le fondement des empires renversé par ce ministre.* Herr Jurieu verbreitet »aufrührerische Grundsätze, die auf den Umsturz aller Reiche und auf die Herabwürdigung aller von Gott eingesetzten Mächte

367

hinauslaufen«. Fürwahr! die alte christliche Kirche erduldete die Verfolgung, ohne sich aufzulehnen. Die Protestanten selbst haben sich lange dagegen verwahrt, dass sie in Frankreich und England gegen die königliche Autorität rebelliert hätten; und heute erklärt Jurieu, man habe das Recht, seinen eigenen König und sein eigenes Land zu bekriegen! Dieser Geist des Aufruhrs ist abscheulich. »Ich mache mich anheischig, Euch zu beweisen, dass Eure Reformation unchristlich ist, weil sie ihren Fürsten und ihrem Vaterland nicht die Treue gehalten hat.«

Aber es war nicht nur eine Frage von Protestanten gegen Katholiken: das Naturrecht griff nunmehr in ihren Streit ein. Jurieu hatte sich auf Grotius berufen. Bossuet kannte Grotius gut; dieser war in Wahrheit ein gelehrter Mann, der die besten Absichten hegte; aber ein Socinianer, ein gefährlicher Kopf, der das Göttliche und Menschliche durcheinander brachte. Was wollte er mit seinem Naturrecht sagen? Sich einbilden, das Volk sei von Natur souverän, heißt ohne Zweifel glauben, die Menschheit habe in ihrem Urzustand bereits den Begriff eines Rechtes auf eine ihm eigene Souveränität und die Vorstellung, es besäße die Machtvollkommenheit, diese Souveränität wem es wolle zu übertragen. Welcher Irrtum! Grotius und in seinem Gefolge Jurieu missverstehen die Begriffe. Man täusche sich nicht: Da der Urzustand der Menschheit eine ungebärdige und wilde Anarchie ist und man vernünftigerweise voraussetzen muss, dass die ersten Menschengruppen nicht ein Volk, sondern eine Horde gebildet haben, wie kann man in jener Zeit eine Souveränität annehmen, die bereits eine Art Regierung darstellen würde? Weit davon entfernt, dass das Volk in diesem Zustand souverän wäre, gibt es vielmehr in diesem Zustand gar kein Volk. Es kann wohl Familien geben, die sind jedoch schlecht geleitet und schlecht geschützt. Es kann wohl einen Trupp geben, einen Haufen Leute, eine wirre Menge; aber es kann kein Volk geben, denn ein Volk setzt schon etwas voraus, was durch irgendeine Regelung des Betragens und irgendein gesetztes Recht zusammengehalten wird; was nur bei denen der Fall ist, die bereits begonnen haben, jenen unglücklichen Zustand, nämlich die Anarchie, zu verlassen.« Bossuet kann sich nicht vorstellen, dass eine Anarchie Souveränität überträgt.

Indessen war Ludwig XIV. als absoluter Herrscher bereits gerichtet. Er stellte etwas dar, was man schon das *Ancien régime* nennen könnte. Welch ein Ansturm erfolgte, selbst im Innern Frankreichs, gegen das Prinzip einer einzig und allein von Gott sanktionierten Autorität! Ein Protest erhebt sich, dessen Träger in den alten Verfassungsurkunden nach dem Ursprung der Monarchie zu forschen beginnen und ihre Usurpation nachweisen. Hartnäckige und eingefleischte Parlamentarier verteidigen mit Rechtskniffen die Rechte und Prärogativen der Pairs von Frankreich. Alle, Bürger und große Herren, Gelegenheitsmacher und Rebellen, Narren und Weise bringen in den Abhandlungen, die sie in Holland drucken, in den Manuskripten, die sie unter der Hand zirkulieren lassen, ihre Unzufriedenheit zum Ausdruck, ihren Zorn, ihre Auflehnung wider das Joch.

Im Ausland wird Ludwig XIV., wie wir sahen, geschmäht. Aber vom Rechtsstandpunkt behält Bossuets Einwand Kraft: wenn die Menschen im Naturzustand nur eine Horde waren, so fragt man sich, wie aus dieser anfänglichen Unordnung ein Recht entstehen konnte.

1688. *Die Revolution in England.*

Jakob II., König von Gottes Gnaden, wird verjagt, Wilhelm von Oranien tritt an seine Stelle. Die Historiker teilen uns mit, dass der neue, am 11. April 1689 in Westminster gekrönte König kraft eines Rechtes herrscht, das sich in nichts von dem Recht unterscheidet, nach welchem jeder Grundeigentümer den Vertreter seiner Grafschaft wählt; dass er die Kontrolle der Kammern akzeptiert und so der parlamentarischen Regierung, die auf einem idealen, zwischen Fürst und Volk geschlossenen Vertrag beruht, zum Siege verhilft.

Würden sie dabei aus dem Spiel bleiben, die Ideen, welche die Professoren von ihren Lehrstühlen herunter verkündeten, welche die Studenten aufschrieben, die gelehrten Journale besprachen, welche diskutiert, widerlegt und abermals vertreten worden waren und von denen sich seit Grotius zwei Generationen genährt hatten? Und diejenigen andererseits, die von den Gelehrten der Kirche dargelegt, von den offiziellen Juristen erläutert und ihrerseits gelehrt wurden und denen noch die Kraft einer uralten Tradition innewohnte? Würden sie Zurückhaltung üben im Augenblick, wo die Praxis selbst, das Ereignis, das ganz Europa erschütterte, ihnen eine wunderbare Gelegenheit bot, sich kundzutun und an einem entscheidenden Punkt ihres Kampfes gegeneinander in die Schranken zu treten? Um die schwankende Macht der Stuarts zu stützen, hatte man nicht verfehlt, die Theorie heranzuziehen. Man hatte unter anderen Schriften, in denen die Legitimität der absoluten Macht vertreten wurde, diejenige eines streitbaren Polemikers ausgegraben, der um die Mitte des Jahrhunderts die königliche Sache tapfer verteidigt hatte. Robert Filmer hatte die Unterwerfung, den Gehorsam gepredigt, hatte erklärt, eine gemischte Regierung werde nichts als Unordnung im Gefolge haben; die Untertanen hätten keinerlei Recht zur Auflehnung; Hobbes habe unrecht in seinen Prinzipien, aber völlig recht in seinen Schlussfolgerungen; alles in allem sei die absolute Macht aller Könige eine Notwendigkeit. Man bringt Filmer wieder in Mode und gibt sogar 1680 und mehrere Male in den folgenden Jahren die große Arbeit dieses »gelehrten Mannes« neu wieder heraus, seinen *Patriarcha*, in dem er klar wie der Tag nachweist, dass die Autorität des Königs die Fortführung der väterlichen Autorität ist: und gegen seinen eigenen Vater würde sich kein Sohn aufzulehnen wagen, der Gott und die Menschen fürchtet.

Die Tatsachen widerlegen die Prätention der Jakobiten, und bald wird einer erscheinen, der den Tatsachen die Bedeutung eines universellen Prinzips verleiht.

1689. *John Locke, Two Treatises of Government. In the former the False Principles and Foundation of Sir R. Filmer and his Followers are detected and overthrown; the latter is a Treatise concerning the true original extent and end of Civil Government.*

Auf demselben Schiff, das, aus Holland kommend, Wilhelm von Oranien nach England und der Revolution entgegentrug, befand sich auch Locke, der Philosoph der neuen Zeiten. Er wird in seinen beiden Abhandlungen den Handschuh der Monarchisten aufheben.

Er nimmt tatsächlich Ideen wieder auf, die wir schon mehrfach gehört haben; aber er führt sie weiter, als sie sich je vorgewagt haben; und er zwingt sie durch eine Reihe logischer Schlüsse, die Legitimität des Rechtes zur Auflehnung zu beweisen. Er geht vom Naturzustand aus, wie auch Pufendorf es getan hat, wie es jetzt alle Welt tut: es ist eine Mode, schon beinah eine Manie. Der Naturzustand ist keineswegs ein Zustand der Gewalt und Grausamkeit, wie Hobbes behauptet hat; aber er ist auch kein vollkommener Zustand. Um den Übeln abzuhelfen, die der Naturzustand mit sich bringt, errichtet der Mensch einen gesellschaftlichen Staat, aber ohne dabei, wie Filmer behauptet, dem Vorbild des Patriarchats zu folgen. Er errichtet ihn vielmehr kraft eines Paktes, wie Pufendorf nachgewiesen hat. Die Leser mögen sich ganz klar sein: »nur da gibt es eine politische Gesellschaft, wo jedes der Mitglieder sich seiner natürlichen Macht entäußert und sie der Gesellschaft übertragen hat, auf dass diese in allen Fällen darüber verfüge; was nicht verhindert, dass man gegen die Gesellschaft immer die Gesetze anrufen kann, die sie selbst geschaffen hat.« Die absolute Macht, welche dieses Recht der Berufung bestreitet, ist unvereinbar mit einer zivilisierten Gesellschaft; und das göttliche Recht, welches die katholischen Gelehrten preisen, rechtfertigt in keiner Weise die Macht eines einzigen Menschen. Die Macht muss, wie in Großbritannien, kontrolliert und geteilt sein: in eine Legislative und eine Exekutive. Handelt die exekutive Gewalt nicht entsprechend den Zwecken, für welche sie geschaffen worden ist, tritt sie die Freiheiten des Volkes mit Füßen, so muss man sie den Händen dessen entreißen, der sie hält. Mehr noch: wenn die Untertanen sehen, dass der Tyrann Mittel vorbereitet, sie zu versklaven, so mögen sie ihm zuvorkommen! so mögen sie durch einen offenen Aufstand die Ausführung dieser bösen Absichten verhindern!

Es entsprach der Eigenart von Lockes praktischem Genie, die Dinge zu arrangieren. Der Idee der Natur fügte er die der Zivilisation hinzu. Er schien Bossuet schon im voraus zu antworten. Die Vorstellung eines Naturzustandes birgt in der Tat einige Schwierigkeiten. Und auch das ist richtig, dass die Geschichte weder so ergiebig noch so genau ist, wie man sie haben möchte, und über die Anfänge der Gesellschaft eher wahrscheinliche Hypothesen zulässt als sichere Beispiele gibt. Das einzige, was wir tun können, ist, uns die Art, wie die Menschen dazu gekommen sind, ihre Macht zu übertragen, einigermaßen glaubwürdig vorzustellen. So etwa: die Menschen waren von Natur frei; aber um diese Freiheit geltend zu machen, waren sie Richter und Partei zugleich, und an wen wollten sie sich wenden, um sie zu verteidigen? Die Menschen waren von Natur gleich, aber welchen Rückhalt hatten sie, um diese Gleichheit gegenüber möglichen Usurpationen aufrechtzuerhalten? Sie wären in einen ständigen Kriegszustand verfallen, wenn sie ihre Macht nicht auf eine Regierung übertragen hätten, die imstande war, die ursprüngliche Freiheit und Gleichheit zu schützen. Sie waren keine Horde, aber sie wären eine geworden, wenn sie sich nicht vorgesehen hätten. Das Naturrecht erzeugt das politische Recht, und dieses verhindert die Bedrohung der naturgegebenen Eigenschaften in der Praxis des Lebens.

Jede auftauchende Schwierigkeit suchte der weise Locke weise zu lösen. Zum Beispiel: Man gab nur schwer die Vorstellung eines Vaterrechtes auf, das zwischen Gott und den Menschen vermittelte und das erste Vorbild der königlichen Macht war. Locke griff hier ein und erklärte, die Kinder würden nicht in einem Zustand völliger Gleichheit geboren, sondern für einen solchen Zustand; die Eltern (der Vater und ebenso die Mutter) hätten eine Art Jurisdiktion über sie: die Eltern hätten die Verpflichtung, die Kinder auf die Freiheiten vorzubereiten, solange die Kinder das vernünftige Alter noch nicht erreicht hätten. Die väterliche Macht existiert also; aber sie ist nicht absolut. Sie ist mehr eine Pflicht als eine Macht; sie vermöchte keine Gesetze zu erlassen, und wenn man am Beginn der Zeiten einen patriarchalischen Zustand annehmen kann, so hat diese Ordnung nur auf der stillschweigenden Zustimmung der Kinder beruhen können.

Betrachten wir ferner das Eigentum: eine ernste Frage. Es lässt sich nicht ganz leicht mit der natürlichen Gleichheit in Einklang bringen. Sowohl die Vernunft als auch die Offenbarung lassen uns erkennen, dass Gott die Erde dem ganzen Menschengeschlecht gemeinsam gegeben hat. Wie lässt sich also erklären, dass die Individuen sich auf rechtmäßige Weise in den Besitz eines Teils dieses Allgemeingutes gesetzt haben? — Locke greift auch hier ein und führt aus: das persönliche Eigentum erklärt sich durch die Arbeit. »Obwohl die Erde und die niederen Kreaturen Gemeingut sind und im Allgemeinen allen Menschen gehören, so hat doch jeder ein besonderes Anrecht an seiner eigenen Person, auf die kein anderer irgendwelchen Anspruch machen kann. Die Arbeit seines Körpers und das Werk seiner Hände sind, so können wir sagen, sein persönliches Eigentum. Alles, was dem Naturzustand durch seine Mühe und seinen Fleiß abgewonnen worden ist, gehört ihm allein . . .« Das Wasser, das aus diesem Brunnen fließt, gehört allen Vorübergehenden; aber wenn ich meinen Krug damit fülle, wer wird dann zu behaupten wagen, das Wasser in meinem Krug sei nicht mein Eigentum?

Locke kritisierte und kommentierte als ein Mittler zwischen den reinen Juristen und dem Publikum. Auch zwischen der alten und der neuen Zeit war er der Mittler. Von den alten Überlieferungen behielt er gerade genug bei, um die Gewissen nicht ganz zu verstören, und dabei war er so reich an Neuem: Kein göttliches Recht mehr; kein Recht der Eroberung mehr: »Die Eroberungen sind ebenso weit davon entfernt, den Ursprung und die Begründung der Staaten darzustellen, wie die Zerstörung eines Hauses die eigentliche Ursache für den Bau eines neuen am selben Platze ist.« Dank ihm fiel auf das Naturrecht der glänzende Widerschein der englischen Verfassung, und gleichzeitig rechtfertigte das Naturrecht die englische Verfassung, genauso, wie sie war, mit ihrem Parlament und ihrem durch den Volkswillen berufenen

König. Locke fügte das Naturrecht der Politik seiner Zeit, seines Landes, seines Volkes ein und machte darüber hinaus seine innere Beziehung zum Protestantismus deutlich. Das göttliche Recht war, sobald es sich anheischig machte, den Absolutismus zu begründen, nicht mehr über- sondern widernatürlich; und die Rechtfertigung des Absolutismus aus irgendeinem göttlichen Willen war nur noch eine neuerliche Erfindung katholischer Theologen: »Man hatte nie von dergleichen reden hören, ehe dies große Mysterium von der Theologie des letzten Jahrhunderts enthüllt worden ist...«

1699. *Les Aventures de Télémaque.*

Fénelon bestreitet nicht eigentlich das Prinzip des göttlichen Rechtes. Aber unter all den Ideen und Gefühlen, die sein bei Groß und Klein in Tausenden und aber Tausenden von Exemplaren umlaufendes Buch verbreitete, müssen wir doch ein Gefühl und eine Idee besonders im Gedächtnis behalten:

Das Gefühl ist der Abscheu, der Hass gegen Ludwig XIV. Es handelt sich hier um etwas anderes als eine theoretische Ablehnung; viel eher um eine entfesselte Leidenschaft, um den Ausbruch eines öffentlichen Anklägers. »Haben Sie die uneigennützigsten Leute gesucht und die, welche am geeignetsten waren, Ihnen zu widersprechen? Haben Sie sich bemüht, die Menschen zum Reden zu bringen, die am wenigsten strebten, Ihnen zu gefallen? die sich in ihrem Verhalten am selbstlosesten erwiesen, die am fähigsten waren, Ihre Leidenschaften und Ihre ungerechten Neigungen zu verurteilen? Haben Sie die Schmeichler entfernt, die sich angefunden haben? Haben Sie ihnen misstraut? Nein, nein! Sie haben nichts von dem getan, was die tun, welche die Wahrheit lieben und zu kennen verdienen ... Während vom Auslande her eine Unzahl Feinde Ihr noch schlecht gesichertes Reich bedrohten, haben Sie im Innern Ihrer neuen Stadt an nichts anderes gedacht, als dort glanzvolle Bauten zu errichten . . . Sie haben Ihre Reichtümer erschöpft, haben weder daran gedacht, Ihr Volk zu vermehren, noch fruchtbare Böden anzubauen . . . Ein eitler Ehrgeiz hat Sie bis an den Rand des Abgrundes vorgetrieben. Weil Sie immer groß haben scheinen wollen, haben Sie beinah Ihre wahrhafte Größe zerstört . . .«

Die Idee war: der Wert des Volkes. »Nicht um seiner selbst willen haben die Götter ihn zum König gesetzt. Er ist es, um der Mann des Volkes zu sein: dem Volk schuldet er all seine Zeit, all seine Mühen, all seine Zuneigung; und er ist des Königtums nur in dem Maße würdig, als er sich selbst vergisst und sich dem allgemeinen Wohl zum Opfer bringt . . .« — »Wisset, dass Ihr nur in dem Maße König seid, als Ihr Völker zu regieren habt ...« Mehr noch! Die unterdrückten Völker haben nur noch den Wunsch, sich an den Königen zu rächen, und dann schlägt die Stunde der Revolution: »Seine absolute Macht schafft ebenso viel Sklaven, wie er Untertanen hat. Man schmeichelt ihm, man tut, als ob man ihn anbete, man erzittert bei seinem flüchtigsten Blick, aber wartet die geringste Revolution ab: diese ungeheuerliche, bis zu einem gefährlichen Übermaß gesteigerte Macht wird nicht zu überdauern vermögen. Sie hat keinen Rückhalt in den Herzen der Menschen. Sie hat den ganzen Organismus des Staates erschöpft und gereizt und zwingt alle Glieder dieses Organismus nach einem Wechsel zu seufzen. Beim ersten Schlag, den man gegen das Idol führt, wird es stürzen, in Trümmer gehen und mit Füßen getreten werden.[219]«

Es herrscht großes Elend im Königreich Frankreich. Wer kennte die dramatisch gesteigerte Stelle nicht, in der

---

219 Télémaque, Xe Livre.

La Bruyère die Lage der Bauern schildert? Die Bemer
kungen Lockes sind vielleicht noch packender, weil sie es
weniger auf Wirkung abgesehen haben. Er stellt fest, dass
die Bauern in Höhlen leben, kaum etwas anzuziehen und
zu essen haben; und so elend sie sind, findet der Fiskus
immer noch Mittel und Wege, sie auszupressen. So wird
das Land denn auch nicht mehr bebaut und bleibt brach
liegen: da die Arbeit nur vermehrte Unterdrückung im
Gefolge hat, so hört man auf zu arbeiten. Andererseits
siechen die Industrien dahin oder suchen sich jenseits der
Grenzen niederzulassen, wo sie eine Freiheit finden, die
sie in Frankreich verloren haben. Die an allen Toren und
Straßen erhobenen Zollgebühren richten den Handel
zugrunde. Der Misserfolg der Colbertschen Politik, der
schon zu seinen Lebzeiten fühlbar war, wird nach seinem
Tode unbestreitbar. Die große Hungersnot von 1694, der
Bankrott: wieviel Elend!

Aber eine Elite sammelt diese Klagen, versucht diesen
Übeln abzuhelfen. Das große Leiden Frankreichs wird in
Büchern aufgezeichnet, welche die Lebensnotwendigkeit
zu diktieren scheint. Schwerfällig, ohne künstlerische
Fähigkeit, aber mit einer Zähigkeit, einer Strenge, die in
ihrer Art erschütternd wirken, weist Boisguilbert nach,
dass Frankreich, einstmals das reichste Land der Welt,
fünf bis sechs Millionen an jährlichen Einkünften verloren hat; und dies Defizit nimmt von Tag zu Tag zu. Die
Steuern sind so ungerecht verteilt, dass sie auf den Armen
lasten und den Reichen verschonen; die Armen sind bei
diesem System völlig verelendet. Das ganze Reich treibt
seinem Untergang zu.[220] Es ist dringend notwendig, die
Steuerverteilung abzuändern, sagt seinerseits Vauban; ein
ohne jede Willkür erhobener Zehnter wird weniger kos-

---

220 Pierre Le Pesant de Boisguilbert, Le détail de la France, 1695.

ten und mehr einbringen. Wenn Boisguilbert und Vauban, weit davon entfernt, Rebellen zu sein, auch nichts anderes wollen, als die Finanzen verbessern und dem König die Einkünfte verschaffen, die er so verzweifelt sucht, so handeln sie doch als Eindringlinge, die sich in einen ehemals reservierten Bezirk drängen: die Dîme royale [221] wird zum Scheiterhaufen verurteilt.

Aber wieviel kühner und schärfer ist Fénelon! Die Fragen, die Télémaque Idomene vorlegt, stellt Fénelon mit demselben schmerzlichen Akzent seinem Schüler, dem Herzog von Burgund, für den Fall, dass er zur Regierung kommen sollte: Die Verfassung des Königreichs, kennen Sie sie? Haben Sie die moralischen Verpflichtungen der Könige geprüft? Haben Sie nach Mitteln gesucht, das Volk zu entlasten? Wie werden Sie die durch den Absolutismus, die schlechte Verwaltung, die Kriege verursachten Leiden von ihren Untertanen nehmen? Und als derselbe Herzog von Burgund im Jahre 1711 Dauphin von Frankreich wird, schlägt ihm Fénelon als Vorbereitung für seine Thronbesteigung eine Liste von Reformen vor.

Buchen wir für Fénelon zum Schluss auch noch seine Verteidigung der Rechte der Menschheit. Sie hat folgenden Wortlaut: »Ein Volk ist nicht weniger ein Glied der menschlichen Gattung, welche die allgemeine Gesellschaft darstellt, als eine Familie ein Glied einer Nation ist. Jeder schuldet der Menschheit, welche das größere Vaterland ist, unverhältnismäßig mehr als dem besonderen Vaterland, dem er entstammt; es ist also unendlich viel verderblicher, die Gerechtigkeit von Volk zu Volk zu verletzen, als es von Familie zu Familie gegen seinen Staat zu tun. Auf das Gefühl für die Menschheit verzichten heißt nicht nur der Höflichkeit ermangeln und in

---

221 Sébastien Le Prestre Vauban, Projet d'une Dixme royale . . . 1707.

Barbarei verfallen, sondern es ist die unnatürlichste Verblendung von Räubern und Wilden: Es heißt nicht mehr Mensch sein, sondern Menschenfresser.[222]«

1705. Thomasius. *Fundamenta juris naturae et gentium ex sensu communi deducta.*

1708. Gravina. *Origines juris civilis, quibus ortus et progressus juris civilis, jus naturale gentium et XII Tabulae explicantur.*

Gian Vincenzo Gravina führt den Begriff des Naturrechts in die Geschichte ein. Andererseits bemüht er sich, einen Widerspruch zu erklären, den diese unfassbare Idee der Natur notwendig entstehen lässt. Das Gesetz der Natur ist die Vernunft; diese gebietet Tugend; die Tugend schließt das Laster aus: und doch sehen wir, dass die Natur auch das Laster einbegreift . . . Und nun die Antwort: »Abgesehen von dem allgemeinen Gesetz, an dem sowohl Körper wie Seele teilhaben, soweit sie zusammengefügt sind, hat der Mensch ein Gesetz, das ihm eigen ist und das oft dem vorhergenannten widerspricht. Ich nenne das erstere das gemeinsame Gesetz und das zweite das Gesetz der Seele allein. Das gemeinsame Gesetz umfasst die Gesamtheit der Lebewesen und folglich auch den Menschen selbst. Aber das Gesetz der Seele, das Vernunftgesetz, das, welches im Denken besteht, ist ihm allein eigen.« Durch dies letztere Gesetz ist der Mensch seiner eigenen Vernunft unterworfen und folglich auch den Tugenden als den Behörden, die sie geschaffen hat, um unsere Taten zu beurteilen und über unsere Sinne zu wachen.

Die Entwicklung und die Ausbreitung dieser Ideen dauern bis in unsere Tage an. Aber das Ende des 17. Jahrhunderts bedeutet einen entscheidenden Wendepunkt,

---

222 Dialogue des Morts, Socrate et Alcibiade (1718).

weil damals die Theorie des Naturrechtes, die Theorie vom Recht des Volkes, mit den historischen Tatsachen zusammengetroffen sind. Unvergleichlich weniger durchschlagend und weniger tief als Grotius und Pufendorf und oft unlogisch, hat Locke doch die Verweltlichung des Rechtes vollendet. »Freiheit und Gleichheit« könnte das Motto seiner Abhandlung heißen. »Der Naturzustand hat das natürliche Gesetz, das ihn in Ordnung halten soll und dem jeder sich unterwerfen und gehorchen muss. Die Vernunft, welche dieses Gesetz ist, lehrt alle Menschen, wenn sie sie nur zu Rate ziehen wollen, dass wir alle gleich und unabhängig sind und dass daher keiner dem anderen in Bezug auf sein Leben, seine Gesundheit, seine Freiheit und sein Eigentum schaden soll ...[223]«

DIE SOZIALE MORAL

Klarer und energischer als all seine Vorgänger hat Pierre Bayle die gegenseitige Unabhängigkeit von Moral und Religion betont. Wieder und immer wieder ist er darauf zurückgekommen, in den Artikeln seines *Dictionnaire, in seiner Réponse aux Questions d'un provincial.* Aber in seinen *Pensées sur la Comète* hat er sich Zeit genommen, hat all sein Material ausgebreitet und hat voll Klarheit und Leidenschaft die große Charte der »Trennung« geschrieben.

Er beginnt ganz sanft: Die Atheisten sind nicht schlimmer als die Götzendiener, sowohl was ihren Verstand als was ihr Herz betrifft. Danach folgt er der so geschaffenen, abschüssigen Bahn und gibt zu verstehen, dass die Atheisten nicht schlimmer als die Christen sind. Wenn

---

223 Du Gouvernement civil ... traduit par David Mazel, Amsterdam 1691, Kap. I. (der zweite der Treatises of Government).

man einem aus einer anderen Welt kommenden Menschen sagte, es gebe Leute von Vernunft und gesundem Menschenverstand, die gottesfürchtig seien und glaubten, dass der Himmel ihre Verdienste belohnen und die Hölle ihre Laster bestrafen würde, so würde der Mensch aus der anderen Welt erwarten, sie Werke der Barmherzigkeit üben, ihren Nächsten achten, Beleidigungen verzeihen, kurzum, eine glückselige Ewigkeit verdienen zu sehen. Leider tragen sich die Dinge in Wirklichkeit nicht so zu. Man muss sich schon mit einer Erfahrungstatsache abfinden, welche das Schauspiel des Lebens ins hellste Licht rückt: das, was man glaubt, hat wenig zu tun mit dem, was man tut. Man ist fromm in seinen Worten, unfromm in seinem Wandel. Man gibt vor, Gott zu verehren, und gehorcht nur seinem Eigennutz, folgt nur seinen Leidenschaften. *Ich sehe das Gute und lobe es, aber ich tue das Böse*: dieser Wahlspruch ist nicht neu. Seht die Christen an, wie sie leben! Sie lesen Andachtsbücher: kaum gelesen, haben sie sie auch schon vergessen. Die Soldaten der allerkatholischsten Truppen sind Wüstlinge und Räuber. Sie plündern ohne Unterschied das Land von Freund und Feind. Sie nehmen es nicht so genau und stecken notfalls Kirchen, Kapellen und Klöster in Brand. Welch bewundernswürdiges Unternehmen waren die Kreuzzüge! Aber was für ein Feilschen, wieviel Treulosigkeit, Verrat, Verbrechen haben sie begleitet und sind ihnen gefolgt! Die Frauen sind ganz besonders fromm: aber wie viele gibt es, die sich am Ausgang des Beichtstuhles mit ihrem Liebhaber treffen! Es gibt Kurtisanen, Diebe und Mörder, die einen besonderen Kult mit der Madonna treiben; und es laufen vorgeblich fromme Geschichten um, die darauf hinauskommen, dass die Jungfrau Maria für eine geweihte Kerze und einen Kniefall vor ihrem Abbild Dirnen und Übeltäter beschützt. Die Jansenisten sind gegen ein zu häufiges Abendmahl, weil sie nur zu gut wissen, dass man jeden Tag an den Tisch des Herrn treten und doch ein Schurke bleiben kann. Kurzum, der Glaube, zu dem ein Mensch sich bekennt, hat keinerlei Einfluss auf seinen Wandel, seine Moral. Und die Frömmigkeit ermutigt sogar gewisse böse Leidenschaften: der Zorn gegen diejenigen, die anderer Ansicht sind, den Eifer für äußerliche Praktiken, die Heuchelei.

Hierauf schlägt Bayle dem Leser das entgegengesetzte Experiment vor: so wie es nichts Alltäglicheres gibt als orthodoxe Christen mit einem schlechten Lebenswandel, findet man eine Unzahl Beispiele für Freidenker, die ganz einwandfrei gelebt haben. Ohne von den Alten zu reden, von Diagoras, Theodorus, Nicanor, Euhemerus, Hippo, von Plinius, der sich seiner Eigenschaft als großer Römer stets würdig erwies, von Epikur, der ein vorbildliches Leben führte, wollen wir die Modernen betrachten: der Kanzler de L'Hospital stand im Verdacht, keinen Glauben zu haben, obwohl es nichts Würdigeres gab als sein Äußeres, nichts Edleres als seine Lebensführung. Diejenigen, die mit Spinoza verkehrten, berichten uns, er sei freundlich, anständig, gefällig gewesen und von höchst geregeltem Lebenswandel. Und doch war Spinoza ein Atheist.

Eine Republik von Atheisten — warum ließe sie sich nicht vorstellen? Eine Gesellschaft ohne jede Religion gliche einer heidnischen Gesellschaft; und die Christen unterscheiden sich im praktischen Leben nicht von den Heiden ... Die Atheisten wären nicht weniger empfindlich als die Christen für Ruhm und Verachtung, für Belohnung und Strafe: die Überzeugung von der Sterblichkeit der Seele verhindert nicht, dass man wünscht, seinen Namen zu verewigen. Und falls schließlich eine Lehre nur Respekt einflößen kann, die Märtyrer gehabt hat, so fehlt es der Lehre des Unglaubens nicht daran: Vanini war fähig, für den Atheismus zu sterben; und vor kurzem war es ein gewisser Mohammed Effendi, der in Konstantinopel hingerichtet wurde, weil er die Existenz Gottes bestritten hatte. »Er hätte sein Leben retten können, wenn er seinen Irrtum bekannt und versprochen hätte, ihm in Zukunft zu entsagen; aber er zog es vor, bei seinen Blasphemien zu verharren und zu erklären, *obgleich er keinerlei Belohnung zu erwarten habe, zwinge ihn seine Liebe zur Wahrheit, das Martyrium zu erleiden, um ihr zu dienen.*«

Nachdem Probe und Gegenprobe solchermaßen gemacht worden sind, kommt Bayle ans Ende seiner Beweisführung: Weit davon entfernt, untrennbar zu sein, sind Religion und Moral vielmehr ganz unabhängig voneinander. Man kann religiös sein, ohne moralisch zu sein, und moralisch, ohne religiös zu sein. Ein Atheist von tugendhaftem Lebenswandel ist keine die Möglichkeiten der Natur übersteigende Missgeburt: »Es ist nicht seltsamer, wenn ein Atheist tugendhaft lebt, als es seltsam ist, wenn ein Christ sich zu allerhand Verbrechen hinreißen lässt.« Die Atheisten, die in der Türkei oder in China leben, haben reinere Sitten als die Christen, die in Rom oder in Paris leben . . .

Lässt sich nicht sogar sagen, dass eine unabhängige Moral höher steht als eine religiöse Moral, da ja die erstere weder Belohnung noch Strafe erwartet und nur mit sich selbst rechnet, während die letztere in ihrer Furcht vor der Hölle und Hoffnung auf den Himmel nie uneigennützig ist? — Toland übersteigert das noch, nach seiner Gewohnheit: »Der abscheulichste Atheismus ist weniger verhängnisvoll für den Staat und die menschliche Gesellschaft als jener wilde und barbarische Aberglaube, der die blühendsten Staaten mit Uneinigkeit und Aufruhr erfüllt, der in den größten Reichen Verwüstungen anrichtet und oft sogar ihren Umsturz herbeiführt; der die Kinder mit den Vätern, den Freund mit dem Freund entzweit, die Verbundenheit von Dingen zerreißt, die durch die engsten Bande verknüpft sein sollten . . .[224]«

Aber wie will man nun, da man die auf der göttlichen Ordnung beruhende Moral zerstört hat, die Moral auf einer menschlichen Ordnung wieder aufbauen? Hier beginnt die Schwierigkeit.

Musste man rückwärtsgehen, zur Antike zurückkehren, die Heiden wieder zum Führer nehmen? Epikur? Epiktet? Sie hatten einander widersprochen. Sollte man einen Philosophen wählen, der, ohne selbst eine eigene Doktrin aufzustellen, versucht hatte, der Welt das Beste aus der antiken Moral zu vermitteln? Sollte man bei dem römischen Redner, dem Verfasser des Buches über *die Pflichten*, bei Cicero eine Norm für ein ganz weltlich orientiertes Leben suchen? Erasmus hatte seiner Zeit die Größe dieses Lebens und die Heiligkeit dieses Herzens bewundert, und tatsächlich hat »die heidnische Welt uns nichts hinterlassen, was jene großmütigen Grundsätze, die der menschlichen Natur zum Ruhm und zur Vollkommenheit gereichen, so lückenlos darstellt und mit so viel Überzeugungskraft anempfiehlt, nämlich die Liebe zur Tugend, zur Freiheit, zum Vaterland und zum ganzen Menschengeschlecht[225]«.

Aber die christlichen Moralisten hatten leichtes Spiel, hierauf zu antworten. Diese Doktrinen, die man wiederaufleben lassen wollte, hatte das Christentum vor nunmehr siebzehnhundert Jahren hinweggefegt. Armselige

---

224 Adeisidaemon, 1709.
225 Wir entnehmen diese Ausdrücke der History of the Life of M. Tullius Cicero von C. Middleton (London 1741), die im Jahre 1743 von dem Abbé Prévost ins Französische übersetzt wurde.

Vorbilder, die beiden Brutus und die beiden Cato! Sie liebten allzu sehr die großen Worte, die großen Gesten, die theatralischen Attitüden; ihr Leben hat in einem großen Bankrott geendet, einem Bankrott, aus dem der Geist des Christentums die Menschheit errettet hat.

Hierauf bot sich eine ganz moderne Moral, die der *honnêtes gens*; eine psychologische Moral. Sie scheute sich nicht, aus antiken Quellen zu schöpfen, die sie jedenfalls dem Christentum vorzog, aber sie beschwor vor allem die Vernunft. Eine Vernunft, die zivilisiert geworden war, die nicht mehr rauh und schroff erschien wie ehemals, die fast nichts mehr von ihrer einstigen Starrheit bewahrte. »Man muss die Zeit vergessen, da es genügte, streng zu sein, um tugendhaft zu heißen, da ja heute die Höflichkeit, die Galanterie, die Erfahrung in den Sinnenfreuden als Verdienst angerechnet werden. Der Hass gegen böses Tun muss dauern, solange die Erde steht, aber erkennen Sie das Gute, was darin liegt, dass die Verfeinerten heute Genuss nennen, was die Groben und Ungeschlachten Laster nannten, und bauen Sie nicht ihre Tugend aus veralteten Vorstellungen auf, die den ersten Menschen ihre ungezähmte Natur eingegeben hatte.[226]«

Diese neue Moral schloss weder die Wollust noch selbst die Leidenschaft aus, unter der Bedingung, dass sie gemäßigt blieben und gelenkt wurden. Daran besteht kein Zweifel. Aber sie konnte weder Anspruch auf verpflichtende Kraft noch auf universelle Geltung machen. Um sie zu verstehen und zu üben, musste man Saint-Évremond oder William Temple oder Lord Halifax heißen: eine Moral für Aristokraten, Raffinierte, Blasierte; kompliziert und zerbrechlich; ein Kompromiss; nicht Beherrschung, sondern Anpassung.

226 Saint-Évremond, nach Gustav Lanson, La transformation des idées morales. Revue du Mois, 1910.

Die hohe und erhabene metaphysische Moral, die Spinoza vorgeschlagen hatte, vermochten, wie wir sahen, nur wenige anzunehmen. — Wie verwirrt war man gegenüber der unendlichen Mannigfaltigkeit, dem dauernden Widerspruch der menschlichen Sitten! Wie schwer ließ sich eine gemeinsame Norm, eine Richtschnur finden, die für alle Menschen, zu allen Zeiten, an allen Orten Geltung haben konnte. In einem Land hat man die Gewohnheit, die Kinder bei den Tieren auszusetzen oder sie Hungers sterben zu lassen: man spreche danach noch vom universellen Charakter der Familienpflichten! Anderswo sind es die Kinder, die nicht zögern, ihre Eltern zu töten, wenn sie alt geworden sind. »In einer Gegend Asiens tut man jeden Kranken, an dessen Aufkommen man verzweifelt, in eine in die Erde gegrabene Vertiefung und lässt ihn da, jedem Wind und Wetter ausgesetzt, unbarmherzig zugrunde gehen, ohne ihm die leiseste Hilfe zu leisten. Bei den Mingreliern, die sich doch zum Christentum bekennen, ist es durchaus nichts Außergewöhnliches, die Kinder lebend ohne alle Skrupel zu begraben. Anderswo fressen die Väter ihre eigenen Kinder. Die Karaiben haben die Gewohnheit, sie zu kastrieren, damit sie recht fett werden, und sie dann zu verzehren.« Und Garcilaso de la Vega[227] berichtet, dass gewisse peruanische Völker die Gewohnheit hatten, die Frauen, die sie gefangen nahmen, zu behalten und zu ihren Konkubinen zu machen und die Kinder, die sie von ihnen hatten, bis zu ihrem dreizehnten Lebensjahr so sorgfältig wie möglich zu ernähren. Dann verspeisten sie sie und ebenso ihre Mütter, sobald diese aufhörten, Kinder zur Welt zu bringen. »Was wir in der Welt sehen, beweist in der Tat, dass die Moral ihrem Wesen nach veränderlich ist. Man

---

227 Peruanischer Historiker (1539 — 1616), Sohn eines spanischen Offiziers und der Nichte des Inka Huaina Capac. Anm. d. Übers.

386

muss sich damit abfinden.« Wer sich die Mühe macht, die Geschichte der Menschheit sorgfältig zu lesen und das Verhalten der Völker der Erde mit einem unvoreingenommenen Auge zu prüfen, kann sich überzeugen, dass, mit Ausnahme der für die Erhaltung der menschlichen Gesellschaft unbedingt notwendigen Pflichten (welche zudem nur zu häufig von ganzen Gesellschaften in Bezug auf andere Gesellschaften verletzt werden), kein Moralprinzip angeführt und keine Tugendvorschrift erdacht werden kann, die nicht an irgendeinem Ort der Welt verachtet und durch die allgemeine Praxis von ganzen menschlichen Gesellschaften Lügen gestraft wird . . .[228]«

Mit *Ausnahme der für die Erhaltung der menschlichen Gesellschaft unbedingt notwendigen Pflichten . . .* Hier tauchte die Möglichkeit einer neuen Moral auf, in der nichts Angeborenes mehr war, nicht einmal die Vorstellung des Guten, nicht einmal die des Bösen; eine Moral, die jedoch legitim und zwingend war, da sie die Aufgabe hatte, unsere kollektive Existenz zu erhalten. Für die Gesellschaft geschaffen, fürchten wir logischerweise die Anarchie, die unsere Gattung vernichten würde, und also ergreifen wir Maßnahmen, die uns vor todbringender Unordnung bewahren sollen. Wir kodifizieren die Ratschläge, die uns unser Instinkt der Selbsterhaltung erteilt. Denn es gibt einen berechtigten Eigennutz, der das Leben der Gruppe erhält. Der Eigennutz wird erst lasterhaft, wenn er die Gruppe bedroht und damit das Individuum selbst als eine vom Ganzen untrennbare Einheit. Das moralisch Gute ist nicht Ansichtssache wie der Ruf, der Reichtum, die Genüsse, sondern eine Lebensnotwendigkeit: es besteht darin, die Menschheit zu erhalten. Und — welch wunderbarer und unerhörter Vorzug in den Augen ihrer

---

228 Dieses Zitat stammt, wie das vorige aus dem Essay concerning human understanding. Buch I, Kap. II.

Verfechter — diese Moral lässt sich beweisen: sie gründet sich nicht auf irgendwelche Forderungen a priori, sondern auf völlig analysierbare Realitäten. Blicken wir in uns selbst: was geeignet ist, Lustempfindungen bei uns hervorzurufen, zu verstärken, zu erhalten, nennen wir gut; dagegen nennen wir böse, was geeignet ist, Schmerzempfindungen bei uns zu erregen, zu steigern, zu erhalten. Unser wohlverstandenes Interesse, besser gesagt, unsere eigentliche Natur treibt uns aber dazu, den öffentlichen Gesetzen zu gehorchen, da wir, wenn wir ihnen gehorchen, unser Gut und unsere Freiheit bewahren und somit an der Dauer, der Sicherheit unserer eigenen Lustempfindungen arbeiten. Wenn wir sie dagegen nicht beobachten, so setzen wir uns Strafen aus und ebenso der Unordnung, der Anarchie, in der man unmöglich ohne Schmerzen leben kann, sofern man darin überhaupt zu leben vermag. Es steht nicht anders um die Gesetze der öffentlichen Meinung und des guten Rufes: die Tugend hat die Achtung und Liebe der Menschen, unter denen wir leben, im Gefolge und vermehrt so unser Lustempfinden; das Laster zieht den Tadel, die Kritik, die Feindschaft und somit den Schmerz nach sich.[229]

Nur fragt sich: ist das allgemeine Wohl mit reiner Tugend vereinbar? Gelänge es einer Gemeinschaft, die ihre Pflichten genau erfüllte, zu gedeihen oder nur ihr Leben zu fristen? Daran zweifelte Locke nicht; aber es gab einen bösartigen Geist, einen Freidenker, der es bezweifelte, den die Moralisten ärgerten, die im Herzen der Menschen nichts als Wohlwollen, Generosität und Altruismus entdecken wollten. Er war der Abstammung nach Holländer, aber anglisiert, hieß Bernard Mandeville[230]

---

229 Essay concerning human understanding. Buch II, Kap. XXVIII.
230 1670-1733.

und gehörte darin zu den neuen Philosophen, dass er seine Gedanken frei aussprach, ohne sich um Autoritäten, Bräuche, um irgendeine Ehrfurcht zu kümmern. Er war kühn und brutal und liebte die Paradoxe, die Lärm hervorrufen. Und Lärm fürwahr machte er, als er sich daranmachte, seine Fabel zu erzählen. Er hatte vorher versucht, Äsop und La Fontaine nachzuahmen, aber diese Fabel war nicht für Kinder.

Am 2. April 1705 erschien eine Broschüre von sechsundzwanzig Seiten ohne Angabe des Verfassers: *The Fable of the Bees or Private Vices Public Benefits*. Es gab einmal einen Bienenstock, der einer gutgeordneten menschlichen Gesellschaft glich. Es fehlten darin weder die Schwindler noch die Industrieritter, weder die schlechten Ärzte noch die schlechten Priester, weder die schlechten Soldaten noch die schlechten Minister. Er hatte zudem eine schlechte Königin. Alle Tage kamen Betrügereien in diesem Bienenstock vor, und die Justiz, die man rief, um diese Korruption zu unterdrücken, war selbst korrumpiert. Kurzum, jedes Gewerbe, jeder Stand war voll von Lastern; aber das Volk war deshalb nicht weniger blühend und stark. Tatsächlich trugen die Laster der einzelnen zum öffentlichen Wohle bei: und das öffentliche Wohl machte dafür seinerseits das Glück des einzelnen aus. Da sie das begriffen hatten, arbeiteten die größten Schurken aus vollem Herzen für das Gemeinwohl.

Nun vollzog sich aber ein Wandel im Geist der Bienen, und sie kamen auf die seltsame Idee, nur noch Anstand und Tugend zu wollen. Sie verlangten eine Reform an Haupt und Gliedern; und die faulsten und größten Betrüger schrien am lautesten. Jupiter schwor, diese schreiende Gesellschaft sollte von den Lastern, über die sie sich so sehr beschwerte, befreit werden; er befahl, und im selben Augenblick erfüllte die Liebe zum Guten alle Herzen.

Das aber hatte sehr bald den Ruin des gesamten Bienenstocks zur Folge. Keine Ausschweifungen, keine Krankheiten: man brauchte keine Ärzte mehr! Kein Streit, keine Prozesse: Advokaten und Richter waren überflüssig! Die sparsam und mäßig gewordenen Bienen gaben nichts mehr aus: kein Luxus, keine Kunst, kein Handel mehr. Das Elend war allgemein.

Die Nachbarstöcke hielten den Zeitpunkt zum Angriff für gekommen, und es gab eine Schlacht. Der Bienenstock verteidigte sich und siegte über die Angreiferinnen, aber er bezahlte seinen Sieg teuer; Tausende von tapferen Bienen fielen im Kampf. Der Rest des Schwarms entfloh, um dem Laster zu entgehen, würdevoll in einen hohlen Baum. Es verblieb den Bienen nichts als die Tugend und das Unglück.

»Hört auf mit Euren Klagen, wahnwitzige Sterbliche! Vergeblich sucht Ihr die Größe einer Nation mit Redlichkeit zu vereinigen. Nur Narren können sich einbilden, man könne die Annehmlichkeiten und Güter dieser Erde genießen, im Krieg berühmt sein, bequem leben und gleichzeitig tugendhaft bleiben. Verzichtet auf diese eitlen Wahnbilder! Betrug, Luxus, Eitelkeit muss es geben, wenn wir ihre süßen Früchte ernten wollen...«

Wie viele Widerlegungen waren die Folge, wie viele Dispute! Bernard von Mandeville hatte ein hartes Gebiss: er ließ nichts durch. Er wurde alt, aber seine Fabel lebte länger als er, und noch heute diskutiert man darüber.

DAS GLÜCK AUF ERDEN

Soll man das Glück noch dem zukünftigen Leben anvertrauen? Allzu blass, allzu flüchtig erscheinen die Schatten im Jenseits. Es wird keine Schatten mehr geben, nur noch wer weiß welche ewige Substanz, deren Formen man sich nicht vorstellen kann. Es wird keine Heiligenscheine, keine Harfen, keine himmlischen Konzerte mehr geben. Lasst uns dafür das Glück auf Erden ergreifen. Rasch, Eile tut not: das Morgen ist nicht mehr ganz gewiss, auf das Heute kommt es an. Unvorsichtig ist der, welcher auf das Zukünftige setzt; sichern wir uns eine ganz menschliche Glückseligkeit. So dachten die neuen Moralisten, und sie machten sich daran, das Glück in der Gegenwart zu suchen.

Will man sein Leben glücklich gestalten, muss man zunächst (das ist das erste Erfordernis) kaltblütig denken, wie es klaren Köpfen geziemt, und die Einbildungskraft in Schranken halten, welche die Leiden übertreibt. Sobald es sich darum handelt, solche zu schaffen, zeigen wir eine grenzenlose Geschicklichkeit. Wir übertreiben sie, wir glauben, sie seien uns allein eigen, und halten sie schließlich für unheilbar. Wir haben sogar eine gewisse Vorliebe für den Schmerz und pflegen ihn. Diese trügerische Einbildungskraft hat noch einen anderen Fehler: sie strebt nach den unerreichbaren Freuden; sie führt uns irre, indem sie uns unzählige Wahngebilde vorgaukelt: wir eilen uns, sie einzuholen, werden jedes Mal enttäuscht und verfallen grenzenlosem Ekel. Lernen wir das Leben sehen, wie es ist; verlangen wir nicht zu viel von ihm! Wir klagen über die Mittelmäßigkeit unserer Lage, aber stellen wir uns vor, man hätte uns vor unserer Geburt alle Unglücksfälle, alle Nöte gezeigt, die unser Teil werden könnten: wären wir nicht entsetzt gewesen? Und wenn wir uns hierauf klarmachen, wie vielen Gefahren wir entgehen, würden wir es nicht für ein fabelhaftes Glück halten, so billig davonzukommen? »Die Sklaven; diejenigen, die nicht genug zum Leben haben; diejenigen, die an chronischen Krankheiten dahinsiechen, machen einen großen Teil des Menschengeschlechtes aus. Woran hat es gelegen, dass wir nicht dazugehören? Erkennen wir, wie gefährlich es ist, Mensch zu sein, und sehen wir jedes Missgeschick, von dem wir frei blieben, als eine Gefahr an, der wir entronnen sind.[231]«

Nachdem wir so ein richtigeres Augenmaß gewonnen haben, wollen wir uns bemühen, unser Gut vernünftig zu verwalten. Es ist nur klein, aber tatsächlich vorhanden. Tragen wir Sorge, alle Leidenschaften zu meiden, denn ihre heftigen Regungen bringen stets nur Misshelligkeiten und Kummer; streben wir nach Ruhe. Nennt man diese in unserer Umgebung fade, so lasst uns die Achseln zucken. »Welche Vorstellung macht man sich vom Los des Menschen, wenn man sich beklagt, nur weil man ruhig ist!« Lernen wir die hervorragenden Stellungen, das Auffallende, den Ehrgeiz meiden, alles, was der friedlichen Fahrt unserer bescheidenen Barke gefährlich werden könnte: sachte wollen wir sie zum stillen Hafen lenken! Lasst uns im Einklang mit uns selbst bleiben: ein seiner selbst sicheres Gewissen ist unser bester Schutz. Überwachen wir unseren ärmlichen Schatz mit der Vorsorge eines Geizigen, und hüten wir uns, das kleinste Teilchen davon zu vergeuden. Gewiss kann ein Schicksalsschlag ihn uns jederzeit rauben trotz unserer ins einzelne gehenden Vorsichtsmaßnahmen. Aber wenn wir uns vorsehen und gut aufpassen, haben wir mehr Chancen, ihn zu bewahren: denn wir zimmern unser eigenes Leben in dem Maße, wie wir vernünftig zu leben verstehen.

Die kleinen Freuden, das Kleingeld einer Glückseligkeit, die wir nicht zu erlangen vermögen; ein angenehmes Gespräch, eine Jagdpartie, eine Lektüre: damit müssen

---

231 Fontenelle, Du bonheur. In diesem ganzen Abschnitt folgen wir fast wörtlich den Ausführungen Fontenelles.

wir unsere Tage ausfüllen. Genießen wir diese sicheren Freuden, anstatt mit dem Ungewissen zu rechnen. »Wir halten die Gegenwart in Händen, aber die Zukunft ist eine Art Scharlatan, der sie uns wegschwindelt, indem er uns blendet.« Genießen wir die einfachen Dinge als etwas, was uns von einer Macht gewährt worden ist, die uns morgen diese Geschenke ihrer Laune entziehen kann. Irren wir uns weder in Bezug auf die günstigen Gelegenheiten noch in Bezug auf den Wert der Genüsse. »Es kommt nur darauf an, richtig zu berechnen, und die Vernunft muss immer den Einsatz in der Hand behalten.«

Diese Haltung eines geschickten Spielers, der nie aufhört, an der Partie interessiert zu sein, und der mit Vorbedacht setzt und passt, ist nicht ohne Reiz. Gestehen wir jedoch, dass sie nicht jedermanns Sache ist, dass sie einen außergewöhnlich scharfen und kalten Verstand erfordert, dass sie die Leidenschaften so behandelt, als ob man nur vernünftig zu denken brauche, um sie zu überwinden, dass sie ferner die Einbildungskraft als gehorsame Sklavin betrachtet und eine gewisse Wohlanständigkeit und Muße voraussetzt. Ein höchst egoistisches Glück . . .

Man bietet uns ein anderes. Wenn unsere Seele sich vollkommen wohlfühlen soll, muss man das Gefühl der Tragik des Lebens von ihr nehmen. Dies Gefühl ist es, an dem wir unser Lebtag leiden, und wenn der Tag kommt, an dem wir sterben sollen, so übersteigert es sich: denn dann beginnt eine andere Tragödie, die der Ewigkeit. Glücklich die Menschen, die scherzend zum anderen Ufer aufgebrochen sind[232]! Sie haben jene düstere Schwärmerei nicht gekannt, die der Feind allen inneren Friedens ist, und die — nicht zufrieden, die zu erregen, die davon

---

232 Deslandes, Réflexions sur les grands hommes, qui sont morts en plaisantant, 1712.

besessen sind — ihnen auch noch einen fanatischen Eifer einflößt, andere damit zu plagen. Schwärmerei, Verzückung, ohne Unterlass folternde Furcht, düstere Visionen von Hölle und Strafen, wie kann man all das fernhalten?

Durch ein ziemlich einfaches Verfahren, durch eine Geistesverfassung, die sich *good nature, good humour* nennt: es genügt, sich darüber klar zu sein. Setzt auf eure Nase wohltätige Brillen, die leicht rosa getönt sind, und alles wird lachende Farben annehmen. Am Tage, da die Menschheit zum Lächeln bereit wäre, würde die geistige Verbitterung verschwinden, die alle Wunden vergiftet. Unterschätzt nicht die Kraft der guten Laune: ein kräftiges Heilmittel, das dauernd wirkt. Mr. Spectator, der es, wie wir wissen, unternommen hat, seine Zeitgenossen sachte zu erziehen und ihnen auf jeder Seite seiner Zeitschrift eine liebenswürdige Dosis Moral auszuteilen, erklärt die gute Laune für ein Kleidungsstück, das wir alle Tage tragen sollten: wieviel besser würde es dann um die Welt bestellt sein!

Dies unbestimmte Gefühl ist in Frankreich nicht unbekannt, aber in England ist es, als Reaktion auf eine von allen Beobachtern festgestellte Neigung zum Spleen und den Übereifer der Puritaner, viel aktiver. Es findet einen raffinierten Interpreten in der Person von Anthony Ashley Cooper, Grafen von Shaftesbury. Man lässt seine Augen gern eine Weile auf dieser zarten Gestalt ruhen. Shaftesbury hatte ganz augenscheinlich zahlreiche Gründe, optimistisch zu sein: er war von hoher Geburt, der Sohn jenes Staatsmannes, der Locke protegierte. Locke selbst hatte seine Erziehung geleitet. Für das politische Leben wenig geeignet, hatte Shaftesbury sich den Freuden des Denkens und der Kunst mit Maßen hingegeben. Da er reich war, hatte er reisen, sich mit schönen Bildern, schönen Büchern umgeben und bedürftige Schriftsteller, wie

394

Des Maizeaux, Bayle oder Le Clerc, unterstützen können. Das Glück hatte ihn mit seinen Gaben überhäuft, es hatte nur eine vergessen: die Gesundheit. Er war tuberkulös und verließ sein Schloss, seine Besitzungen, seine Freunde, seine Heimat, um in der Luft von Montpellier und später von Neapel vergeblich Heilung für sein Leiden zu suchen, an dem er mit zweiundvierzig Jahren starb. Er hatte also viele Gründe, optimistisch zu sein, und einen einzigen, entscheidenden, das Leben zu verfluchen.

Aber er findet es schön, er findet es glücklich, und seine trotz seines Leidens abgeklärten und lächelnden Bejahungen haben eine Note, die uns erschüttert. Auf dem Hintergrunde eines englischen Parkes mit jahrhundertealten Bäumen oder im durchsichtigen Licht der Ufer des Mittelmeeres unterhält sich Shaftesbury mit seinesgleichen. Seine Unterhaltung ist nie schwerfällig oder geschraubt, stets liebenswürdig und leicht. Wenn sie einen Fehler hat, so ist es der, dass sie weitschweifig ist und sich viel Zeit lässt. Bald ruft sie die schönsten Gedanken der griechischen Philosophen und lateinischen Dichter ins Gedächtnis, die ihm mühelos zu Gebote stehen, bald beschwört sie die Gegenwart, lässt ein zeitgenössisches Ereignis, eine lebende Persönlichkeit erstehen: ihre Reize sind abwechslungsreich. Sie verschmäht sogar einen Tropfen Ironie nicht oder, besser gesagt, Humor (das bedeutet nicht dasselbe: Ironie ist etwas für Franzosen, Humor etwas für Engländer), und ihr sich schlängelnder Weg wird von einer unveränderlichen Idee beherrscht, von einer Überzeugung, die erobern will, indem sie bezaubert: Wie findet man das Glück?

Indem man die Menschen vermenschlicht, wenn man so sagen darf; indem man sie ihrer Wichtigtuerei, ihrer Heuchelei und der Überspanntheit entkleidet, die sie über ihre wahren Gefühle täuscht. Der Feind, den

Shaftesbury in einem mit Recht berühmten Brief angreift, ist die Schwärmerei: natürlich nicht das schöpferische Genie, das Werke der Schönheit hervorbringt, aber die devote Schwärmerei, die uns glauben lässt, wir trügen einen göttlichen Funken in uns, während wir nichts tun, als in uns unsere schlimmsten Fehler pflegen: die Melancholie, die Denkfaulheit, die Vorliebe für das Seltsame, die Selbstzufriedenheit, den armseligen Ruhm und noch mehr das indiskrete Bedürfnis, uns in das Leben der anderen einzumischen und die Gewissen zu bedrücken; die Gewöhnung an Hass und Grausamkeit ... Wappnen wir uns gegen die Schwärmerei mit gesundem Menschenverstand, geistiger Freiheit und sogar — was man am wenigsten erwarten würde — angemessenem Scherz (raillery).

Lernen wir lachen: es gibt kein besseres Rezept in der moralischen Medizin. Wollen wir etwa in Zorn geraten und gegen die Giftigen unsererseits Gift spritzen? Ja nicht! Lachen wir lieber. Nehmen wir den Aufgeblasenen ihre Wichtigkeit, machen wir uns über die Melancholischen lustig, und machen wir die Schwärmer lächerlich.

Da sind diese armen, nach London geflüchteten Teufel: aus den Cevennen geflüchtete Hugenotten. Sie sind voll heiligen Eifers, spielen die Propheten und delirieren in einem solchen Grad, dass sie gefährlich geworden sind und die Justiz sich ihrer bemächtigt hat. Soll man sie gefangen setzen? sie zum Galgen verurteilen? sie zu Märtyrern machen? Man hat sie im Marionettentheater karikiert, das genügt vollkommen: verspottet, verlieren sie ihre Bedeutung. Lassen wir die heftige Krankheit, von der sie befallen sind, ihren Verlauf nehmen, lachen wir, lächeln wir: sie wird ihre Kraft verlieren und von selbst heilen. Ach, wenn man sich doch so bei allen religiösen Streitigkeiten seit dem Beginn aller Zeiten verhalten hätte, wieviel Scheiterhaufen wären erloschen!

Die Religion muss ohne Zeremonien behandelt werden: die gute Laune führt zur wahren Frömmigkeit, die schlechte zum Atheismus. Wenn Gott von himmlischer Güte ist, und er ist es, so lasst uns an ihn eher in einer geruhsamen Stimmung als in Furcht und Bitterkeit denken. Aus welcher Verirrung beten wir nur zum Himmel, wenn wir unglücklich sind oder sorgenvoll oder gereizt.

Kurzum, Mylord, die melancholische Manier, in der wir uns mit Religion befassen, ist, meines Erachtens, was sie so tragisch werden und tatsächlich in dieser Welt so viel finstere Tragödien erzeugen lässt. Ich bin der folgenden Ansicht: wenn wir der Religion nur mit guten Manieren begegnen, so können wir in Bezug auf sie nie zu viel gute Laune anwenden, und nie werden wir sie mit zu viel Freiheit oder Vertraulichkeit untersuchen. Denn wenn sie echt und rein ist, so wird sie nicht nur die Probe bestehen, sie wird sogar Vorteil und Nutzen daraus ziehen; wenn sie aber erdichtet und mit Fälschungen untermischt ist, wird sie entlarvt und an den Pranger gestellt werden.

Es ist nur natürlich und gleichsam notwendig, dass Shaftesbury den Mann angreift, der die Tragik des Lebens am aller intensivsten empfunden hat: Pascal. Er kennt das Argument der Wette und weist es zurück. Auf die Religion wetten, weil man, wenn Gott existiert, alles gewinnt und, wenn es ihn nicht gibt, nichts verliert, heißt jene durchtriebenen Bettler nachahmen, denen man auf der Straße begegnet. Sie nennen jeden Vorübergehenden »Euer Gnaden«. Ist es ein Lord, so wäre er ärgerlich, wenn man ihn nicht mit seinem Titel anredet; ist er es nicht, so wird er sich geschmeichelt fühlen, dass man ihn dazu ernennt; in beiden Fällen wird er dem Bettler ein Almosen geben . . . Seinen Glauben auf eine solche Berechnung gründen, heißt das nicht Gott beleidigen?

Gott selbst ist nicht tragisch. Gott ist nicht ungerecht, wie die Verfechter der Prädestination behaupten. Gott ist nicht von Rachegefühlen erfüllt, wie diejenigen glauben wollen, die Furcht vor der ewigen Strafe haben. Gott zwingt die Menschen nicht, eigennützige Heuchler zu sein, wie die annehmen, die im Hinblick auf die zukünftigen Belohnungen Tugend üben. Gott ist die über das Universum ausgestreute Güte und Barmherzigkeit: wer gut und barmherzig ist, eint sich ihm.

Die Allgemeinheit lieben, sich dem Wohl des Ganzen widmen, den Nutzen dei gesamten Welt, soweit es in unseren Kräften steht, fördern, heißt gewisslich, die höchste Güte erreichen, heißt jenen Charakter, den wir göttlich nennen, verwirklichen . . .

In dieser so wenig blasierten Epoche, welche die Gleichgültigkeit hasste, den Zweifel fürchtete und auf der Suche war, sind wir immer wieder Kontroversen, Diskussionen, Disputen, Tumulten begegnet. Shaftesbury lässt, obwohl seine Überzeugungen ebenso stark sind wie die seiner Zeitgenossen, dennoch weniger scharfe Töne anklingen; seine Höflichkeit, seine Sanftmut, seine aristokratische Eleganz, seine Reserven an Wohlwollen und Liebe, seine Doktrin, die er für rationalistisch hält und die oft nichts anderes ist als der gefühlsmäßige Ausdruck eines großmütigen Herzens, wirken beruhigend und rührend zugleich. Merkwürdigerweise gelingt es diesem Moralisten nicht, die Menschen zu hassen oder sie auch nur streng zu beurteilen. Ebenso wenig hält er die Zeiten, in denen er lebt, für schlecht: sicher sind sie voll von Übertreibungen und Narrheiten, aber von Übertreibungen, die angeprangert, von Narrheiten, die gebrandmarkt werden; Zeiten voll freier Kritik, die schon der Beginn des Heils ist. Wenn man seine Heilmittel zu einfach, sein Rezept zum Glücklichsein ungenügend, seine Philosophie zu häuslich und familiär findet — *this plain home-spun philosophy of looking into ourselves, this plain honest morals*, wie er es in seinem Brief ausdrückt —, so lässt er sich nicht entmutigen: er will uns, immer ohne die Erde zu verlassen, die Wonnen des Himmels durch den Zauber der Schönheit kosten lassen.

Beauty and Good are one and the same: die Schönheit und das Gute sind ein und dasselbe. Da das Universum Harmonie ist, kann man sich darin keine Dissonanzen vorstellen; und da unser moralisches Gefühl diese Harmonie zu verwirklichen geneigt ist, muss es sie vollkommen wollen. Das Laster ist ein ästhetischer Fehler; diese Sünde absichtlich begehen, heißt zunächst die Logik, dann die Moral und schließlich den guten Geschmack verletzen. Sowie die Kunst die Herrlichkeiten der sinnlichen Welt nachbildet, die der Widerschein der die Dinge ordnenden Idee ist, so muss der Mensch versuchen, in sich die moralische Anmut, die moralische Venus nachzubilden, die nur eine andere Spiegelung derselben Idee ist. Er ist der Künstler, der seine eigene Statue macht, er lässt richtige Gedanken, tugendhafte Handlungen, schöne Formen aus sich hervorgehen; und dies von seinem schöpferischen Willen verwirklichte Ganze ist, was man das Glück nennt. Der Atheist verzichtet auf diese Mitarbeit an der Ordnung: er irrt sich; ist ein Übeltäter, verbreitet das Hässliche; er ist unglücklich.

So denkt der, den man mit Recht den »Virtuosen der Menschlichkeit« genannt hat. In seiner Überzeugung, dass die Moral im wesentlichen sozial ist, folgt er Locke, der sein Präzeptor war. In dem, was er über das Glück sagt, folgt er Spinoza, welcher den Begriff der Sünde verwirft und dem Weisen rät, die Freuden des Lebens, die Süße der Wohlgerüche, die Schönheit der Pflanzen, die Musik, die Spiele, das Theater zu genießen: nur eine feindliche Gottheit könnte an den Tränen der Menschen Gefallen finden. Spinoza ist nicht nur erfüllt von einer tiefen und geheimen Freude: für ihn ist die Freude sogar das Gefühl der Verwirklichung einer höheren Form des Seins; und die Traurigkeit das Gefühl einer Minderung des Seins; aber darüber hinaus misst er der Heiterkeit einen hohen, gleichsam philosophischen Wert bei. Shaftesbury folgt ihm; aber er verfehlt nicht, da er überall das Beste nimmt, auch Plato zu folgen. Da die Epoche, in welcher er lebte, in mehr als einer Beziehung an die Renaissance erinnert, wie hätte die Erinnerung an Plato darin fehlen können? Die Professoren von Cambridge halten andächtig seinen Kult aufrecht; Cudworth erklärt die Welt durch plastische Naturen, die zwischen den Ideen und der Schöpfung vermitteln; und Shaftesbury sieht gern dem göttlichen Spiel der großen Schatten an den Wänden unserer Höhle zu. Er bildet sich ein, es genüge, der Harmonie der Sphären zu lauschen, um unsere Klagen und unser Geschrei nicht mehr zu hören.

Als seine Arbeit abgeschlossen ist, scheint das Glück nicht mehr im Stoizismus zu bestehen, der die Übel erträgt und verachtet, die er nicht vermeiden kann. Es wird nicht mehr um den Preis der Askese erkauft, der ständigen Unterdrückung unserer verderbten Natur. Die Erde ist kein Aufenthalt der Prüfung mehr, wo das Unglück, das uns bedrückt, von größerem Wert ist als die Freuden, weil die, welche weinen, getröstet werden sollen.[233] Man wendet die Augen von dem schmerzensreichen, zum Heile der Menschen gekreuzigten Christus ab; man will den stummen Ruf seiner Arme nicht mehr vernehmen. Das

233 Bossuet, Oraison funèbre de Marie-Thérèse d'Autriche: »Ein Christ ist nie lebendig auf Erden, weil er stets in der Abtötung begriffen ist und weil diese Abtötung ein Versuch, eine Lehrzeit, ein Beginn des Todes ist.«

Glück ist die Entfaltung einer Kraft, die ursprünglich in uns selbst vorhanden ist: man braucht sie nur zu lenken. Die Hinnahme der Leiden, die Sucht nach Opfer, der Kampf gegen die Instinkte, der Wahnsinn des Kreuzes sind nur noch Irrungen unseres Urteils, schlechte Gewohnheiten. Der Vernunft-Gott verbietet, unser sterbliches Dasein als eine Vorbereitung auf die Unsterblichkeit zu betrachten.

Eine Tugend sollte vor allem das Glück auf Erden begründen helfen: eine neue Tugend.

Bis dahin galt sie nicht als Tugend, sondern als Schwäche, fast als Feigheit. Alle Ansichten dulden; die Ansicht meines Bruders dulden, wenn mein Bruder sich irrt und in Gefahr ist, seine Seele zugrunde zu richten; die Ansichten der falschen Propheten und der Lügner dulden — ebenso gut könnte man sich offen zum Komplizen des Falschen und des Irrtums erklären. Die Pflicht besteht im Gegenteil darin, den Verblendeten die Augen zu öffnen, diejenigen, die vom Wege abweichen, auf den rechten Weg zurückzuführen. Ohne Zweifel soll man die Gewissen nicht vergewaltigen, aber darf man sie sich selbst überlassen, wenn man weiß, dass die Wahrheit einzig ist und von der Kenntnis der Wahrheit das ewige Heil abhängt? Die Pflicht verbietet, tolerant zu sein, und auch die Barmherzigkeit. Also können die Toleranten nichts anderes sein als verkappte Socinianer; Menschen, welche die Merkmale verwischen, an denen man die Kirche erkennt; Leute, die alle Ketzer in die Gemeinschaft des Glaubens aufnehmen; Skeptiker, welche die Gleichwertigkeit der Religionen verkünden; Rebellen, Freidenker. Tolerant konnte ein Bossuet nicht sein und nicht einmal ein Pellisson, selbst nicht in dem Augenblick, wo er mit Leibniz verhandelte, um die Protestanten in die römische

Kirche zurückzuführen. »Ich glaube«, schrieb er 1692 an Leibniz, »ich glaube, dass diejenigen, die man Socinianer nennt und mit ihnen diejenigen, die man Spinozisten heißt, viel dazu beigetragen haben, diese Doktrin zu verbreiten, die man den größten aller Irrtümer nennen kann, weil sie sich mit allem verträgt. Denn aus Furcht, sie würden nicht geduldet werden und die öffentlichen Gesetze würden sich einmischen, waren sie nur zu geneigt zu behaupten, man müsse alles dulden. Daraus ist das Dogma von der Toleranz entstanden, wie man es nennt, und noch ein anderes, noch neueres Wort, nämlich das der Intoleranz, die man der römischen Kirche vorwirft . . .«

Aber was er auch sagte, ein Wandel vollzog sich, und er fühlte es wohl: mühselig, unter großen Kämpfen, dank einer Arbeit, die Jahre dauerte, veränderte die Toleranz ihr Vorzeichen und wurde zu einer Tugend. Um sie ging es in zwei Debatten, von denen die eine politisch, die andere religiös war. Ja, der König von Frankreich hat das Recht, Gewalt anzuwenden, um die Verstockten zu zwingen, ihren Irrtum aufzugeben; die holländischen Behörden haben das Recht, diejenigen ihres Amtes zu entsetzen und ins Gefängnis zu schicken, die sich weigern, in Bezug auf das Denken eine Autorität anzuerkennen, die den Frieden gefährden und die Existenz des Staates bedrohen. Der König von England hat das Recht, diese gräulichen Katholiken zu ächten, die noch immer die Suprematie Roms über die öffentliche Gewalt verkünden. — Nein, die Menschen können und dürfen die Gewissen in ihren Regungen nicht beeinflussen; denn in diesen Dingen hat Gott einzig und allein zu urteilen. Eine wahrhaft christliche Seele weiß und fühlt, dass die Verfolgung ebenso sehr im Gegensatz zum Geist des Evangeliums steht wie die Finsternis zum Licht. Ein christlicher Monarch muss sich daher tolerant gegenüber all seinen Untertanen zei-

gen, sofern sie seine politische Macht respektieren. So
tolerant, schrieben die protestantischen Historiker, sei
Wilhelm von Oranien. »Er sagte darauf, er sei Protestant
und könne sich daher nur verpflichten, die reformierte
Religion aufrechtzuerhalten. Er wisse außerdem weder
genau, was man unter ketzerisch verstehe, noch bis wohin man den Sinn dieses Ausdrucks ausdehnen könne;
aber er für seinen Teil werde nie dulden, dass man irgend-
jemand wegen seiner Religion verfolge, und er werde nie
jemanden auf einem anderen Wege als dem der Überzeugung zu bekehren versuchen, wie es dem Evangelium
entspreche.[234]« Der Revokation des Ediktes von Nantes
setzte er mit Vorbedacht im Jahre 1690 seine Toleranzakte entgegen.

Die religiöse Debatte war noch heftiger. Schon 1670
hatte Pfarrer d'Huisseau das Signal gegeben, als er die
Sekten aufforderte, die Waffen niederzulegen und einen
Glauben anzunehmen, der so weitherzig wäre, dass er das
ganze Universum umfasste. Das hatte einen der ersten
Wutanfälle von Jurieu zur Folge. Er erzählt uns, er habe,
um d'Huisseau zu widerlegen, sein *Examen du Livre de la
Réunion ou Traité de la Tolérance en matière de réligion* verfasst: »Man sieht, dass der Hass gegen diese unwürdige
Duldung der Ketzerei ein altes Leiden von mir ist, das mit
der Zeit zugenommen hat.« Der Kampf setzte sich erbitterter auf dem Boden des Exils fort. Die Argumente wurden von beiden Seiten gegeneinander geschleudert, ohne
immer aufeinander zu treffen; Abhandlungen folgten auf
Abhandlungen. Die aufgeklärtesten unter den Pastoren,
Henri Basnage de Beauval, Gédéon Huet, Elie Saurin,
wiesen nach, dass die Intoleranz und nicht die Toleranz

234 David Durand in der Fortsetzung zu der Histoire d'Angleterre depuis l'Établissement des Romains . . . von Rapin Thoyras,
1724 — 1736. Band XI, S. 48: Ses sentiments sur la tolérance.

eine Sünde wider den Heiligen Geist sei; und wenn sie, die Wahrheit zu sagen, auch die Katholiken von ihrem allgemeinen Wohlwollen ausschlossen, wie Wilhelm von Oranien sie aus seiner Toleranzakte ausgeschlossen hatte, so verbündeten sie sich doch zum mindesten mit weisen und gelehrten Holländern, Gijsbert Cuper[235], Adrian Paets[236], Noodt[237], den treuen Anhängern der freiheitlichen Tradition ihres Landes: und alle zusammen arbeiteten sie mit an diesem mühevollen Aufstieg einer Tugend. Manchmal entstanden Stürme, die alles verwirrten: Bayle rief durch die Veröffentlichung des *Avis aux Réfugiés*, den man ihm zu Recht oder zu Unrecht zuschrieb, und der sich ebenso sehr gegen die protestantische wie gegen die katholische Intoleranz richtete, eine ungeheure Verstärkung der leidenschaftlichen Polemiken hervor. Aber nachdem das Gewitter sich einmal verzogen hatte, sah man die Toleranz mit ihrem Ölzweig nur umso deutlicher.

Locke war der menschlichste. In dieser Masse von Schriften gibt es keinen beredteren, keinen großmütigeren Appell als seine *Epistola de Tolerantia*, die er 1689 veröffentlichte und zu der er bis zu seinem Tode stand. Bedenkt, rief Locke aus, dass die Toleranz die eigentliche Essenz des Christentums ist. Denn so man der Barmherzigkeit, der Sanftmut und des Wohlwollens ermangelte, wie könnte man wagen, sich ein Christ zu nennen? Der Glaube wirkt durch die Barmherzigkeit, nicht durch Eisen und Feuer. Braucht wegen irgendwelcher Meinungs-

---

235 Gijsbert Cuper (1644 — 1716). Holländischer Philologe und Archäologe. Anm. d. Übers.

236 Adrian Paets (1697 — 1765). Holländischer Rechtsgelehrter. Anm. d. Übers.

237 Gerard Noodt (1647 — 1725). Holländischer Rechtsgelehrter, zeitweise Rektor der Universität Leyden. Anm. d. Übers.

verschiedenheiten, bei denen man vor dem Tage des Jüngsten Gerichtes nicht wissen wird, wer recht und wer unrecht hat, ein Bruder den anderen zu verbrennen? Mögen die wuterfüllten Eiferer, wenn sie sich durchaus beschäftigen müssen, doch die Laster und Verbrechen bekämpfen, die ihre Glaubensgenossen jeden Tag begehen: verhängnisvollere Irrungen ohne Zweifel als wegen eines Gewissensskrupels irgendwelche kirchlichen Entscheidungen zu verwerfen! Das Geistliche und das Weltliche sind zweierlei und die religiöse und die bürgerliche Gesellschaft gleichfalls: die Behörde regiert nicht die Geister; möge sie nie die Schwelle der Kirche übertreten. Die Toleranz entspricht so sehr dem Evangelium Jesu Christi und dem allgemeinen gesunden Menschenverstand, dass man diejenigen, die ihre Notwendigkeit und ihren Vorzug nicht einsehen wollen, als Missgeburten betrachten kann. Was will es bedeuten, ob man in den Kirchen lateinisch spricht oder nicht, ob man niederkniet oder stehenbleibt, ob man ein langes oder kurzes Gewand trägt? Ihr, die ihr den katholischen Kult beobachtet, und auch ihr, Leute von Genf und ihr, Remonstranten, Gegenremonstranten, Anabaptisten, Arminianer, Socinianer, wisset, dass ihr niemals eine Seele mit Gewalt gewinnen werdet; ihr habt weder das Recht noch die Macht dazu. Duldet euch gegenseitig, seid einig im Willen, das Gute zu tun, und liebet euch untereinander.

DIE WISSENSCHAFT UND
DER FORTSCHRITT

In einem großen einsamen Park ergehen sich zwei Personen: eine kokette Marquise und ein Weltmann, ihr Freund, vielleicht ihr Geliebter. Und worüber unterhält er sich, sobald die Nacht gekommen ist, so eingehend mit ihr? Über Astronomie: »Lehrt mich Eure Sterne . . .« Sie sind galant, preziös, raffiniert; so zeichnet Fontenelle sie, nicht nur weil er selbst so ist, sondern weil er sie anziehend machen will. Er will ausdrücklich, dass sein Buch niemanden abstößt und allen gefällt, vor allem denen, die nichts wissen. Er will, dass es in erster Linie durch seine angenehme Art, durch seine reizvolle Leichtigkeit gewinnt. Um ein Weniges gelänge es ihm, ihm seine Größe zu nehmen. Aber sie bricht auch durch die Niedlichkeiten der Form, diese souveräne Größe. — Von der Nacht eingehüllt, erneuern der Weltmann und die Marquise die Gesten der antiken Hirten in Chaldäa, die den Stand der Gestirne befragten. Wie die ersten Bewohner der Erde bewundern sie die Sterne, nachdem sie die Sonne angestaunt haben; ein menschliches Paar, das mit seinen schwachen Augen den Himmel zu erforschen wagt.

Die Marquise weiß nichts; aber Fontenelle weiß. Eines Abends wird er ihr den anscheinend so geheimnisvollen Lauf der Sterne erklären. Fort mit all den Irrtümern! Lange genug hat man sich über die Bewegungen der Himmelskörper getäuscht. Lange genug hat man sich eingebildet, die Sonne kreise um die Erde: ein grundlegender Irrtum, der viele andere nach sich gezogen hat. Aber zum Schluss ist der Irrtum zerstreut worden. »Ein Deutscher, namens Kopernikus, ist erschienen und hat mit all den verschiedenen Himmelskreisen und all diesen fest gefügten Himmeln, welche die Antike erfunden hatte, aufgeräumt. Er zerstörte die einen, zerstückelte die anderen. Von einem edlen Astronomenzorn erfasst, ergriff er die Erde und schleuderte sie weit weg aus dem Zentrum des Universums, in das sie sich selbst gestellt hatte, und in dieses Zentrum setzte er die Sonne, der diese Ehre viel mehr zukam . . .« Auch darin hat sich die Antike getäuscht, und die Menschen haben sich geirrt, weil sie ihr gefolgt sind. Aber eine neue Zeit hebt an. Vernunft und Beobachtung haben die jahrhundertealten Irrtümer aufgedeckt. Die Wissenschaft spricht, man muss ihr Glauben schenken: Himmel und Erde sind verwandelt.

Aus dieser Entdeckung könnte ein Gefühl des Schreckens entspringen. Wie jener wahnsinnige Athener, der glaubte, alle Schiffe, die im Piräus anlegten, gehörten ihm, dachte die Marquise bis dahin, das Universum sei zu ihrem Gebrauch da: welche Enttäuschung! Die Erde, so erfüllt von Arbeit, Krieg und Getümmel sie war, so schien ihr, nur noch wie der Kokon einer Seidenraupe, ebenso winzig, zerbrechlich und unbedeutend! Sie könnte erzittern vor den unendlichen Räumen, die sich ihr auftun.

Ganz im Gegenteil empfindet sie Freude darüber, eingeweiht zu sein. Es ist ein erhebendes Gefühl: sie wird eingeführt in diese wieder erneuerte Wissenschaft. Sie tritt in eine Gemeinschaft von Gläubigen ein und gehört nicht mehr zur Herde der Heiden, welche die Wahrheit nie erfahren haben, oder der Ketzer, die von Irrtum strotzen: sie ist stolz darauf. Man möge sich in einem jener Vergleiche, wie Fontenelle sie häuft, und welche die Abstraktionen in anziehende Bilder verwandeln (ein auf einem Fluss dahingleitendes Boot, ein auf hohem Meer fahrendes Schiff, eine in einer Allee dahinrollende Kugel), die Oper vorstellen: Phaeton verlässt die Erde, der Wind trägt ihn davon, er schwebt himmelwärts. Nehmen wir an, Pythagoras, Aristoteles und Plato sähen dem Schauspiel zu. Der eine wird sagen: *Phaeton ist aus unbestimmten Zahlen zusammengesetzt, die ihn hinaufsteigen lassen.* Der andere: *Eine gewisse geheime Kraft trägt Phaeton davon.* Der dritte: *Phaeton hat eine gewisse Neigung für das Obere des Theaters; solange er nicht dort ist, fühlt er sich nicht wohl.* Hundert andere ähnliche Träumereien kann man sich ausdenken. Die Antike gab dergleichen als Erklärungen: war es nicht mitleiderregend? Glücklicherweise sind Descartes und einige andere Moderne gekommen, die gesagt haben: *Phaeton steigt empor, weil Stricke ihn hinaufziehen und ein Gewicht niedersinkt, das schwerer ist als er.* Niemand war auf den Gedanken gekommen, hinter die Kulissen zu gucken: am Tage, wo man die Maschinen entdeckt und begonnen hat nachzudenken, hat man gewusst. Welche Wonne bereitet die Entdeckung! Welche Glückseligkeit liegt in der Wahrheit!

Die wissenschaftliche Erkenntnis hat eine ihr eigene Schönheit, denn die Betrachtung einer vorzüglich geleiteten Welt, in der die kompliziertesten Wirkungen mit den einfachsten und sozusagen sparsamsten Mitteln erzielt werden, entzückt den Verstand. Manche mögen ein mechanisches Universum weniger schätzen, aber die Marquise hebt es nur umso mehr, als sie hört, dass es einer Uhr gleicht. Diese Regelmäßigkeit, diese Sparsamkeit in der Wahl der Mittel, diese Einfachheit, was gäbe es Bewunderungswürdigeres? Als sie von den Naturgesetzen erfährt, bereitet es ihr einen dem Rationalen zugehörigen, zarten und erlesenen Genuss »Es ist kein Vergnügen, wie Sie es bei einer Komödie von Molière empfinden würden; es ist eines, das irgendwo im Verstande wurzelt und das nur den Geist lachen macht.«

Die Wissenschaft haben wir bereits überall angetroffen; jetzt kommen wir zu denen, die als die Gelehrten par excellence gelten. Sie füllen ihre Tafeln mit schwindelerregenden Zahlen, schauen durch Teleskope, sezieren die Körper von Tieren und Menschen. Wir begeben uns in die ihnen reservierte Zone. Fontenelle lädt uns dahin ein. In der Philosophie zählt er zu den »Ruhelosen«, in der Wissenschaft zu den »Wissbegierigen« : das ist ein und dasselbe. Mögen die Laien sich ohne Furcht dem Baum der Erkenntnis von Gut und Böse nähern! Auf alle Geister wird die Wahrheit wie eine Offenbarung wirken. Die *Entretiens sur la pluralité des mondes*, die im Jahre 1686 erscheinen, sind ein zugleich kokettes und tiefgründiges Vorwort zu einer neuen Interpretation des Universums.

Nicht allein der geometrische Geist ist Mode, sondern die Geometrie. Von den hohen Gipfeln, auf welche die Zeit vorher sie getragen hatte, steigt sie zum gebildeten Publikum herab. In Paris wird ein Mathematiker, Joseph Sauveur, dadurch berühmt, dass er Kurse abhält, zu denen die vornehme Welt sich drängt. Die Damen verlangen, man solle die Quadratur des Kreises entdecken, ehe man Anspruch auf ihre Gunst macht. Das behauptet zum mindesten das *Journal des Savants* voll Spott über die Mode des Tages: »Seitdem die Mathematiker das Geheimnis entdeckt haben, durch das sie bis in die *ruelles* [238] gelangen, und in den Privatgemächern der Damen die Fachausdrücke einer so soliden und ernsthaften Wissenschaft wie der Mathematik eingebürgert haben, behauptet man, die Galanterie sei in Verfall, man spreche dort nur von Problemen, Corollarien, Lehrsätzen, rechten Winkeln, stumpfen Winkeln, Rhomboiden usw., und vor kurzem hätten sich in Paris zwei Fräulein gefunden, denen diese Art von Kenntnissen den Verstandeskasten so durcheinandergebracht hätten, dass die eine nicht von Heirat reden hören wollte, wenn derjenige, der sich um sie bemühte, nicht vorher die Kunst Brillen zu schleifen erlernte, von welcher der *Mercure galant* so viel gesprochen habe, während die andere einen höchst ehrenwerten Mann zurückgewiesen hat, weil er innerhalb der von ihr gesetzten Frist nichts Neues über die Quadratur des

---

238 Der Raum zwischen Bett und Wand: die Damen empfingen damals intimere Besucher auf ihrem Bett sitzend

Kreises hatte zutage fördern können.« (4. März 1686.) Da Materie und Ausdehnung gleichgesetzt wurden, so waren Physik und Mathematik ein und dasselbe. Man war den Geometern dankbar, weil sie die Materie fassbar gemacht hatten, weil sie an die Stelle des reinen Spieles mit Worten — das Opium macht schlafen, weil es einschläfernde Kräfte hat — eine sichere Berechnung gesetzt hatten. Dank ihnen besaß man die Schlüssel zu allen Erscheinungen des Universums.

Aber in Wahrheit beherrschte diese Empfindung die Gemüter nicht allein: Eine andere Forderung quälte sie und ließ sich täglich dringlicher vernehmen. Die Mathematik war eine Form des Wissens: war es wirklich seine einzige? Von allem abstrahieren, hieß das wirklich alles erkennen? Vielleicht überspannte die Geometrie gerade in ihrem Sieg ihre Macht. Dafür sprach, dass ein so ausgezeichneter Geometer wie Descartes in der Physik vom Wege abgekommen war. Die neue Philosophie empfahl die Beobachtung, das Experiment; sollte die Naturwissenschaft sie verachten? Man vernahm die Stimme von Galilei und noch mehr die unvergessliche von Bacon. Dieser hatte, so erinnerte man sich, gesagt, man müsse mit der Beobachtung beginnen; der menschliche Geist eigne sich die Dinge durch die sinnliche Wahrnehmung an; die Sinneseindrücke würden, sobald sie dem Geist übermittelt seien, zum Stoff der Urteile der Vernunft; die Vernunft gäbe sie ihrerseits geläutert und berichtigt zurück; infolgedessen müsse alle wahre Philosophie von den Sinnen ausgehen, um der Urteilskraft einen direkten, ununterbrochenen und sicheren Weg zu eröffnen. Die Geometer hatten, von ihrer Definition der Materie ausgehend, erklärt, das Vakuum existiere nicht; daraufhin hatten andere Gelehrte durch ihre Experimente bewiesen, dass das Vakuum ganz ohne Zweifel existiere; und diese letzteren hatten, da sie sich bemüht hatten, die Wirklichkeit zu erforschen, die echte Wahrheit gefunden. Die Tatsachen! Sich den Tatsachen unterwerfen, darauf kam es an!

Also noch eine Aufgabe und eine schwere! Von neuem galt es, die Orientierung des menschlichen Geistes zu ändern. Man musste suchen, arbeiten, sich mühen, und vor allem positive Resultate schaffen; die Hilfe der Mathematik beibehalten, die eine Gewissheit darstellt, aber zu einer anderen Art von Erkenntnis gelangen, die das Sein nicht künstlich vereinfacht, sondern seine ganze Kompliziertheit hinnimmt und beherrscht. Das werdende Europa rang gemeinsam um dies Ziel. Zunächst waren da die um die Akademie von Cimento in Florenz gruppierten Italiener. Für die Gelehrten, die ihr angehören, ist jede Naturerscheinung ein Anlass zum Fragen: Warum gibt es Würmer in den Früchten? Welcher Art sind die Auswüchse, die auf den Stängeln und Blättern der Bäume wachsen? Wie kommt es, dass ein Fisch, der im Wasser phosphoresziert, es nicht mehr in der Luft tut? Sie forschen. Sie haben keine Laboratorien, kein Handwerkszeug; kaum dass sie zum Arbeiten ihre Röcke und ihre feierlichen Perücken ablegen. Sie forschen. Sie schaffen sich Instrumente. Sie machen zahllose Experimente. Gewiss, sagen sie, der Idealtypus der Erkenntnis ist die Geometrie; aber sie lässt uns im Stich und schwingt sich in den unendlichen Raum: wir wenden uns also dem Experiment zu, das uns durch Beweis und Gegenbeweis zur Wahrheit führt. Als sich die Akademie von *Cimento* im Jahre 1667 auflöst, stirbt die italienische Tradition nicht, sie erhält sich das ganze folgende Jahrhundert durch Leute, wie Marsigli, Vallisnieri, Gualtieri, Clarici, Micheli, Ramazzini, Fortis; wir machen nicht den Anspruch, sie

411

alle aufzuzählen. In der *Galerie de Minerve* veröffentlicht Giovanni Maria Lancisi im Jahre 1704 eine Rede darüber, *wie man in der Kunst der Medizin philosophieren muss, worin bewiesen wird, dass man sich in der rationellen Medizin besser der Experimentalphilosophie als jeder anderen bedient.*

Die englische Gruppe, in der Boyle besonders hervortritt, zeigt nicht geringere Aktivität: die *Royal Society* erregt die Bewunderung von ganz Europa. »Die urteilsfähigen und geschickten Leute, die ihr angehören, sind weniger darauf erpicht, in ihren Reden ihren Geist oder ihr Gedächtnis leuchten zu lassen, als die Künste und Wissenschaften durch solide Leistungen zu fördern. Sie prüfen daher in erster Linie die Wahrheit der Behauptungen, die sich in die Praxis umsetzen lassen, und geben sich mit den anderen nicht ab ... Dann suchen sie nach den Ursachen durch Vernunftschluss und weitere Experimente, und diese führen diese großen Naturforscher sehr weit, so weit, dass sie zur Durchführung einiger Versuche auf die Spitze des Piks von Teneriffa geschickt haben, nachdem sie eine Unzahl bei sich zu Hause gemacht und besondere Maschinen erfunden hatten.[239]«

Die holländischen Physiker sind Meister in der Methode, die im Entstehen begriffen ist; als Mediziner, Botaniker, Naturforscher arbeiten sie nach Lust: Swammerdam, Huygens, Boerhaave, Gravesande und Leuwenhoeck. Der letztere hat geschickte Finger, einen durchdringenden Blick und einen Geist, den das Neue lockt. Er beginnt damit, seine Technik zu vervollkommnen, wie wir in unserer Sprache von heute sagen würden. Er hat keine Ruhe, bis er mit eigener Hand nach unzähligen Versuchen ein stärkeres Mikroskop verfertigt hat,

---

239 Sorbière, zitiert bei G. Ascoli, La Grande Bretagne devant l'opinion française, 1930, II, S. 42.

als seine Vorgänger benutzten. Er kommt zum Ziel: das, dessen Konstruktion ihm endlich gelingt, vergrößert die Gegenstände zweihundertsiebzigmal. In einem Tropfen Wasser erscheint ihm eine Welt: winzige Wesen rühren sich, kämpfen, suchen ihre Nahrung; dieser Tropfen ist bewohnt wie der Ozean; das ganze Leben pulsiert darin. Er unterwirft die verschiedensten Flüssigkeiten dieser Probe, Blut, menschlichen Samen . . . Übrigens bestritt man seine Entdeckungen, und es bedurfte, wie immer, der Diskussionen, Widerlegungen, der Broschüren, der Bücher und einer ungeheuren Arbeit, bis die allgemeine Meinung vor der Wahrheit kapitulierte, die seine Augen gesehen hatten.

Dann sind da die Skandinavier, wie Olaos Roemer, Thomas Bartholin, Nils Stensen, deren anatomische Entdeckungen die Medizin erneuern. Und die Deutschen wie Otto von Guericke, der Experimente über das Vakuum macht. Diszipliniert und um Kollektivarbeit bemüht, veröffentlichen die Deutschen eine medizinisch-physikalische Fachzeitschrift, welche die Arbeit aller an der Natur Interessierten bekanntmacht und die Bayle sehr lobt; er sagt, ihre Verfasser leisteten der Wissenschaft die allergrößten Dienste, sowohl durch den unermüdlichen Fleiß, mit dem sie bei der Arbeit seien, als auch durch ihre Erfindungen, ihr Genie.

Die Franzosen beginnen sich ihrerseits für die Natur zu interessieren: die Pariser gehen in den *Jardin du Roi*, um Duverney dort seine Anatomievorlesungen halten zu hören. Sie sind stolz darauf, in der Person des ehemaligen Apothekers Nicolas Lémery denjenigen zu den Ihren zu zählen, den Voltaire später den »ersten vernünftigen Chemiker« nennen sollte, und ebenso einen der berühmtesten Physiker jener Zeit Mariotte. »Man hat in Paris ein neues naturwissenschaftliches Kabinett eröffnet. Ich nenne so die *Académie des Sciences*. Der Abbé Bignon, der die Schlüssel zu diesem Kabinett in Händen hält, hat erklärt, die Natur würde darin höchst einfach erscheinen, und sie habe es nicht angemessen gefunden, von den Herren der *Académie française* den Schmuck und die Verzierungen zu leihen, die diese auszuteilen pflegen.[240]« Selbst Spanien nimmt an diesem Forscherstreben teil: in Sevilla wird im Jahre 1697 eine Gesellschaft für experimentale Physik und Medizin gegründet.

Wie in der Literatur, wie in der Philosophie, nur noch schneller vielleicht, sieht man die Ideen sich ausbreiten. Ein berühmter toskanischer Arzt, Francesco Redi, hat eine Abhandlung *Esperienze intorno alla generazione degli insetti* veröffentlicht. Er weist nach, dass in faulenden Substanzen keine Mücken entstehen, wenn man die Mücken verhindert, ihre Eier hineinzulegen. Die ganze gelehrte Welt Europas interessiert sich für seine Entdeckung; und, gleichsam um die Zusammenarbeit der Geister zu verdeutlichen, wird die italienische Arbeit von einem Franzosen, Pierre Coste, übersetzt, und diese Übersetzung erscheint in Holland. Ein Venetianer, Paolo Sarrotti, macht in London die Bekanntschaft von Robert Boyle und begeistert sich so für die Naturwissenschaft, dass er nach Venedig »zwei junge, in der Handhabung der Maschinen, mit denen man Experimente macht, sehr erfahrene Engländer« mitbringt. Als Pater Tachard seine zweite Reise nach Siam macht, bittet ihn Herr Thévenot[241], ihn doch über eine höchst merkwürdige Sache auf-

---

240 L'Esprit des Cours de l'Europe, 1699, S. 25.
241 Jean de Thévenot, geb. Paris 1633, gest. in Armenien 1667, bekannt durch seine Reisen. Die Berichte darüber sind zusammengefasst unter dem Titel: »Voyages de M. Thévenot tant en Europe qu'en Asie et en Afrique« (1689). Thévenot soll den Genuss des Kaffees in Frankreich eingeführt haben. Anm. d. Übers.

zuklären, von der man ihm versichert habe, sie sei wahr: man solle Muscheln hoch oben auf dem Tafelberg finden. Ist das möglich? Kühn unternehmen Pater Le Blanc und Pater de Bèze die Besteigung.

Die großen europäischen Journale widmen einen erheblichen Teil ihrer Seiten den Problemen der höheren Mathematik, aber einen noch bedeutenderen den Naturwissenschaften. Die von den Lesern eingesandten Artikel verraten allerdings nur eine unausrottbare Vorliebe für das Widernatürliche: Eine Henne, die noch nie ein Ei gelegt hatte, hat nach einem großen Lärm aufs merkwürdigste gesungen und dann ein Ei von einer das Natürliche weit übersteigenden Größe gelegt, das zwar nicht, wie das Volk glaubte, das Bild eines Kometen, wohl aber das mehrerer Sterne trug. Man hat einen Schmetterling gefangen, der den Kopf eines kleinen Kindes hat. Ein Mädchen hat mehrere Spinnen, Schnecken und andere Insekten erbrochen . . . Das sind so die »Kuriositäten«, die das Publikum ergötzen. Aber auf denselben Seiten tritt auch die wissenschaftliche Leistung zutage. Gelehrte aller Länder sind am Werk, alle erfüllt von der gleichen Wissbegierde, der gleichen Unruhe: Wie vollzieht sich das Steigen der Säfte in den Bäumen? Welches sind genau genommen die Wirkungen des Chinins? Wie wirken die Fermente? Wie verhält es sich mit der Anatomie des Auges, des Magens und mit den neu entdeckten Gefäßen im menschlichen Herzen? Man hat eine Katzenmissgeburt gefunden? Nun gut, anstatt sich zu verwundern und zu schreien, wird man sie sezieren!

Wie in der Philosophie, wie in der Kritik erschien auch hier im Augenblick, wo die Atmosphäre bereitet war, einer jener Heroen, welche die großen Zeiten erwecken: Newton.

Ist es nicht ein Zeichen der Zeit, dass die beiden Männer, die Vico als die »beiden größten Genies der Epoche« bezeichnet, Leibniz und Newton, die Infinitesimalrechnung fast gleichzeitig gefunden haben? Die Anwendung dieser neuen Methode erlaubt die natürlichen Phänomene nicht mehr als diskontinuierlich zu behandeln, was sie meist nicht sind, sondern als kontinuierlich, was sie sind. Welch ungeheuren Platz eroberte sich damals in der Entwicklung des menschlichen Denkens jene Naturwissenschaft, ohne welche die *honnêtes gens* noch so leicht auskommen zu können meinten! Man hat behauptet, wenn eine der großen Disziplinen der Mathematik ihrer selbst bewusst geworden war, sei jedes Mal ein System entstanden, das auf diese Disziplin eine allgemeine Weltauffassung gründete; so baue sich auf der Arithmetik die Pythagoräische Lehre, auf der Geometrie das System des Spinoza und ebenso auf der Infinitesimalrechnung die Philosophie von Leibniz[242] auf. Fest steht, dass dieser letztere selbst erklärt hat, die Mathematik sei die hauptsächlichste Hilfe des Philosophen, und er hätte niemals das System der Harmonie entdeckt, wenn er nicht vorher das Gesetz der Bewegung aufgestellt hätte. Indessen gelangte Newton durch die Methode der Infinitesimalrechnung zur Entdeckung der Gesetze der Gravitation.

Schon 1687 erscheint in der Tat das große Werk, das deren Darlegung enthält, die *Philosophiae Naturalis Principia Mathematica*. Diese »Prinzipien« werden keineswegs sofort bei ihrem Erscheinen verstanden. Erst in der nachfolgenden Epoche sollten sie ihre volle Wirkung üben. Wie in der Philosophie, wie in der Kritik, wie in allen Dingen nährt sich auch hierin das 18. Jahrhundert von dem, was das Ende des 17. Jahrhunderts entdeckt hat; so

---

242 Léon Brunschvigg, Les Étapes de la philosophie mathématique, 1912.

starke Substanzen können nur langsam assimiliert werden. Aber die *Principia mathematica* machen die Mathematik zwar nicht, wie Descartes wollte, zum Gesamtinhalt der Physik, wohl aber zu einem Instrument, dessen die Physik sich für ihre Entdeckungen und Kontrollen bedient. Außerdem stellt das unsterbliche Buch die Beobachtung, das Experiment in ihrer ganzen Würde wieder her. Die den Tatsachen gewidmete Aufmerksamkeit, die Unterwerfung unter die Tatsachen, die Demut gegenüber der Tatsache, ein fast instinktiver Abscheu vor allen Theorien, welche die Probe auf die Tatsachen nicht bestätigt: das sind einige der Züge des Genies von Newton, und seine kosmische Entdeckung erscheint wie eine wunderbare Illustration seiner Prinzipien, wie eine Belohnung für seine konsequente Einseitigkeit. Die populäre Legende, die sich Newton vorstellt, wie er unter einem Baum sitzt, einen Apfel fallen sieht und sich fragt, wie dieser Apfel dazu gekommen sei zu fallen, ist so irreführend nicht, denn sie symbolisiert auf ihre Weise den Weg eines Denkens, das zunächst von der Wirklichkeit ausgeht. Newton verwirklicht in unerhörtem Maße das Streben, das diese Forschergruppen beseelte, deren zugleich geduldige und von Leidenschaft getragene Arbeit wir soeben geschildert haben. Das Konkrete hinnehmen, es mit Hilfe der Vernunft interpretieren; eben diese Interpretation am Konkreten nachprüfen: das ist klar formuliert das Gesetz der Wissenschaft, die diese Gruppen tastend aufzubauen suchten.

Später hielt Fontenelle, Sekretär auf Lebenszeit der Académie des Sciences, seine Lobrede auf Sir Isaac Newton und legte mit Hilfe seines klaren Denkens dessen Entdeckung so dar, dass selbst die Laien die Illusion hatten, sie verstünden sie; und ohne das geringste von ihrer Deutlichkeit, ihrer Geschmeidigkeit zu verlieren, belebte und erwärmte sich seine Prosa gleichsam unter dem Einfluss des schöpferischen Atems des großen Mannes, den zu feiern sie bemüht war: da erst haben wir die Gegenüberstellung, die mehr ist als nur eine Ausschmückung der Redekunst, die vielmehr Descartes und Newton so gegeneinanderstellt, wie es richtig und wünschenswert ist; Fontenelle hebt, trotz seiner Voreingenommenheit für seinen Lehrer Descartes, den Unterschied der beiden geistigen Haltungen klar hervor, die, wie er sagt, die extremen Grenzen des menschlichen Geistes repräsentieren :

Die beiden großen Männer haben, obwohl sie so gegensätzlich sind, starke Beziehungen gehabt. Alle beide sind sie Genies ersten Ranges gewesen, geschaffen, andere Geister zu beherrschen und große Reiche zu gründen. Alle beide waren hervorragende Geometer und haben die Notwendigkeit erkannt, die Geometrie auf die Physik zu übertragen. Alle beide haben sie ihre Physik auf einer Geometrie aufgebaut, die sie fast allein ihrer eigenen Einsicht verdankten. Aber der eine hat in kühnem Flug die Quelle aller Dinge erreicht, sich durch einige klare und grundlegende Ideen zum Herrn der ersten Prinzipien machen wollen, um dann von diesen zu den Naturerscheinungen nur noch als notwendige Konsequenzen hinabzusteigen. Der andere hat, ängstlicher oder vielleicht bescheidener, seinen Weg damit begonnen, sich auf die Erscheinungen zu stützen, um von diesen zu den unbekannten Prinzipien hinauf zu gelangen, entschlossen, sie so hinzunehmen, wie sie sich aus der Verkettung der Folgerungen ergeben würden. Der eine geht von dem aus, was er klar begreift, um die Ursache dessen zu finden, was er sieht. Der andere geht von dem aus, was er sieht, und sucht dessen Ursache ...

Und als Fontenelle im Verlauf seiner Rede auf die Optik [243] oder die *Abhandlung über das Licht und die Farben* [244]

243 Optics.
244 New Theory about Light and Colours

zu sprechen kommt, gelingt es ihm, die Rolle, den Wert, die Schwierigkeit und sogar die Schönheit des Experiments deutlich zu machen:

Die Kunst Experimente zu machen ist in höherem Grade keineswegs Gemeingut. Die kleinste Tatsache, die sich unseren Augen darbietet, wird durch so viel andere Tatsachen komplizierter gestaltet, die daran teilhaben und sie verändern, dass man ohne außerordentliche Geschicklichkeit nicht alles, was hineinspielt, zu entwirren vermag und nicht einmal ohne außergewöhnlichen Scharfsinn imstande ist zu vermuten, was alles hineinspielen kann. Man muss die Tatsachen, um die es sich handelt, in andere zerlegen, die ihrerseits zusammengesetzt sind; und manchmal würde man, falls man seinen Weg nicht richtig wählte, in ein Labyrinth geraten, aus dem man nicht wieder herausfände. Die ursprünglichen und elementaren Tatsachen scheinen von der Natur ebenso sorgfältig vor uns verborgen worden zu sein wie die Ursachen; und wenn es einem gelingt, sie zu erblicken, so ist es ein ganz neuer und völlig unerwarteter Anblick.

Erkennen wir in dem Sieg der experimentellen Physik die Krönung einer geistigen Haltung, deren Wirkungen zahlreich und ohne Zweifel unzählbar sind. Newton bedeutet, mit allem Glanz, der dem Genie eigen ist, denselben Übergang vom Transzendentalen zum Positiven, den ein Pufendorf im Recht, ein Richard Simon in der Bibelauslegung, ein Locke in der Philosophie, ein Shaftesbury in der Moral zu verwirklichen strebten. Mit Sicherheit schob Newton die Befürchtungen beiseite, die man in Bezug auf das Überwuchern einer Vernunft hegen konnte, die sich selbst eine Zeitlang als zerstörende Kraft empfand. Er brachte die Vereinigung zustande, die so schwierig schien, dass man sie für unmöglich halten konnte: die Vereinigung der kritischen Forderung mit den Erfahrungstatsachen. Der Mensch macht sich an die Wiedereroberung des Universums.

Am 8. Februar 1715 hält der Arzt Boerhaave vor der Akademie von Leyden einen Vortrag, der den Titel trägt: *De comparando certo in physicis.*[245] Er fasst darin die im Laufe der letzten Jahre erzielten Ergebnisse zusammen. Alle Versuche, das Wesen der Dinge zu erfassen, sind erfolglos geblieben; die ersten Ursachen, die Substanzen entziehen sich unserer Kenntnis. Vergeblich erfinden wir neue Wörter, wie Atome, Monaden; wir sollten nachgerade wissen, dass es sich da um Hypothesen handelt, die der morgige Tag Lügen strafen wird. Newton selbst hat durchaus deutlich gemacht, dass er, wenn er von der Anziehung sprach, nicht in den Fehler der Scholastiker zurückzufallen gedachte, welche die Ursachen, die sie nicht zu begreifen vermochten, durch okkulte Kräfte erklärten. Alles vollzieht sich so, als ob die Körper sich anzögen, aber weshalb sie sich anziehen, hütet er sich wohl zu erklären. Er konstatiert wahrnehmbare und offensichtliche Tatsachen, er vergleicht und berechnet Wirkungen: dabei lässt er es bewenden. Betrachten wir dementsprechend jene metaphysischen Regionen, in denen so viele Philosophen sich verirrt haben, als ein verbotenes Gelände. Beschränken wir uns auf die Ergebnisse, welche die Erfahrung erzielt und bestätigt. Verzichten wir auf die Metaphysik, widmen wir uns der Physik; dann erst werden wir die wirklichen Eigenschaften der Natur zu erkennen beginnen, die uns bisher entgangen sind.

Alles hängt zusammen: damit war nun ein weiterer Pyrrhonismus überwunden, der *Pyrrhonismus physicus*, wie Boerhaave selbst sagt. Seine Rede hätte vor der Entwicklung, deren Verlauf wir zu verfolgen versuchen,

---

245 Über das sichere Vergleichen in der Physik.

unmöglich gehalten werden können. Der große holländische Arzt fasst die Grundprinzipien einer neu entstandenen Weisheit zusammen, einer allgemeinen Philosophie, deren Essenz Locke zum Ausdruck gebracht hatte. Die Menschen sind es müde, nach den substantiellen Realitäten zu suchen; sie glauben von nun ab, sie nicht erfassen zu können, und bemühen sich, innerhalb des beschränkten Herrschaftsbereichs, dessen Könige sie noch sein können, Bestand aufzunehmen. Sie wollen es bebauen! sich dort eine wohnliche Stätte schaffen! ihre Arbeit weniger schwer und ertragreicher machen! dort glücklich sein, von Tag zu Tag mehr! Und wer wird es auf sich nehmen, sie bei dieser Aufgabe zu leiten? Der Gelehrte, dem es zukommt, das Leben zu lenken. Er steht denn auch hoch in Ehren. Man erklärt, er stehe höher als der Fürst, der Eroberer. Man preist ihn in den Akademien. Ihm werden die Huldigungen der Beredsamkeit zuteil, die man ehemals allein den Schriftstellern vorbehielt. Er könnte ebenso gut an der Spitze der öffentlichen Angelegenheiten stehen. Da die Politik auf sehr feine Berechnungen, auf delikate Kombinationen hinausläuft, nimmt man an, der Gelehrte werde sich darin besonders hervortun. Newton hat als Mitglied des englischen Parlamentes fürwahr keine schlechte Rolle gespielt. Der Historiker rühmt sich, die Strömungen zu studieren, welche die Nationen bewegen, Staaten entstehen lassen und zu Fall bringen: ein bescheidenes Vergnügen im Vergleich zu dem, welches dem Gelehrten Vorbehalten ist! »Die seltsamsten Züge der Geschichte können kaum merkwürdiger sein als die Phosphate, die kalten Flüssigkeiten, die, sobald sie sich mischen, eine Flamme erzeugen, die Silberbäumchen, das fast magische Spiel des Magneten und eine unendliche Zahl von Geheimnissen, die man kunstvoll aufgedeckt hat, indem man die Natur aus der

Nähe beobachtete und belauerte.[246]« Danach war es nicht verwunderlich, dass die Poesie begann, das Mikroskop, die Luftpumpe und das Barometer zu verherrlichen; die Blutzirkulation oder die Brechung des Lichtes zu beschreiben. Sie huldigte damit einzig und allein dem neuen Geist.

Die Kenntnisse werden immer weiter zunehmen: heute ist uns die Schwerkraft offenbart worden; morgen werden andere Genies geboren werden, die uns andere Geheimnisse enthüllen; so dass wir allmählich alle Teile der wunderbaren Maschine entdecken werden, die wir bisher nicht kannten. Die Kenntnisse werden uns Macht verleihen. Selbst wenn die Wissenschaft dem Anschein nach von keinem Nutzen wäre, so würde sie immer noch zu etwas dienen: Es ist nicht gleichgültig, ob man richtig, präzise denken lernt und sich den Geist an ihren unerbittlichen Gesetzen schult. Aber die Theorie zieht immer die Praxis nach sich: *theoriam cum praxi.* [247]»Wissen, dass in einer Parabel die Subtangente doppelt so lang ist wie die Abszisse, ist an sich ein höchst unfruchtbares Wissen, aber es ist eine notwendige Vorstufe, wenn man die Kunst lernen will, Bomben so genau abzuschießen, wie man das heute versteht.« — »Als die größten Geometer des 17. Jahrhunderts eine neue Kurve zu studieren begannen, die sie die Zykloide nannten, war es eine reine Spekulation . . .: diese Kurve war aber, nachdem man ihre Natur genauer ergründet hatte, dazu bestimmt, eine

246 Diese Stellen und die folgenden sind dem Hymnus entnommen, den Fontenelle in seiner »Préface à l'Histoire du renouvellement de l'Académie royale« (1702) anstimmt.
247 Ausdruck von Leibniz, Denkschrift über die Errichtung der Berliner Akademie. (Deutsche Schrift, Band II, S. 268.) Siehe auch sein Plan einer allgemeinen Wissenschaft: De utilitate scientiarum et verae eruditionis efficacia ad humanam felicitatem. Opuscules et fragments inédits, herausgegeben von Couturat, S. 218.

kaum denkbare Vervollkommnung der Uhren herbeizuführen und die Berechnung der Zeit zur äußersten Vollendung zu bringen.« Unsere Einwirkung auf die Natur wird unaufhörlich zunehmen, und wir werden von einem Wunder zum anderen fortschreiten: der Tag wird kommen, da der Mensch in der Luft fliegen wird. Einige haben versucht zu fliegen, indem sie sich Flügel befestigten, die sie tragen sollten. Diese Kunst wird sich vervollkommnen, und eines Tages wird man bis zum Mond gelangen . . . Kurzum, »wir haben da ein weites Feld von Kenntnissen, die geeignet sind, den Menschen hienieden zu Nutz und Vorteil zu gereichen: nämlich neue schnelle Maschinen zu erfinden, die unsere Arbeit verkürzen oder erleichtern; die Verwendung mehrerer Kräfte oder Materialien scharfsinnig zu kombinieren und uns so neue wohltätige Produkte zu verschaffen, deren wir uns bedienen und so die Gesamtheit unserer Reichtümer vermehren können, das heißt die Gesamtheit der Dinge, die der Bequemlichkeit unseres Daseins dienen . . .« Die Erde wird zum Paradies werden; allein schon durch das Werk der gelehrten Schwestern, der Mechanik, der Geometrie, der Algebra, der Anatomie, der Botanik, der Chemie, die alle so viel mächtiger sind als die abgedankten Musen; der Tod weicht zurück:

> Savantes sœurs, soyez fidèles
> à ce que présagent mes vers:
> Par vous de cent beautés nouvelles
> les arts vont orner l'Univers.
> Par les soins que vous allez prendre
> nous allons voir bientôt s'étendre
> nos jours trop prompts à s'écouler;
> et déjà sur la sombre rive

423

Atropos en est plus oisive,
Lachesis a plus à filer . . .[248]

Welches Gefühl des Triumphes und welch frohes Erwarten lag in diesem einen Wort: Fortschritt! Es verleiht
jenen Stolz, ohne den es sich schwer leben lässt, und jene
Ausblicke auf die Zukunft, die anstatt die Gegenwart zu
verneinen, sie vielmehr ergänzen und verschönen. Unsere
Methoden schreiten fort. Unsere Wirkungskraft nimmt
zu. Selbst die Qualität unseres Geistes verbessert sich.
»Alle Künste und Wissenschaften, deren Fortschritt seit
zwei Jahrhunderten fast gänzlich stillgestanden hatte,
haben in dem unserigen neue Kräfte wiedergewonnen
und haben sozusagen einen neuen Siegeslauf begonnen . . .[249]« — »Wir leben in einem Jahrhundert, das von
Tag zu Tag aufgeklärter werden wird; so dass alle vorhergehenden Jahrhunderte im Vergleich als die reine
Finsternis erscheinen werden . . .[250]« Alle Unruhe, alle
Aufregungen leitet man in Kanäle. Der Mensch ist müde
geworden, sich zurückzuwenden, um in der fernen Vergangenheit das Goldene Zeitalter zu betrachten; da er der
Ewigkeit nicht sicher ist, richtet er seine Hoffnung auf
eine nähere Zukunft, die er selbst vielleicht noch genie-

---

248 Houdar de la Motte, L'Académie des Sciences, Ode à M. Bignon.
    Gelehrte Schwestern, bleibt dem treu,
    was meine Verse Voraussagen:
    Durch euch werden die Künste
    das Universum mit hundert neuen Schönheiten schmücken.
    Durch eure Bemühungen
    werden wir bald unsere allzu rasch verrinnenden Tage
    sich verlängern sehen.
    Und schon ist an jenen dunklen Ufern
    Atropos unbeschäftigter,
    und Lachesis hat mehr zu spinnen . . .
249 Fontenelle, zitiertes Vorwort.
250 Pierre Bayle, Nouvelles de la République des Lettres, April 1684,
Art. XI.

ßen, die auf jeden Fall aber seine Söhne erreichen werden . . .

Schon wird die Wissenschaft zum Idol, zum Mythos. Man beginnt Wissenschaft und Glück, materiellen und moralischen Fortschritt miteinander zu verwechseln. Man glaubt, die Naturwissenschaft werde die Philosophie, die Religion ersetzen und werde allen Erfordernissen des menschlichen Geistes genügen. Und als Reaktion darauf erheben sich bereits Proteste: man wirft der Naturwissenschaft, die so sorgfältig ihre eigenen Grenzen abgesteckt hat, vor, sie wolle sie überschreiten, spricht von ihrem maßlosen Hochmut und erklärt — so sehr erweist es sich bereits so frühzeitig als notwendig, diesen beginnenden Mythos zu bekämpfen — den Bankrott der Naturwissenschaft.[251]

EINEM NEUEN IDEALBILD
VOM MENSCHEN ENTGEGEN

Als der italienische *Cortigiano* [252], nachdem er seine Rolle als Führer und Meister gespielt hatte, in den Ruhestand trat, hatte der *honnête homme* seine Nachfolge angetreten. Eine noch sehr stürmische Generation hatte er Vernunft gelehrt, und sie hatte auf ihn gehört: man solle die religiöse, politische, soziale Ordnung anerkennen, die nach vielerlei mühevollen Erfahrungen die beste zu sein schiene; jeder solle sich ohne Umsturz und Auflehnung darin einrichten, dann würden alle glücklich oder zum

---

251 Thomas Baker, Reflections upon Learning, by a gentleman, London 1700.

252 Die Gestalt ist geschaffen von Graf Baldassare Castiglione in seinem »Libro del Cortigiano« (Venedig 1528), das Gespräche über das Ideal eines Hofmannes enthält. Vergleiche S. 374, Anm. 1. Anm. d. Übers.

mindesten zufrieden sein. Dieser *honnête homme* bestand aus nichts als Gegensätzen, aber sie waren so geschickt miteinander ins Gleichgewicht gebracht, dass er letzten Endes die vollkommenste Harmonie verkörperte: eine Vereinigung antiker Weisheit und christlicher Tugenden; eine Versöhnung der Ansprüche des Denkens mit denen des Lebens, der Seele mit dem Körper, des Alltäglichen mit dem Erhabenen. Er lehrte Höflichkeit, eine schwere Tugend, die darin besteht, den anderen zu gefallen, um sich selbst zu gefallen. Er sagte, man müsse alle Übertreibungen meiden, selbst die des Guten, und sich auf nichts etwas zugutetun, außer auf seine Ehre. Er erzog sich durch eine dauernde Disziplin und einen wachsamen Willen: es ist eine schwierige Sache, das Ich daran zu hindern, über seine Grenzen zu treten, es zu zwingen, nur als Teil eines allgemeinen Wertes etwas zu gelten. Eine solche Verpflichtung verlangt einen diskreten Heroismus; und der *honnête homme* erscheint nur deshalb so restlos anmutig, weil er seine innere Kraft in Schranken hält und sie harmonisch wirken lässt.

Gegen Ende des Jahrhunderts leuchtete sein Bild noch; es gab noch Leute, die es mit Andacht betrachteten und es den jungen Leuten als Vorbild hinstellten. Traktatschreiber beuteten den Erfolg ihrer Vorgänger aus und ergingen sich in allzu bekannten Ratschlägen. Zum Beispiel: ein *honnête homme* liebt die Gesellschaft und sucht sie gern auf; er beurteilt die Werke des Geistes günstig und spricht davon weder mit Voreingenommenheit noch voll Kritik oder Eifersucht.

Verspätete Ratschläge, abgedroschenes Zeug! Es handelte sich nicht mehr darum, Bestehendes hinzunehmen und aus dieser freiwillig zugestandenen Hinnahme das Bestmögliche zu machen: es handelte sich darum, alles zu reformieren, und zwar so rasch wie möglich. Kein

Ausgleich, keine Kompromisse mehr: man muss die Politik ummodeln und die Gesellschaft auch. Und wie kann man sich einer Staatsräson unterwerfen? Die neuen Menschen, die modernen Menschen sind wie Lord Halifax, der — als er seiner Tochter Lebensregeln auf den Weg gibt — der folgenden Generation empfiehlt, sich eine eigene Religion zurechtzumachen, eine sanfte, bequeme, angenehme Religion; eine Religion, die frei ist von Furcht und Melancholie: nicht mehr Gott befiehlt jetzt den Kreaturen; die Kreaturen eignen sich Gott an. Alles in allem sind fast alle Prinzipien, welche die Philosophie des *honnête homme* ausmachten, zusammengebrochen; das schöne Standbild fällt in Stücke.

Es schien dermaleinst das Werk der Vernunft zu sein; aber die Vernunft hat eben gerade einen anderen Sinn erhalten. Sie ist keine ausgleichende Kraft mehr, die eine auf Kompromissen beruhende Ordnung auferlegt, sondern nur noch eine kritische Macht, deren vornehmste Tugend der Geist der Kritik ist. Dieser unersättlichen Vernunft passt der *honnête homme* nicht mehr.

Er dankt von selbst ab. Da er lange geherrscht hat, ist etwas Mechanisches in die Art, ihn nachzuahmen und ihm zu folgen, gekommen. Für gewisse Leute ist die *honnêteté* aus einem Mittel richtig zu leben zu einem Selbstzweck geworden. Für diese enthält sie nichts Moralisches mehr, ist nur noch eine Annehmlichkeit: und so verdrehen sie ihr ureigenstes Wesen. »Du weißt«, sagt der Chevalier de Grammont zu seinem Freund Matta, als er ihm von dem Unterricht erzählt, den er in der Akademie erhalten hat, wo man ihn das Waffenhandwerk lehrte, »du weißt, dass ich der geschickteste Mann von Frankreich bin; so hatte ich bald alles gelernt, was man dort zeigt; und nebenbei lernte ich auch noch das, was die Jugend vervollkommnet und zum *honnête homme* macht, alle Ar-

427

ten von Karten- und Würfelspielen.[253]« Er hält die Spreu für den Weizen und glaubt, das Spiel, eine reine Äußerlichkeit, ein einfacher gemeinschaftlicher Zeitvertreib, mache die *honnêteté* aus. Da wir etwas später in seiner Geschichte erfahren, wie er einen allzu vertrauensseligen Spieler durch seine Geschicklichkeit ausplündern hilft, können wir sagen, dass zu Beginn des 18. Jahrhunderts honnêteté und Redlichkeit nicht mehr Zusammengehen. Und somit ist der *honnête homme* seines Ranges verlustig: man braucht ein neues Idealbild, um sein Leben danach zu richten.

Spanien bringt eines in Vorschlag: das ist eine Überraschung und eine um so größere, als der spanische *Held* keine ganz neue Schöpfung ist und wiederauferstanden scheint. Pater Balthasar Gracian vom Jesuitenorden hatte im Jahre 1637 ein Buch *El Heroe* veröffentlicht, im Jahre 1640 *El Politico*, im Jahre 1646 *El Discreto*, im Jahre 1647 *El Oraculo manual*; in den Jahren 1651, 1653, 1657 *El Criticon*: alles Arbeiten, die dem Studium des Menschen dienten und aus sorgfältig ausgewählten Zügen ein nachahmenswertes Vorbild schaffen wollten, die aber, dem allgemeinen Gesetz zufolge, besonders zu einer Zeit, da die Ideen sich überstürzten, schon aus der Mode hätten sein müssen. Warum wurde Balthasar Gracian gegen Ende des 17. Jahrhunderts so ausgiebig übersetzt, so hoch gepriesen? Er war vorher nicht unbekannt, aber aus einem freundlichen Halbdunkel trat er nun ziemlich spät noch in den Glanz ganz großen Ruhmes. Vielleicht, weil eine vornehme und gewandte französische Übersetzung — die von Amelot de la Houssaye im Jahre 1684 — ihm etwas von seiner ursprünglichen Saftigkeit nahm,

---

253 Hamilton, Mémoires de la vie du Comte de Grammont, 1713, Kap. III.

ihm jedoch im Austausch dafür den europäischen Aspekt gab, der ihm noch fehlte. Vielleicht, weil die Gesellschaft Jesu die Streitigkeiten vergaß, die sie mit dem Verfasser gehabt hatte, und ihrerseits zu dem nachträglichen Erfolg des Werkes beitrug. Vielleicht, weil es ein zahlreiches Publikum gab, welches die neuen Tendenzen nicht befriedigten und das die allzu irdische Nahrung bitter fand: es verbleibt immer, wie Stendhal später sagte, ein Stück Spaniertum in den Herzen. Vielleicht aus irgendwelchen Gründen, die wir nicht erfassen: man kann nicht alles erklären.

Tatsächlich lassen sich von 1685 bis 1716 in Frankreich allein etwa fünfzehn Versionen des Gracian nachweisen. Deutschland ist vernarrt in den spanischen Moralisten: Thomasius stellt ihn in seiner aufsehenerregenden Inauguralvorlesung, in der er die servile Nachahmung der Franzosen verdammt, als einen Meister hin, von dessen Geist die Deutschen sich erfüllen lassen sollen, wenn sie ihre Sitten abschleifen wollen. Er zitiert ihn aufs rühmlichste am Beginn und am Schluss seiner Rede. In England, in Italien, überall steht Gracian in hohen Ehren.

Wenn man ihm glauben will, ist der ideale Mensch nicht derjenige, der sich mit einer Mischung mittelmäßiger Vorzüge zufriedengibt: mittelmäßige Tugenden können, selbst wenn sie zahlreich sind, nie etwas anderes als Mittelmäßigkeit ergeben. Ihn erfüllt ein weit höherer Ehrgeiz: er will im Großen hervorragend sein. Er ist von außergewöhnlichem Verstand, von sicherer und unbestechlicher Urteilskraft und hat einen

Feuergeist; von Leidenschaft brennend (was bedeutet der Verstand, wenn das Herz ihm nicht gewachsen ist), wird er sich über seine wesentlichste Fähigkeit klar und verlässt sich im Übrigen instinktiv auf das, was das Schicksal mit ihm vorhat, das stets die liebt, die ihm Gewalt antun. Er wählt auf jedem Gebiet die erhabensten Vorbilder, mehr noch, um sie zu übertreffen, als um es ihnen gleichzutun; denn der Idealmensch strebt danach, der erste, der einzige zu werden. Zu diesem Zweck muss er verschwiegen, geheimnisvoll sein, imstande, seine Stunde abzuwarten, ja sogar seine Absichten zu verbergen: so sehr kommt es darauf an, sich nur stufenweise zu offenbaren, die Menge immer wieder über eine so unerschöpflich erscheinende Kraft in Staunen zu versetzen. Der Held ist stoisch im Leid, stoisch gegenüber Demütigungen: die einzige wirkliche Demütigung ist für ihn diejenige, die er sich selbst vor seinem eigenen Gewissenstribunal zufügen müsste, weil er in seinen eigenen Augen versagt hätte. Der Triumph ist aber kein Endzweck; die Beherrschung der Welt ist nur ein Mittel: seine sieghafte und überlegene Persönlichkeit bringt der Held Gott dar; er weiht die moralische Herrschaft, die er sich erobert, dem Dienst der Religion. Er ist geschickt und verschmäht nicht einmal »die frommen Listen«. Er ist von naivem Stolz, kennt den eigentlichen Kern des menschlichen Herzens von Grund auf und ist dabei romantisch; er ist zugleich praktisch und hungrig nach idealer Schönheit, exaltiert, herrschsüchtig und fromm. Er liebt die Hindernisse, um ihrer Steilheit willen. Bewunderungswürdig, glänzend und voller Widersprüche: so erscheint sein Bild. Der *honnête homme*, der so vorzüglich zu den Landschaften der Ile de France mit ihren diskreten, sanften, grauen Tönen passt, erscheint neben ihm ein wenig matt: die Gestalt des *Heróe* braucht die Beleuchtung derselben Sonne, die Don Quichotte auf den Straßen Kastiliens sengte und vor ihm die Gerechtigkeit, die Güte, die Liebe flimmern ließ.

Der *Held* gefiel Europa, aber nur einen Augenblick lang. Es konnte Gracian voll Neugierde betrachten, seine Bücher lesen, Belehrung und Vergnügen darin finden;

aber es konnte ihn nicht zum Führer wählen. Es war zu spät, sein Entschluss war bereits gefasst: es würde nicht rückwärtsgehen. Wenn der *honnête homme* ihm schon nicht mehr genügte, wie hätte es den Spuren eines Helden folgen können, der so viel weniger weltlich war als jener?

Man befand sich an einem jener schwer zu erfassenden Punkte, wo der Film sich trübt, wo verschiedene Bilder ihn unklar erscheinen lassen, weil das eine zögert zu verschwinden, das andere noch nicht klar und deutlich hervortritt. Die Gestalt des Edelmannes verwischte sich allmählich, die des Bürgers nahm langsam Form und Farbe an. Man wollte von dem aristokratischen Prinzip, das bis dahin vorgeherrscht hatte, nichts mehr wissen. Ein Lebewohl dem Krieger; die Zeit ist vorbei, da man einzig und allein die Heldentaten der Feldherren und der lobeergeschmückten Sieger bewunderte, sich an Berichten berauschte von im Sturm genommenen Städten, mit Gewalt gewonnenen Schlachten und den stürmischen Angriffen, durch welche die Feinde in die Flucht geschlagen werden. Saint-Évremond macht sich über den tapferen Marschall d'Hocquincourt lustig; Fénelon lässt Idomene Télémaque lehren, dass man aufhören müsse, die kriegerischen Könige zu schätzen, und lieber statt dessen die weisen Könige lieben solle; Fontenelle spottet: »Die Mehrzahl der Kriegsleute übt ihr Handwerk mit sehr viel Mut aus; wenige darunter denken nach. Ihre Arme betätigen sich so energisch man nur wünschen mag; ihr Kopf ruht sich aus und nimmt an nichts irgendeinen Anteil.« Bayle verurteilt im Namen des gesunden Menschenverstandes »die Eitelkeit jener ehrgeizigen Krieger«, die nur an ihren Ruhm denken, »als Schwäche oder sogar als Raserei«. Als Jean Baptiste Rousseau diese Feststellungen

431

hört, folgert er: die Eroberer sind nur die Günstlinge des
Glückes, das die schlimmsten Schandtaten krönt:

> Mais de quelque superbe titre
> que tes héros soient revêtus,
> prenons la Raison pour arbitre,
> et cherchons chez eux leurs vertus.
> Je n'y trouve qu'extravagance,
> faiblesse, injustice, arrogance,
> trahisons, fureurs, cruautés;
> étrange vertu qui se forme
> souvent de l'assemblage énorme
> des vices les plus détestés . . .[254]

Selbst den Helden des Altertums sollte man nicht die
unbillige Bewunderung zollen, die man ihnen allzu lange
gewährt hat:

> Quoi! Rome, l'talie en cendre,
> me feront honorer Sylla!
> J'admirerais dans Alexandre
> ce que j'abhorre en Attila!
> J'appellerais vertu guerrière
> une vaillance meurtrière
> qui dans mon sang trempe ses mains;
> et je pourrais forcer ma bouche

---

254 Aber mit was für hochfahrenden Titeln
deine Helden auch ausgestattet sein mögen,
wollen wir die Vernunft zum Schiedsrichter nehmen,
und bei ihnen nach ihren Tugenden suchen.
Ich finde an ihnen nur Extravaganz,
Schwäche, Ungerechtigkeit, Arroganz,
Verrat, Raserei, Grausamkeit.
Eine seltsame Tugend,
die oftmals entsteht
aus der gewaltigen Häufung
der verhaßtesten Laster.

à louer un Héros farouche
né pour le malheur des humains[255]!

Ein Eroberer ist ein Mann, den die dem Menschengeschlecht grollenden Götter der Welt im Zorn gesandt haben, um die Reiche zu verwüsten, überall Entsetzen, Elend und Verzweiflung zu verbreiten und alle freien Menschen zu Sklaven zu machen. — Jene großen Eroberer, die man so ruhmreich beschreibt, gleichen jenen über ihre Ufer getretenen Flüssen, die majestätisch erscheinen, die jedoch all das fruchtbare Land verwüsten, das sie nur tränken sollten. — Von wem stammen diese Worte? — Wiederum von Fénelon, aus dem achten Buche seines *Télémaque*.

Der point d'honneur? Man hat sich allzu sehr da hinein verrannt; es ist ein Vorurteil, von dem man eilends zurückkommen muss. Der Aberglaube des point d'honneur führt zum Duell, das heißt zum äußersten Wahnsinn. Gegenüber den angeblich eleganten Lastern, welche die Adligen zur Schau zu tragen pflegten, und gegenüber der Sittenverderbnis, der Spielleidenschaft, der Gewohnheit des Fluchens waren der englische Puritanismus und die französische Vernunft einer Meinung. So tauchte denn der Edelmann mit Verwünschungen beladen ins Dunkel zurück.

Auf der Bühne erschien der Bürger, lächelnd und bereits sehr selbstzufrieden! Steele und Addison waren sei

---

255 Was! Rom, Italien in Asche
   sollen mich Sulla hochschätzen lassen!
   Ich sollte an Alexander bewundern,
   was ich an Attila verabscheue!
   Ich sollte kriegerische Tugend
   eine mörderische Tapferkeit nennen,
   die ihre Hände in mein Blut taucht;
   und ich vermöchte meinen Mund zu zwingen,
   einen grausamen Helden zu preisen.
   der zum Unglück der Sterblichen geboren wurde!

ne Paten; feine und kluge Moralisten, denen nichts weiter fehlte als ein gewisses Konzentrationsvermögen, ein wenig Schwung, ein bisschen Kühnheit; die sich jedoch darin gefielen, einen neuen Menschentyp hübsch auszumalen und diesen dann den unzähligen Lesern einprägten, die sie zunächst in England, dann in ganz Europa fanden. Und wenn es wahr ist, dass hinter jedem großen literarischen Erfolg ein soziales Motiv steckt, so war das Motiv hier das folgende: der *Tatler* und *Spectator* boten einer Zeit, die ihr Gesetz noch suchte, ein neues Idealbild vom Menschen: denn sie untersuchten den Menschen zwar ohne Zweifel auch, weil sie Vergnügen darin fanden, ihn abzuzeichnen, aber vor allem, weil sie unternommen hatten, ihn zu reformieren. Jedes Mal, wenn ein Blatt ihre Druckerpresse verließ, sich zunächst in den Londoner Kaffeehäusern verbreitete und später den Kanal passierte, richteten sie eine Botschaft an eine Gesellschaft, die eine Richtschnur für ihre Pflichten suchte und für das, was schicklich und wohlanständig war; jedes Mal trugen sie, wie der *Tatler* sagt, dazu bei, die Ehre der menschlichen Natur wiederherzustellen. Bald ironisch, bald mürrisch wiesen sie von Artikel zu Artikel Irrtümer zurück, tadelten Missbräuche und taten noch mehr, denn, nachdem sie nachgewiesen hatten, was zu vermeiden ist, zeigten sie auf, was man tun soll. Sie kannten die Alten von Grund auf und huldigten ihnen; sie hatten sich mit den französischen Moralisten befasst, mit Montaigne, Saint-Évremond, La Bruyère. Keine der neuesten Varianten der Gattung, die sie studierten, war ihnen unbekannt, weder der *honnête homme* noch der galant homme, weder der homme du bel air noch der *petit maître* noch der *bel esprit*, aber sie wussten auch, dass unser Herz zugleich unwandelbar und wechselnd ist, dass man sich stets von neuem die Mühe machen muss, es zu modeln, und sie machten sich an die Arbeit: nach Castiglione[256] und Benincasa[257] waren Nicolas Faret[258] und der Chevalier de Méré[259] an der Reihe gewesen; nach diesen Romanen waren es jetzt zwei Engländer.

Ein Rechtsgelehrter, der Kaufmann Freeport, der Hauptmann Sentry, der Weltmann Honeycomb und ein Geistlicher: das ist die kleine Gesellschaft, mit der Mr. Spectator sich umgibt. Sie umfasst im Grunde nur Bürgerliche mit Ausnahme des Baronets Sir Roger de Coverley; aber Sir Roger ist so einfach, so voll von gesundem Menschenverstand, ist den Manieren der Adligen, seiner Brüder, so abhold und zudem so zum Widerspruch geneigt und paradox, so zart und wohltuend, dass er in gar nichts jenen Taugenichtsen von Edelleuten gleicht, welche die Literatur der voraufgegangenen Zeit hatte ins Kraut schießen sehen. Mr. Spectator selbst ist der einfachste der Menschen. Sein ganzes Vermögen besteht in einem kleinen Landgut, das sich seit sechshundert Jahren nicht verändert hat. Er weiß vieles, aber er legt keinen Wert darauf, sein Wissen auszubreiten. Er hat die Welt bereist, aber er bildet sich darauf weiter nichts ein.

---

256 Baldassare Castiglione (1478 — 1529), Verfasser des berühmten »Libro del Cortigiano« vgl. S. 371), Historiograph Ludwigs XIII. Raphael malte sein Porträt, das im Louvre hängt. Anm. d. Übers.

257 Alexander Benincasa (1649 — 1694), italienischer Dichter und Jurist. Anm. d. Übers.

258 Nicolas Faret (1596 — 1646), französischer Schriftsteller und Moralist, half die Académie française gründen und redigierte ihre Statuten. Verfasser von »Des vertus nécessaires à un prince pour bien gouverner ses sujets« (1623) und von: »L'Honnête Homme ou l'Art de plaire à la Cour«, das großen Erfolg hatte. Anm. d. Übers.

259 Antoine Gombaud, chevalier de Méré (1610 — 1684), macht als Malteserritter einige Seeschlachten mit und wird seit seiner Niederlassung in Paris 1645 zum Arbiter des guten Tones. Saint-Beuve wählt ihn als Beispiel des honnête homme, wie das 17. Jahrhundert ihn sich vorstellte. Anm. d. Übers.

Ernsthaft, schweigsam, ein Freund der Einsamkeit, hat er wenig intime Bekannte, verkehrt nicht mit seinen Verwandten und gibt sich niemandem gegenüber eine Blöße, nicht einmal gegenüber seiner Wirtin. Die Leute, die ihn bei der Erforschung der Sitten seiner Zeitgenossen ständig in den Theatern, Cafés und an den sonstigen öffentlichen Treffpunkten erblicken, halten ihn teils für einen Jesuiten, teils für einen Spion, teils für einen Verschwörer, teils für einen Besessenen. »Was mich über all diese kleinen Missgeschicke hinwegtröstet, ist die angenehme Befriedigung, die wahre Natur des Menschen heiteren und ruhigen Auges, ohne jedes Vorurteil betrachten zu können. Da ich von den Leidenschaften und Interessen frei bin, die sie beherrschen, kann ich ihre Gaben und Laster schärfer erkennen.« Durch seine Einfachheit, seine ausgeglichene Weisheit bietet Mr. Spectator, noch ehe er den Mund aufgemacht hat, das Beispiel eines schönen und glücklichen Lebens.

Er sagt uns, der Adel sei im Begriff, sich zugrunde zu richten; einmal durch seinen falsch verstandenen Ehrenstandpunkt, da er sich darauf versteife, sich zu duellieren, und dann durch einen Irrtum hinsichtlich des Wortes Recht, da er mit berufsmäßigen Spielern jeue und sein Vermögen zwischen ihren Fingern verpulvere. Er macht sich über die lustig, die ihren ganzen Stolz auf leere Titel setzen, welche der Zufall der Geburt verleiht und die nicht von uns abhängen. Er predigt Höflichkeit und Verfeinerung der Sitten, tadelt die Leute, die Lärm im Theater machen, und die Frauen, die trinken und schnupfen; aber er weist gleichzeitig darauf hin, dass die äußerliche Höflichkeit nicht alles im Leben bedeutet. Einem verschwommenen Charakter zieht er eine betonte Individualität vor: Komplimente, Ziererei, affektierte Manieren erregen ihm Übelkeit; jeder gilt durch das Ursprüngliche seines Wesens, nicht durch das Erkünstelte. Man glaubt zu Unrecht, die höchste Tugend des Mannes und gleichsam die einzige, sei die Tapferkeit, und die der Frauen die Keuschheit; das ist ein Vorurteil, das sich durch das Bestreben, dem anderen Geschlecht zu gefallen, erklärt, da die Frauen bei den Männern den Mut über alles schätzen und die Männer treulose Frauen verabscheuen. Als ob Moralität, freundliches Wesen nicht ebenso achtenswerte Tugenden wären wie jene sogenannten sozialen Vorzüge, die man hoch zu schätzen gewohnt ist! Ebenso muss das Nützliche dem Angenehmen vorangehen: kokette Frauen, die an nichts anderes denken als zu glänzen, Müßiggänger, die nur gefallen wollen, Schöngeister, die alle Dinge überspitzen und darüber gleichgültig gegen Gut und Böse werden; sie alle sind höchst unheilvoll. Die Scherze, bon mots, der pikante Spott, welche die Gesellschaft so liebt, sind oft schiere Bosheit. Und was ist im Grunde das mondäne Leben selbst wert? Ist es die Aufgabe des Mannes, sich bei Empfängen, auf Gesellschaften aufzuspielen? Findet er dort das wahre Glück? Das Glück hasst den Prunk und den Lärm und liebt die Zurückgezogenheit; es entspringt dem Genuss seiner selbst oder der Freundschaft einer kleinen Zahl auserwählter Personen; es schätzt die Verborgenheit und Einsamkeit und sucht häufig die Wälder und Quellen, die Felder und Wiesen auf: denn es findet in sich selbst alles, dessen es bedarf, und braucht keine Zeugen und Zuschauer. Das eingebildete Glück dagegen lenkt gern die Blicke auf sich; es sucht Bewunderung zu erregen, lebt in Palästen, Theatern und Salons und stirbt, sobald es die Augen nicht mehr auf sich spürt. Was das Glück anbelangt, so dürfen wir nicht zu viel verlangen! Das Streben danach ist dem Menschengeschlecht weniger notwendig und nützlich als die Kunst, sich zu trösten und inmitten von Kümmernissen unerschütterlich zu bleiben. Zufriedenheit der Seele ist alles, was wir hienieden erwarten können: Sobald unser Ehrgeiz das Haupt erhebt, stößt er auf nichts als Widrigkeiten und Leiden. Verwenden wir all unser Sinnen und Trachten darauf, Seelenruhe hier auf Erden und Glück im Jenseits zu erringen. — Wir sehen, dass Mr. Spectator einige bekannte Variationen über antike Themen wieder aufnimmt; aber wir sehen auch, dass er, wenn er auch noch so klassisch bleibt, sich vom Typus des honnête homme ganz offenbar entfernt und dass er bei seinem Versuch, einen höheren Kulturzustand zu schaffen, von der Aristokratie zum Bürgertum, vom Äußeren zum Innerlichen, von der gesellschaftlichen Vergnügung zum gesellschaftlichen Nutzen, von der Kunst zur Moral übergeht.

Der Kaufmann, äußert der *Tatler*, kann sich mit mehr Recht *gentleman* nennen als der Hofmann, der nur mit Worten bezahlt, als der Gelehrte, der sich über den Unwissenden lustig macht. Der *Spectator* denkt genauso. Dem Kaufmann schuldet man alle Hochachtung. Er verleiht nicht nur England Macht, Reichtum und Ehre, hat nicht nur die Bank von England, diese Kirche der Neuzeit, zu ihrem vollen Ansehen erhoben; er begründet durch seinen Handel auch die Zusammenarbeit aller Länder und lässt sie zum universellen Wohlbefinden beitragen: er ist der Freund der Menschheit. Der Held begnügt sich mit einem unbestimmten Renommée: der Kaufmann bedarf eines zarteren, empfindlicheren und gleichsam subtileren Rufes, welcher »Kredit« heißt. Ein einfaches Wort, eine Anspielung, ein umlaufendes falsches Gerücht verletzt den Kredit und ruiniert den Kaufmann: ein Edelmann sagte eines Tages, er spreche ziemlich frei von anderen Edelleuten, ohne sich allzu viel Skrupel zu machen, aber er hüte sich wohl, schlecht von den Kaufleuten zu sprechen, denn das hieße, sie verurteilen oder, besser gesagt, hinrichten, ohne sie gehört zu haben. So macht sich stolz eine neue Ehre breit: die Kaufmannsehre.

Auf dem Theater sind die Züge, wie man weiß, betonter: die Autoren müssen sie für die Fernwirkung ein wenig übertreiben. Steele begnügte sich nicht damit, den Gegensatz zwischen Edelmann und Kaufmann in öffentlichen Blättern zu beschreiben; er brachte ihn auf die Bühne. Das geschah in einem seiner besten Stücke, *The Conscious Lovers*. Sir John Bevil, der Adlige, ist im Begriff, seine Tochter an den Sohn eines Mr. Sea- land zu verheiraten, eines reichen Kaufmannes, der im Indienhandel ein Vermögen erworben hat. Sie treten sich gegenüber: der Kaufmann macht sich über den Edelmann lustig. Er, Sealand, habe eine glänzende Genealogie gehabt: Galfred, Vater von Eduard, Vater von Ptolomäus, Vater von Crassus, Vater von Graf Richard, Vater von Marquis Heinrich, Vater von Herzog Johann: alles ganz ausgezeichnete Kampfhähne!

Für den Fall, dass Sir John Bevil noch nicht genügend belehrt sein sollte, nimmt Mr. Sealand es auf sich, ihn über das Wesen der Entwicklung aufzuklären, die sich in England vollzogen hat:

Gestatten Sie mir, Sie darauf hinzuweisen, dass wir Kaufleute eine Art Adel sind, der im letzten Jahrhundert in der Welt hochgekommen ist. Wir sind ebenso nützlich wie ihr Grundbesitzer, die ihr euch immer für uns so sehr überlegen gehalten habt Denn eure Geschäfte erstrecken sich in Wahrheit nicht weiter als auf ein Fuder Heu und einen fetten Ochsen. Kuriose Leute seid ihr, fürwahr, zu nichts als Faulenzern erzogen.

Und wenn man es noch anspruchsvoller ausgedrückt haben will:

Es trifft durchaus zu, dass ein vollkommener Kaufmann der beste Edelmann ist, den es in unserer Nation gibt, weil der Kaufmann nämlich, was die guten Manieren und das Urteilsvermögen betrifft, den Sieg über manchen Edelmann davongetragen hat.

Alles in allem hat sich eine Revolution vollzogen, welche die Literatur — hier zugleich Ursache und Wirkung — aufzeichnet und propagiert:

Es ist das Schicksal einer guten Anzahl von Edelleuten, die Erbschaft ihrer Väter gezwungenermaßen neuen Herren abtreten zu müssen, die bei ihrer Rechnungsführung vorsichtiger waren als sie; und es besteht kein Zweifel, dass derjenige, der einen Besitz durch seinen Fleiß errungen hat, viel mehr verdient, ihn sein zu nennen, als derjenige, der ihn durch seine Nachlässigkeit verloren hat...[260]

Der so entstehende englische Typus macht auf ganz Europa den stärksten Eindruck. Die Zeitschriften, Reiseberichte, Theater, Romane machen ihn gemeinverständlich, und die modischen Menschen versuchen ihn nachzuahmen: das einfache Äußere, die schmucklose Aufmachung; Tuch und keine Seide mehr; kein Degen mehr, sondern ein Stock. Auch eine seelische Einfachheit gehört dazu: ein offener Charakter, der den Hass gegen die Lüge bis an die Grenze der Grobheit steigert; gesunder Menschenverstand; Interesse für praktische Fragen: muss man sich, fragt Mr. Spectator, immer nur um schöne Literatur und die schönen Künste kümmern? Die Aufmerksamkeit soll ebenso sehr oder mehr auf die Arbeit gerichtet sein, auf das Geschäft, den Handel, die Sparsamkeit, die mechanischen Fertigkeiten, die für die Vervollkommnung des Lebens wichtig sind. Als Pierre Coste im Jahre 1695 John Lockes Buch, *Some Thoughts*

---

260 Spectator, Nr 174.

concerning Education überträgt, setzt er seinen Lesern auseinander, in Wahrheit habe der Verfasser für die jungen gentlemen geschrieben; die Franzosen sollten sich jedoch über den Sinn dieses Wortes *gentleman* nicht täuschen: es bezeichnet nicht den Adligen, sondern die Klasse, die unmittelbar nach dem Baron komme, und also Personen, die man in Frankreich Leute aus gutem Haus, gute Bürger nenne. »Woraus man leicht folgern kann, dass diese Abhandlung über die Erziehung, da sie recht eigentlich für die *gentlemen* in dem Sinne, wie man dies Wort in England versteht, gemacht ist, für einen recht allgemeinen Gebrauch bestimmt sein muss.« Durch die Stimme von Pierre Coste schlägt das englische Bürgertum dem europäischen vor, sich nach seinem Vorbild zu formen.

Aber eine einzige Nation wird fortan nicht mehr das Vorrecht haben, allein einen Universaltypus zu schaffen. Dieser wird denn auch in Zukunft komplizierter und weniger klar im Umriss sein. Niemals mehr wird ein Vorbild die Einfachheit der Linien aufweisen, welche die klassische Kunst ihrer konkreten Spiegelung in der Welt verliehen hatte. Frankreich sucht seinerseits. Es braucht, so ist nun einmal sein Temperament, sein Wille, einen Führer, der es der Vernunft, der geistigen Freiheit entgegenführt. Und es schlägt daher schließlich das Idealbild vor, das die intellektuelle Mode im 18. Jahrhundert entschieden zu dem ihren machen sollte: eine Kreuzung von Engländer und Franzosen, einen abstrakten Denker, der zugleich ein Beherrscher des Lebens ist: den Philosophen.

In welcher Gestalt erscheint er uns zur Zeit seiner Herausarbeitung und Entstehung? Unter *Philosoph* heißt es im Diktionär der Akademie im Jahre 1694: »Derjenige, der sich dem Studium der Wissenschaften widmet und deren Wirkungen nach ihren Ursachen und Ursprüngen zu erkennen sucht . . . Man nennt einen Philosophen einen weisen Mann, der ein ruhiges und zurückgezogenes Leben, fern der Last der Geschäfte führt . . . Man gebraucht das Wort zuweilen durchaus von einem Mann, der sich aus Freigeisterei außerhalb der Pflichten und gewöhnlichen Bindungen des bürgerlichen Lebens glaubt.«

Um jene Zeit schieben sich alle diese verschiedenartigen Züge übereinander. Zunächst einmal ist der Philosoph nicht mehr jener Pedant, der einzig und allein auf Aristoteles und Plato schwört, nicht mehr der Fachmann, Spezialist, Professor: man kann sich nie mit Metaphysik befasst haben und doch ein Philosoph sein. — Ferner ist es ein Gelehrter, der sich seiner Urteilskraft bedient, nicht seines Gedächtnisses: er studiert vielleicht Astronomie, spricht über die Vielheit der Welten und setzt auseinander, zum mindesten auf welche Weise, wenn auch nicht warum sich die Erde von nun ab um die Sonne dreht. — Er ist weise, wird sich unter anderem ein recht angenehmes Leben einrichten, umgeben von Freunden und Freundinnen, und wird keinen anderen Posten erstreben als etwa den eines Aufsehers über die Enten von St. James. Die Sinnenlust wird in sein Programm gehören, ohne darin zu viel Platz einzunehmen: eine vernünftige Sinnenlust. —

Er ist Freidenker, das ist das Wesentliche.

Er urteilt über alle Dinge mit völliger Freiheit und, wie später Madame de Lambert[261] sagte, er gibt der Vernunft ihre Würde wieder. In einem allerdings täuschen sich die Herren von der Akademie entweder, oder sie sehen doch die Zukunft sehr schlecht voraus, nämlich wenn sie behaupten, der Philosoph glaube sich außerhalb der Pflich-

---

261 Anne Thérèse de Marguenat de Courcelles, Marquise de Lambert (1647 bis 1733), hatte einen literarischen Salon und schrieb Handbücher über mondäne Moral, unter anderem: »Avis d'une mère à sa fille et son fils.« Anm. d. Übers.

ten und Bindungen des bürgerlichen Lebens. Er möchte sie im Gegenteil reformieren: keine Philosophie ohne einen Tropfen Bekehrungseifer. Schließlich wird er ein leidenschaftliches Herz haben, aber später erst; man muss noch ein halbes Jahrhundert warten, bis er warm wird und ganz Feuer und Flamme ist.

Von Anbeginn ist der Philosoph ein Feind der geoffenbarten Religionen. Wenn es fortan heißt, dass in China die Ratgeber und Günstlinge des Kaisers alle Philosophen sind, so ist darunter zu verstehen, dass sie wie ihr Meister Konfuzius weltliche Weise sind. Wenn man einen Philosophen von Moral und Bildung sprechen hört, kann man sicher sein, dass seine Moral nicht religiös ist und seine Bildung nichts Heiliges an sich hat: im Gegenteil. Wenn gesagt wird, dass ein Mensch als Philosoph gelebt hat und gestorben ist, so heißt das, dass dieser Mann im Unglauben gestorben ist. Die Verteidiger der Überlieferung täuschen sich denn auch nicht darüber: Im Jahre 1696 verfasst Pater Lejay für das Theater seines Kollegs ein Stück, das *Damocles, sive philosophus regnans* heißt: wenn ihr unvorsichtig genug seid, die Macht einem Philosophen anzuvertrauen, so wird er nicht lange dazu brauchen, die Welt auf den Kopf zu stellen.

Eine Philosophie, die auf Metaphysik verzichtet und sich willentlich auf das beschränkt, was sie in der menschlichen Seele an Unmittelbarem erfassen kann; die Vorstellung von einer Natur, der man noch ab streitet, dass sie vollkommen gut ist, die jedoch mächtig und geordnet ist und mit der Vernunft in Einklang gebracht werden kann: folglich eine Naturreligion, ein Naturrecht, eine natürliche Freiheit, eine natürliche Gleichheit; eine Moral, die sich in mehrere Moralanschauungen aufspaltet, und der Rückgriff auf den sozialen Nutzen, um eine

Moral der anderen vorziehen zu können; ein Recht auf Glück, auf ein Glück auf Erden; der Frontalangriff gegen die Feinde, welche die Menschen verhindern, hier auf Erden glücklich zu sein, gegen den Absolutismus, den Aberglauben, den Krieg; eine Wissenschaft, die den unbegrenzten Fortschritt des Menschen und demzufolge seine Glückseligkeit auf Erden gewährleistet; die Philosophie als Führerin im Leben: das sind, scheint es, die Veränderungen, die vor unseren Augen vor sich gegangen sind; das sind die Ideen und Willensrichtungen, die schon vor Abschluss des 17. Jahrhunderts ihrer selbst bewusst geworden sind und sich vereinigt haben, um gemeinsam die Doktrin vom Relativen und Menschlichen zu bilden. Alles ist bereit: Voltaire kann kommen.

EINBILDUNGSKRAFT UND
EMPFINDUNG

EIN ZEITALTER OHNE POESIE

Die rationalistische Strömung kann man bis zur *Encyclopédie*, bis zum *Essai sur les mœurs*, bis zur Klärung der Menschenrechte, bis in unsere Tage verfolgen.

Woher aber stammen Richardson, Jean Jacques Rousseau, der Sturm und Drang? Es muss verborgene Quellen gegeben haben, die später zu diesen Strömen der Leidenschaft anwuchsen. Wir haben uns bisher den Anschein gegeben, als ob wir auf dem Welttheater nur die Rationalisten bemerkten: und tatsächlich stehen sie in dieser Zeit ganz vorn auf der Bühne, spielen die Hauptrollen, gebärden sich herausfordernd und laut. Aber in Wahrheit sind sie nicht allein, und es ist höchste Zeit, die anderen zu betrachten. Nur müssen wir uns klar sein, dass die Untersuchung schwieriger sein wird, dass das, was wir sehen werden, uns zunächst enttäuschen wird und dass unsere ersten Resultate negativ sein werden.

Wir sind versucht, unser Augenmerk auf die Poesie zu richten. Sie müssten jenen Werten der Einbildungskraft und Empfindung Raum geben, die wir zu finden hoffen.

Aber jene Zeit gehört der Prosa. Gibt es eine reichere, geformtem und in jeder Beziehung bewundernswürdigere Prosa als die von Swift? Eine geschmeidigere als die von Saint-Évremond? Eine feinsinnigere als die von Fontenelle? Eine leidenschaftlichere als die von Bayle? Dieser Dialektiker, dieser Logiker, dieser Mann, der — wie Leibniz sagt — nur Zuspitzungen und Überspitzungen liebt, bleibt niemals kalt. Er entrüstet sich, gerät in Zorn; seine Worte glühen noch von dem Feuer, das sie eingegeben hat. Wenn die gebräuchlichen Worte ihm nicht genügen, schafft er neue. Seine Sätze fassen und pressen die Ideen, bis sie ihren ganzen Gehalt hergegeben haben. Niemand gleicht ihm, und man würde seinen Stil wiedererkennen, auch wenn sein Name nicht dastände.

Sie alle miteinander, Engländer wie Franzosen, haben der Prosa eine neue Wirkungskraft verliehen; sie haben sie mit Ideen beladen, sie kämpferisch und aggressiv gemacht. Sie haben in ihre Essays, ihre Briefe, ihre Dialoge zwischen Lebenden und Toten, ihre Fantasiereisen, die ganze Moral, die ganze Religion, die ganze Philosophie hineingegossen.

Dichter waren sie nicht. Ihre Ohren blieben der Gewalt, der Süße des Wortes verschlossen, und ihre Seele hatte den Sinn für das Mysterium verloren. Sie überschütteten die ganze Wirklichkeit mit einem gnadenlosen Licht, und sie wollten selbst in ihren Ergüssen noch geordnet und klar sein. Die Poesie ist ein Gebet, und sie beteten nicht; sie ist ein Versuch, das Unaussprechliche auszudrücken, und sie leugneten das Unaussprechliche; sie ist ein Schwanken zwischen Musik und Sinn, und sie schwankten nie. Sie wollten nichts als Beweisführung und Theorie sein; wenn sie Verse machten, so geschah es, um ihren geometrischen Geist hineinzugießen.[262]

So starb denn die Poesie oder schien zum mindesten zu sterben. Sie war so durchsetzt mit Verstand, so me-

262 Limajon de Saint-Didier, Le Voyage au Parnasse, 1716, S. 258.
»Man vernahm plötzlich einen großen Lärm; hundert Dichter erho-

chanisch und dürr, dass sie ihre Daseinsberechtigung verlor. Es gab zu jener Zeit eine Menge Verseschmiede, aber nach dem Tod La Fontaines gab es keinen einzigen Dichter mehr in Frankreich, und unter der wunderbaren Flora der klassischen Schule in England fehlten die wahren Dichter am meisten.

Und dann hatte der schöpferische Genius noch einen Feind: man bewunderte die Meisterwerke zu sehr, welche die vorhergehende Generation in reicher Fülle ausgeschüttet hatte. Corneille, Racine, Molière hatten zu viele Freunde, zu viele Schüler. Man meinte, diese Großen verdienten immerdar nachgeahmt zu werden. Man glaubte, sie hätten nach Rezepten, nach Geheimnissen des künstlerischen Schaffens gearbeitet, und man brauche nur diese Rezepte, diese Geheimnisse wieder aufzufinden, um Werke von gleicher unsterblicher Schönheit zu schaffen wie sie.

Die kühnen Geister, die sich rühmten, keinerlei Respekt zu kennen, alle Vorurteile und jeden Aberglauben zu hassen, wurden, sobald es sich um Literatur handelte, zu Herdenmenschen, verneigten sich vor den Idolen und wagten nicht, an das Gesetz der Trennung der Gattung oder an das der drei Einheiten zu rühren. Sie weigerten sich, an Dämonen und Engel zu glauben, aber sie glaubten an Pindar, Anakreon und Theokrit, so wie sie selbst sie interpretierten. Sie glaubten sogar an Aristoteles, nicht an den Philosophen, wohl aber an den Verfasser der Poetik und hielten ihn als solchen für einen Halbgott.

---

ben alle zugleich ihre Stimme und baten Apollon, ihre Oden anzuhören. »Mächtiger Gott«, schrie der eine, »ich habe eine über die Bewegung der Erde gemacht.« »Ich«, rief der andere aus, »habe eine über die Algebra verfasst . . .« Was England betrifft, siehe George Ascoli, La Grande Bretagne devant l'opinion française au XVII. siècle. 1930, Band II, S. 119.

Für Racine war Griechenland eine erschütternde poetische Wirklichkeit; Phädra hätte weniger gelitten, wenn sie nicht ein Kind der Götter gewesen wäre:

> J'ai pour ayeul le Père et le Maître des Dieux.
> Le Ciel, tout l'Univers est plein de mes Ayeux.
> Où me cacher? Fuyons dans la Nuit infernale.
> Mais que dis-je? Mon père y tient l'urne fatale.
> Le Sort, dit-on, l'a mise en ses sévères mains.
> Minos juge aux Enfers tous les pâles humains.
> Ah, combien frémira son ombre épouvantée,
> lorsqu'il verra sa fille à ses yeux présentée,
> contrainte d'avouer mille forfaits divers
> et des crimes peut-être inconnus aux Enfers?
> Que diras-tu, mon Père, à ce spectacle horrible . . .[263]?

Aber durch eben diesen Erfolg auch zugleich verraten und missverstanden, war Griechenland bald nicht mehr Griechenland. Es verlor seine Ursprünglichkeit, seine Frische, sein Leben; es begann jenen Friedhöfen zu gleichen, die von Statuen bevölkert sind; seine Meisterwerke wurden trotz ihrer Ursprünglichkeit nur mehr zu einem Repertoire von Kunstkniffen. Man verpflanzte Griechenland in die Gegenwart; anstatt zu versuchen, Ulysses und Ajax zu verstehen, erklärte man, sie seien schön, weil sie schon Perücken und Zierdegen getragen hätten.

---

263 Mein Ahnherr ist der Vater und der Höchste der Götter.
Der Himmel, das ganze Universum ist voll von meinen Ahnen.
Wo soll ich mich verbergen?
Wir wollen in die Nacht der Hölle entfliehen.
Aber was sage ich? Mein Vater hält dort die schicksalsvolle Urne.
Das Geschick, sagt man, legte sie in seine gestrengen Hände.
Minos sitzt in der Hölle über alle blassen Sterblichen zu Gericht.
Ach, wie wird sein entsetzter Schatten erbeben,
wenn seine Tochter ihm vor Augen tritt,
gezwungen, tausend Missetaten zu gestehen
und Verbrechen, die vielleicht in der Hölle unbekannt sind?
Was, o mein Vater, wirst du bei diesem grässlichen Anblick sagen? . . .

Als um 1715 die Parteigänger der »Alten«, um die »Modernen« aus dem Felde zu schlagen, die Apotheose Homers veranstalteten; als Pope seine Übersetzung der Ilias veröffentlichte, deren Vorwort ins Französische und Deutsche übertragen wurde, was sahen damals, genaugenommen, seine Zeitgenossen in dem griechischen Heldengedicht? Homer, erklärt der erfolgreiche Übersetzer, ist allen anderen durch seine Einbildungskraft überlegen, denn diese ist das Merkmal des Genies, da sie der Dienerin der Natur, der Kunst, die Reichtümer liefert, die diese nur zu ordnen braucht. Homer hat, dank dieser Fähigkeit, jene Geschichten erfinden können, die Aristoteles die Seele der epischen Poesie nennt und die in drei Kategorien zerfallen: die wahrscheinlichen; die allegorischen, die dem Dichter erlaubten, die Geheimnisse der Weisheit und des Wissens verschleiert zum Ausdruck zu bringen; die wunderbaren, die das Übernatürliche und die »Maschinerie[264]« der Götter mit umfasst: »Homer scheint als erster die Götter zu einer Maschinerie für die Dichtung gemacht zu haben, was die Bedeutung und Würde gerade dieser Dichtung ausmacht . . .« Diese Erfindung hat, so brauchbar für Reden, Beschreibungen, Bilder, Vergleiche, für den Prosastil wie für die Verdichtung sie sich auch erweisen mag, einige Schattenseiten: das Übernatürliche darin ist nicht mehr wahrscheinlich; ihre Metaphern sind übertrieben, und ihre Wiederholungen ermüden . . .

Beim Lesen dieser Worte hält die leidenschaftliche Madame Dacier[265] nicht mehr an sich. Was behauptet dieser Herr Pope, dieser Engländer, der Homer übersetzt

---

264 Vgl. S. 438.

265 Madame Dacier (Anne Tanneguy-Lefèvre), geb. 1654 Saumur, gest. 1720 Paris. Sie trieb klassische Studien, übersetzte die Ilias und die Odyssee und anderes. Verheiratet mit André Dacier. Anm. d. Übers.

hat und ihn nicht versteht? Nach ihm ist also die Ilias »eine wirre Häufung von Schönheiten, die weder Ordnung noch Symmetrie haben, ein Feld, in dem man nur Samen findet, aber nichts Vollkommenes oder Geformtes und ein Werk, das mit viel überflüssigen Dingen beladen ist, die man beseitigen müsste, da sie diejenigen, die wert sind, erhalten zu werden, ersticken oder entstellen! Selbst die Feinde Homers haben nie Schimpflicheres und Ungerechteres über diesen Dichter gesagt. Weit davon entfernt, ein unkultivierter Garten zu sein, ist die Ilias vielmehr der regelmäßigste, symmetrischste Garten, den es je gegeben hat. Herr Le Nostre, auf der ganzen Welt der hervorragendste Meister in seiner Kunst, hat in seinen Gärten nie eine vollkommenere und bewundernswürdigere Symmetrie beobachtet als die, welche Homer in seiner Dichtung einhält . . .«

An diesem Punkt ist die Verschiebung vollzogen, die Dinge haben ihren Platz gefunden: Ithaka ist Versailles geworden.

Wie misshandelte man die Poesie! Man verstand sie nicht mehr, begriff sie nicht mehr; man fühlte keinen göttlichen Atem mehr durch die Herzen gehen. Man machte die Dichtung zu nichts als einer Form der Beredsamkeit, ihrer Todfeindin. Anstatt die Tiefen der Seele zu suchen, bewegte sie sich, in einem ihrer wahren Natur widersprechenden Bestreben, dem Äußeren zu, wollte argumentieren, beweisen, entscheiden. Die Einbildungskraft hielt man für eine zweitklassige Gabe; die Bilder wurden sorgfältig etikettiert und waren nur noch äußeres Schmuckwerk. Die Verse wurden eintönig und dumpf und bedeuteten nichts mehr als überwundene Schwierigkeiten: ihr ganzer Wert bestand nur noch darin. Wie

Valincourt[266] im Jahre 1717 in seiner Antwort auf die Antrittsrede von Monsieur de Fleury[267] in der *Académie française* sagte: die Musen bewohnten nicht mehr den Parnaß, sie waren keine Göttinnen mehr; sie waren nur noch die verschiedenen Mittel, deren die Vernunft sich immer bedient hatte, um sich dem Geist der Menschen zu insinuieren.

Wenn man sich klarmachen will, bis zu welchem Grade von Verirrung man damals gelangen konnte, so muss man nachlesen, was Fontenelle über das Wesen des Hirtengedichtes und Houdar de La Motte über die Ode schreibt. Und der letztere war wenigstens noch logischer, da er unerschrocken die Konsequenzen aus seinem Prinzip zog: die Verse sind unbequem, schreiben wir also in Prosa. Die Prosa ist fähig, alles auszudrücken, was Verse sagen, und dabei ist sie präziser, klarer, kürzer; sie bereitet dem Geist keinerlei Foltern mit all solchen Geschichten wie Reim und Rhythmus. Entschließen wir uns, schenken wir dem Publikum Oden, die nicht in Versen geschrieben sind ... Er war nicht etwa im Begriff, die freien Rhythmen zu erfinden, zu begreifen, dass die Inspiration sich in jedem Fall nach Gefallen ihre eigene Form schaffen darf. Im Gegenteil: er verneinte ganz einfach jede Harmonie.

Wenn jemals die Poesie im Laufe ihrer Geschichte durch die Beredsamkeit bedroht war, so hat fürwahr die letztere nie grausamer triumphiert als an dem Tage, da

---

266 Jean Baptiste Henri du Trousset de Valincourt wurde 1699 Mitglied der Académie française, 1712 Mitglied der Académie des Sciences. Historiograph des Königs, zusammen mit Boileau. Werke: »Vie de François de Lorraine«, »Lettres de la Princesse de Cleve«. Anm. d. Übers.

267 Fleury, André Hercule (1653 — 1743), Kardinal und französischer Staatsmann. Anm. d. Übers.

Houdar de la Motte die Ode schrieb, die er *La libre élo-quence*, die freie Beredsamkeit, nannte: mögen Reim und Rhythmus verschwinden!

Du wunderlicher und herrschsüchtiger Reim, du tyranni-sches Maß, werden meine Gedanken immerdar eure Sklaven sein! Bis wann werdet ihr die Herrschaft über sie beanspru-chen, die doch der Vernunft zusteht? Sobald die Zahl und das Steigen und Fallen des Verses es verlangen, muss man euch die Richtigkeit, Präzision und Klarheit zum Opfer darbrin-gen. Und wenn ich mich darauf versteife, sie euch zum Trotz zu bewahren, mit welchen Folterqualen rächt ihr euch denn dafür, dass ich euch Widerstand leiste! ... Du allein, freie und unabhängige Beredsamkeit, du allein vermagst mich von einer Sklaverei zu befreien, welche die Vernunft so sehr beleidigt.

Derselbe Houdar de la Motte schrieb, nachdem er die Ilias umgemodelt hatte, bis sie nur noch zwölf Gesänge umfasste, eine Ode, in der er den Rhapsoden auftreten und ihn zu seiner schönen Arbeit beglückwünschen ließ. Er übertrug Szenen von Racine in Prosa und rieb sich da-nach befriedigt die Hände ... Seine Freunde und seines-gleichen hofften, später würde alle Welt begreifen, dass es einzig und allein auf die Darlegung der Tatsachen an-komme; hofften, man würde dann auf die Fantasiegebilde verzichten, um nur noch die Wahrheit zum Ausdruck zu bringen, man würde darauf verzichten, die Sprache ein-zuengen, um dem Ohr zu schmeicheln, und die Dich-ter würden zu Philosophen werden: es gibt keine bessere Form, sie zu verwenden.[268] »Je vollkommener die Ver-nunft werden wird, umso mehr wird die Urteilskraft der Einbildungskraft vorgezogen werden, und umso geringer werden dementsprechend die Dichter geschätzt werden. Die ersten Schriftsteller, so sagt man, sind Dichter gewe-

---

268 Fontenelle, Sur la poésie en générale. (Œuvres diverses, VIII, 1751.)

sen. Das will ich wohl glauben; sie konnten nichts anderes sein. Die letzten werden Philosophen sein.[269]«

Bis zu diesem noch fernliegenden Tage galt es, einer überflüssigen, unbelehrbaren und trügerischen Sippschaft zu misstrauen. Nach der Definition von Jean Le Clerc ist ein Dichter ein Mensch, der den Gegenstand, den er behandelt, ganz oder teilweise erfindet; der seine Ideen nach einem bestimmten System ordnet, das geeignet ist, die Leser zu überraschen und ihre Aufmerksamkeit zu gewinnen; und der sich in einer von der landläufigen abweichenden Art ausdrückt, nicht nur, was den Rhythmus, sondern auch, was den Vortrag betrifft. »Wenn man sich an die Lektüre eines Gedichtes macht, so muss man sich klar sein, dass es sich um die Arbeit eines Lügners handelt, der uns Hirngespinste erzählen will, oder doch zum mindesten Wahrheiten, die so verdreht worden sind, dass es schwer ist, das Wahre vom Falschen zu unterscheiden. Man muss gleichfalls im Gedächtnis behalten, dass die großartigen Ausdrücke, deren er sich bedient, meistens nur den Zweck haben, unseren Verstand zu überrumpeln, und dass der Rhythmus, den er anwendet, nur unserem Ohr schmeicheln soll, damit wir seinen Gegenstand bewundern und eine hohe Ansicht von ihm selbst gewinnen. Diese Überlegungen werden als ein Gegengift bei dieser Art Lektüre dienen, die für diejenigen, die gradlinig und richtig zu denken verstehen, von einigem Nutzen sein kann, die aber geeignet ist, diejenigen zu verwirren, deren Verstand nicht allzu stark ist, zumal wenn sie ihnen zu sehr gefällt.[270]« Woher diese Feindschaft bei einem der bekanntesten Rationalisten? — Aus der fest verankerten Überzeugung: Dichtung ist Lüge.

---

269 Abbé Thublet, Essais sur diverses sujets de littérature et de morale, 1735.
270 Jean Le Clerc, Parrhasiana, 1699, Anfang.

Alles in allem war das durchaus, was die Mehrzahl seiner Zeitgenossen unbewusst empfanden. Ihnen kam es darauf an, die Oden Pindars nachzuahmen und die *Ode sur la prise de Namur,* deren Beispiel besonders verhängnisvoll wirkte. »Ich habe immer angenommen«, schreibt Jean Baptiste Rousseau, der als der größte lyrische Dichter der Epoche galt, »dass der sicherste Weg, das Erhabene zu erreichen, die Nachahmung der erlauchten Schriftsteller sei, die vor uns gelebt haben.« So besteht das Erhabene bei ihm denn auch in Frage- und Ausrufungszeichen, in unechten Verzückungen. Er beginnt mit einem fabelhaften Erstaunen: Was sehe ich? was höre ich? warum tun sich die Himmel auf? Weil die und die Prinzessin heiratet, der und der Prinz geboren wurde, der und der König gestorben ist! Darauf folgen dann einige kräftig mit Mythologie unterbaute Strophen. Zum Schluss kommt ein Vergleich, ein Bild, etwas Besonderes: und die Ode ist fertig. Sie ist nur dann vollkommen gelungen, wenn die Logik, die Mechanik ihres Aufbaues unter einer gewollten Unordnung kunstvoll verborgen bleibt. »Diese Unordnung hat ihre Regeln, ihre Kunst, ihre Methode, die um so vollkommener sind, je verborgener sie bleiben und je unmerklicher ihre Verknüpfungen sind, wie die unserer Konversation, wenn diese von jener Art geistigem Rausch getragen ist, der verhindert, dass sie schleppend wird. So dass diese Unordnung recht eigentlich die als Tollheit verkleidete Weisheit ist, die sich von jenen geometrischen Ketten befreit hat, die sie lastend und unbelebt machen.[271]«

Man könnte zur Not auf mildernde Umstände plädieren; man könnte sogar in dem großen Buch, in das unsere

271 J. B. Rousseau, anlässlich der »Ode sur la naissance du Duc de Bretagne«, 1707.

Erfolge und Misserfolge eingetragen werden, so vielen
Verlusten einige gerettete Werte entgegenstellen.

Der Traum von der reinen Poesie ist allzu schön; es
gibt nur eine relative Poesie, relativ in Bezug auf jede
vorübergehende Generation. Damit die Poesie überdauert, genügt es, dass eine Generation, obwohl sie von der
abstrakten Vernunft berauscht ist, dem, was sie Lug und
Trug nennt, noch einen gewissen Reiz abgewinnt; es genügt, dass sie sich selber gegenüber ein wenig unlogisch
ist und sich weigert, dem Beispiel des Mannes zu folgen,
der den Vers zur Prosa machen will; es genügt, dass sie
noch Schriftsteller hat, die empfänglich genug für Musik und Rhythmus sind, um ihr eine, wenn auch noch so
schwache Illusion einer höheren Harmonie zu geben. Es
gibt keine reine Poesie, aber es gibt ein ewiges Verlangen
nach Poesie. Pope schien ein genialer Dichter und war es,
da er es schien, er genügte den bescheidenen Ansprüchen
seiner Zeit, er übertraf sie.

Es wäre aber durchaus nicht völlig paradox zu behaupten, dass es selbst in dieser unfruchtbaren Epoche für die
damals Lebenden Poesie gegeben hat. Für die Deutschen
war Canitz ein Dichter und sogar für die Franzosen, da
er später zu den Beispielen gehörte, die man ihnen vor-
trug, wenn man ihnen einen Begriff von der Natürlichkeit und Einfachheit der Deutschen geben wollte. Die
Italiener boten der Bewunderung der Welt eine ganze
Reihe von Dichtern dar; und das Wunderbare ist, dass
diese, trotz all der Gründe, die sie hatten, schlechte Verse zu schreiben, einige schrieben, die den Tag, das Jahr,
das Jahrhundert überdauerten und die uns noch heute
entzücken. Sie waren nur allzu beeinflusst von der Art
Marinis[272] und daher geneigt, die eisigen Feuer, das glü-

---

272 Giambattista Marini (1569 — 1625) führte ein bewegtes Leben
und wurde eine Zeitlang am Hofe der Maria Medici sehr gefeiert. Sein

hende Eis, die grausamen Wonnen und die wonnevollen Qualen zu besingen. Und noch mehr wurden sie von der Erinnerung an die Antike erdrückt: Wenn sie sich nicht verpflichtet fühlten, Anakreon nachzuahmen, so glaubten sie, Pindar kopieren zu sollen. Dann war da noch zu ihrer Bedrängnis die neu aufgekommene Wissenschaft, die sie eifrig betrieben, die sie liebten und die sie durchaus in ihren Versen besingen wollten. Mit pompösen Wendungen überladen, blieben ihre Oden mit all ihrem Bestreben, jene schöne Unordnung zu erreichen, die den Gipfelpunkt der Kunst darstellt, mühselig und schwerfällig. Aber eines Tages ließ Francesco Redi sich mitten beim Pindarisieren einfallen, Bacchus zwischen die toskanischen Hügel zu locken und ihn einen nach dem anderen all jene berühmten Weine kosten zu lassen, die aus dem reichsten Wachstum stammen, ihn zu zeigen, wie er taumelt, lallt und von einem zum anderen immer trunkener wird:

> Chi la squallida cergovia
> alle labbra sue congiugne,
> presto muore, o rado giugne
> all età vecchia e barbogia:
> Beva il sidro d'Inghilterra
> chi vuol gir presto sotterra:
> chi vuol gir presto alla morte,
> le bevande usi del Norte . . .[273]

---

affektierter Stil, seine übertriebenen und geschmacklosen Bilder tun seinem Talent Abbruch.

273 Wer das blasse und traurige Bier
an seine Lippen bringt,
stirbt früh und erreicht selten
das kindische Greisenalter:
Möge den englischen Obstwein trinken,
wer rasch unter die Erde kommen will,
wer rasch zu Grabe fahren will,
möge sich der Getränke des Nordens bedienen.

Indem er die Namen dieser unreinen Getränke auch nur aussprach, hat Bacchus gelästert. Sein entweihter Mund muss sich reinigen:

> Si purifichi, s'immerga,
> si sommerga
> dentro un pecchero indorato
> colmo in giro di quel vino
> del vitigno
> si benigno
> che fiammeggia in Sansovino . . .[274]

An diesem Tage wurde eine schwerflüssige, kompakte, saftige und eigenartige dichterische Gattung gerettet, mochte sie noch so sehr bemüht sein, an antike Dithyramben zu gemahnen. Ein andermal ließ Vincinzo da Filicaja im Gedanken an die Knechtschaft seines Vaterlandes einen erschütternden Schrei, rührende Klagen ertönen:

> E t'armi, o Francia? E stringi il ferro ignudo
> contra a me, che a tuoi colpi armi ho di vetro,
> né a me la gloria de l'antico scetro,
> né l'antica grandezza a me fa scudo?[275]

Und noch mehr! Alle abgeschmackten Einfälle, alle bis zur Extravaganz gesteigerten Metaphern, alle kom-

---

274 Er möge sich reinigen,
    sich tauchen, untertauchen
    in einen goldenen Kelch,
    bis zum Rande gefüllt mit jenem Wein
    von dem Weinberg,
    dem gesegneten,
    der in Sansovino leuchtet.
275 L'Italia alla Francia, 1700:
Und du wappnest dich, Frankreich? Und fasst dein blankes Schwert fester, gegen mich, das gegen deine Streiche nur Waffen aus Glas

plizierten, raffinierten, zerquälten Wendungen, das ganze secentismo wollten die Italiener aus ihren Versen verbannen. Sie revoltierten. Sie wollten keine übertreibende Poesie mehr; sie wollten Einfachheit, Natürlichkeit. Das Haus ist überladen: man muss wegräumen. Was sage ich? Man braucht kein Haus mehr, keine Mauern, kein Dach: die wahre Poesie braucht den freien Himmel. 1690 haben sich in Rom Dichter und Weise versammelt. Sie haben beschlossen, ihre Versammlungen in einem Wäldchen unter freiem Himmel abzuhalten; sie wollten so das antike Arkadien wieder auferstehen lassen, die Zeit, da die Menschen im Hauch des Windes Poesie atmeten, die Zeit, da die Hirten ihren ländlichen Flöten göttliche Melodien entlockten. Leider wurde das schöne Projekt in der Ausführung zur Maskerade. Diese Arkadier geben sich Gesetze, das ist ihre vornehmlichste Sorge; sie staffieren sich mit Hirtennamen aus,

Forts. 2 von S. 393   bis zum Rande gefüllt mit jenem Wein
                           von dem Weinberg,
                           dem gesegneten,
                           der in Sansovino leuchtet.

die den griechischen sklavisch nachgebildet sind. Sie verbreiten sich in zahlreichen Kolonien über ganz Italien. Sie sind pedantischer als das römische Arkadien und rezitieren in ihren Wäldchen Verse, die mindestens so schlecht sind wie die, welche sie verbannen wollten: im Grunde sind es dieselben, sie trugen sie in der Tasche und haben sie nicht verändert. Das Unternehmen endete mit einem Misserfolg. Man betont gewöhnlich den Misserfolg; man könnte, wenn man wollte, auch die Schönheit und den Adel des Versuchs hervorheben.

---

besitzt, gegen mich, dem weder der Ruhm meines antiken Szepters noch meine antike Größe zum Schild dienen kann.

Auch auf dem englischen Feld ließen sich noch Ähren-
bündel finden. Sicherlich gibt es bei Prior keine großen
Fresken in leuchtenden Farben: aber er versteht es, seine kleinen Bilder malerisch und reizvoll zu gestalten. Er
versteht sich nicht auf gewaltige Symphonien, aber seine
Melodien klingen süß; und wenn die verfeinerte Kunst,
die er von den Griechen und Römern gelernt hat, auch
nachempfunden ist, so hat sie doch seine ursprüngliche
Natur nicht ganz zu unterdrücken vermocht. Anakreon
und sein bevorzugter Lehrmeister, Horaz, haben sein
Talent abschleifen helfen, sie haben es nicht geschaffen.
Seine Leidenschaften sind nicht stark, aber er besingt mit
viel Grazie die sanften Mußestunden, die Mühen unseres Lebens und unsere Angst vor dem Tod, der Zeiten
Flucht und Chloe, wie sie weint, weil ihre Blumen ver-
welkt sind. In ihm ist kein Zorn, keine Verachtung, kein
ergreifender Schmerz; aber von Zeit zu Zeit klingt eine
melancholische Note in seinem Liede durch, die unsere
Fierzen dann um so tiefer ergreift. Matthew reist im alten
England mit seinem Freund John. Er besucht das Gasthaus, das er von früher kennt:

> Come here, my sweet landlady, pray how d'ye do?
> Where is Cicely so cleanly, and Prudence and Sue?
> And where is the widow, that dwelt here below?
> And the hostler that sung, about eight years ago?
> And where is your sister, so mild and so dear
> whose voice to her maid like a trumpet was clear?[276]

Es ist wie ein englischer Kupferstich: das ländliche
Wirtshaus, der Gast bei Tisch, die Wirtin:

> By my troth! She replies, you grow younger, I think.
> And pray, Sir, what wine does the gentleman drink?

---

276 Matthew Prior, Down Hall, a Ballad. Zum ersten Mal im Jahre

Why now let me die, Sir, or live upon trust,
if I know which question to answer you first.[277]

Alles ist natürlich, vertraut, und dann klingt, ohne dass
der Ton sich zu verändern scheint, in der Antwort plötzlich jene Erschütterung durch, welche die Sterblichen ergreift, wenn sie des vorjährigen Schnees gedenken:

Why, things, since I saw you, most strangely have varied,
and the hostler is hanged, and the widow is married.
And Prue left a child to the parish to nurse;
and Cicely went off with a gentleman's purse;
and as to my sister, so mild and so dear,
she has lain in the churchyard full many a year.[278]

Auch bei anderen ließe sich leicht ein wenig Poesie
nachweisen; sei es, dass sie denen als solche erschien,
die sie zuerst vernahmen; sei es, dass sie, von den Zeiten
nachgedunkelt, auch für uns eine gewisse altmodische
und rührende Grazie bewahrt hat.

1723 veröffentlicht:
    Kommt, teure Wirtin, wie geht es Euch, ich bitte?
    Wo ist die schmucke Cicely und Prudence und Sue?
    Und wo ist die Witwe, die hier unten wohnte?
    Und der Stallknecht, der sang, vor etwa acht Jahren?
    Und wo ist Ihre geliebte, sanfte Schwester,
    deren Stimme, wenn sie mit der Magd sprach, so hell wie eine
    Trompete tönte?

277 Meiner Treu! antwortet sie, mir scheint, Sie werden jünger.
    Und bitte, mein Herr, welchen Wein wird der Herr trinken?
    Und sterben will ich, Herr, oder auf Pump leben,
    wenn ich weiß, auf welche Ihrer Fragen ich zuerst antworten soll.

278 Nun, seit ich Euch sah, haben die Dinge sich seltsam verändert:
    den Knecht hat man gehängt, und die Witwe hat geheiratet,
    und Prudence hat der Gemeinde ein Kind in Pflege gelassen,
    und Cicely ist mit der Börse eines Herrn auf und davon,
    und was meine sanfte und geliebte Schwester betrifft,
    die liegt schon manches volle Jahr auf dem Friedhof.

Aber dabei kämen wir immer wieder dazu, auf mildernde Umstände zu plädieren; auf das Absolute zu verzichten und uns mit dem Relativen zufriedenzugeben; mit Carducci festzustellen, dass es keine weniger lyrische Zeit gegeben hat als die fünfzig ersten Jahre des 18. Jahrhunderts, und dass es sich hier also um den Beginn einer sterilen Ära handelt, und schließlich zu gestehen, dass selbst die besten der Dichter, die wir zitiert haben, neben Shakespeare und Dante nur höchst dürftige Vertreter sind.

Geben wir ferner zu, dass sich in fast allen literarischen Bezirken ein ähnlicher Wandel vollzog; man verlor den Sinn für die schöpferischen Kräfte und glaubte, schreiben heiße nachahmen, gehorchen.

An den Wegkreuzungen waren Kritiker aufgestellt, die verhindern sollten, dass die Autoren sich verirrten, oder um sie auf den rechten Weg zurückzuführen. Wie jener Thomas Rymer gesagt hat, dem der Ruhm verbleibt, dargetan zu haben, dass Shakespeare nichts von der Tragödie verstand: die Dichter würden allzu nachlässig werden, wenn sie den Blick des Kritikers nicht ständig auf sich lasten fühlten.

Wie zahlreich sind die Kritiker! Die Verstorbenen treten ihren Platz nicht ab: so Aristoteles, Horaz und Longinus, der nie zuvor so gefeiert worden ist. Dazu kommt die Unmenge der Lebenden: Pater Bouhours, Pater Rapin, Pater Le Bossu, sehr berühmte Doktoren, welche lehren, wie man in geistigen Arbeiten richtig denkt, wie man die Reden und die Verse anordnen, wie man das epische Gedicht aufbauen muss. Eine ganze englische Armee von Federfuchsern: Gerard Langbaine, Edward Bysshe, Leonard Welsted, John Dennis und daneben noch geringere. In Italien analysieren Muratori, Gravi-

461

na, Crescimbeni das Wesen der vollkommenen Poesie. In Deutschland setzt Christian Wernicke auseinander, die französische Literatur sei deshalb zu einem so hohen Grad der Vollendung gelangt, weil in Paris jede Arbeit, selbst wenn sie von einem berühmten Autor stamme, sogleich kritisch beurteilt werde . . . Welcher Eifer! Welch essigsaure Autorität! Wieviel Zank und Streit! muss man die Schriftsteller bemitleiden, die so ausgezankt und geschulmeistert wurden? — Sie passten sich der Zeit recht gut an und hatten alles in allem ein doppeltes Vergnügen: soweit sie ehrgeizig waren, keiften sie zurück; soweit sie faul waren, gehorchten sie.

Boileau wurde alt. Im Vorwort der Auflage seiner gesammelten Werke, die er 1701 herausgibt, fasst er seine literarischen Grundsätze mit ungeschwächter Energie zusammen und nimmt Abschied. »Da dies wahrscheinlich die letzte Ausgabe meiner Werke ist, die ich selbst korrigiere, und es nicht den Anschein hat, als ob bei meinem Alter von dreiundsechzig Jahren und den vielen Gebrechen, die mich plagen, mein Lebensweg noch sehr lang sein könnte, wird das Publikum angemessen finden, dass ich mich in aller Form von ihm verabschiede und ihm dafür danke, dass es Arbeiten, die seine Bewunderung so wenig verdienen, so oft gekauft hat . . .« Das Publikum wird nicht müde; und ein Beweis ist, dass Boileau in eben denselben Abschiedsworten auch seinen Dank an den Grafen Eryceira richtet für die »Übersetzung meines Art poétique in portugiesische Verse, die er gemacht hat und die Güte hatte, mir zuzusenden, zusammen mit einem Brief und von ihm verfassten französischen Versen . . .« In welchem Lande wurde *l'Art poétique* nicht gelesen, kommentiert, übersetzt? In welchem Lande war es nicht zum Gesetzbuch geworden? Man kann den bösen »Boalo«, der gewagt hat, den Tasso hohlklingend zu finden, kräftig zausen; Boileau, der hochmütige Franzose, der nichts gekannt, nichts geschätzt hat, was außerhalb der Grenzen seines Landes entstanden war, war deshalb nicht minder der Gesetzgeber des Parnaß, die Autorität, die aufrecht blieb, als überall sonst die Autorität zerfiel.

Er ist nicht mehr nur eine Persönlichkeit; er ist eine Institution: man geht ihn in Auteuil besichtigen, als ob es sich um die Kolonnaden des Louvre oder die Pferde von Marly handelte. Da ist Lady Montagu, eine schriftstellernde Dame, und zwar keineswegs die erste beste. Sie fährt zu ihrem Mann, dem englischen Botschafter in Konstantinopel. Man gibt ihr die Übersetzung eines türkischen Gedichtes zu lesen, und an wen denkt sie? — An Boileau! — »Diese Stanzen enthalten sehr Schönes; dies Epitheton *Sultanin mit Rehaugen*, das auf Englisch nicht sehr angenehm klingt, gefällt mir unendlich. Es scheint mir ein recht lebendiges Bild von dem Feuer und der Gleichgültigkeit zu geben, die der Dichter in den Augen seiner Geliebten wahrnimmt. Monsieur Boileau hat sehr richtig bemerkt, dass wir nach der Vorstellung, die ein gewisser Ausdruck in uns hervorruft, nicht beurteilen können, ob er in der Sprache der Alten edel war, und dass ein Wort, das bei ihnen sehr angenehm sein mochte, für unser Ohr manchmal gemein oder abstoßend klingen kann.[279]«

Boileau hatte nie angenommen, dass ein Schriftsteller ohne Genie auskommen könne: aber lässt nur seine Erben und Nachfolger machen, und bald werden sie dem Genie die Methode vorziehen; sie werden sogar behaupten, um schöne Verse zu schreiben, genüge es, »ein außerordentlich feines Gefühl für die Regeln« zu haben. Boileau hatte die Trennung der Gattungen gepriesen: auf was

---

279 An Herrn Pope aus Adrianople, April 1717. (Lady Mary Wortley Montagu lebte von 1689 bis 1762.)

für erbärmliche Unterscheidungen, Abteilungen, Unterabteilungen, Unterteilungen von Unterabteilungen wird sein Rezept schließlich hinauslaufen! Der Klassizismus war eine Seele, ein Wille; der Pseudoklassizismus war nur noch eine leere Formel: da liegt der Unterschied.

Die verarmten Erben werden die Moral verteidigen, gleichsam um sich zu trösten. Das Heldengedicht soll moralisch sein, sein Zweck ist »die Reformation der Sitten«. Die Poesie soll moralisch sein und soll sogar die religiösen Wahrheiten lehren. Sie ist eine Ethik, gehört fast zur Theologie. »Der allein ist ein großer Dichter, der das Nützliche so mit dem Angenehmen zu verbinden weiß, dass sein Unterricht unterhaltend und seine Unterhaltung lehrreich ist.« — »Die Poesie ist eine Zauberin, aber eine, die uns Heil bringt; sie ist ein Wahnsinn, der die Tollheit beseitigt.« Das Theater vor allem soll eine Schule sein; verabscheuungswürdig der Komödiendichter, der die Tugend lächerlich erscheinen ließe und das Laster verkleidete! Die Komödie hatte in England eine ganz besondere Form gefunden. Sie entnahm ihre Stoffe den französischen Modellen, besonders Molière; aber sie mischte und würzte sie und gab ihnen dadurch einen besonderen Geschmack. Sie liebte die derben Worte und die zweideutigen Situationen; sie war unmoralisch, skandalös, heiter und gefällig: ein Congreve, ein Vanbrugh verhalfen ihr in dieser Form zum Sieg auf Londoner Bühnen. Aber ein Geistlicher, Jeremy Collier, ereiferte sich gegen sie und veröffentlichte 1689 seinen *Short View of the Immorality and Profaneness of the English Stage*. Moralität und abermals Moralität ist, was wir brauchen! Fürwahr! Das Theater sollte vor aller Augen die Unsicherheit menschlicher Größe und den plötzlichen Wechsel des Geschicks darlegen; es sollte die traurigen Folgen von Gewalt und Ungerechtigkeit aufzeigen, den Ehrgeiz als Wahnsinn, die Heuchelei als Verbrechen entlarven. Was tut es statt-dessen? Die Redlichkeit wird lächerlich gemacht; auf der englischen Bühne herrschen die Lästerung, der Unglaube, die Schamlosigkeit; man scheut sich nicht, die Geistlichen dort dem Spott preiszugeben. O Schande! O Schmach! Nach leidenschaftlichen, zum Teil durch die Heftigkeit von Jeremy Collier hervorgerufenen Diskussionen gelang es seltsamerweise dem puritanischen Geist im Bunde mit der pseudo- klassischen Moral, die Komödie an die Kandare zu nehmen: diese warf noch einmal einen letzten zarteren Schein in den Stücken von Steele; dann zog sie es vor zu sterben, da sie sah, dass sie in der ihr beliebenden Form nicht leben konnte. Um dieselbe Zeit brandmarkt man in Italien die Commedia dell'arte und versucht eine Komödie zu schaffen, die weder die Vernunft noch die Sitten beleidigt. Nicht in Florenz oder Rom, wohl aber in Neapel findet sich ein Autor, Nicolo Amenta, der bereit ist, auf den Schwung, die Einfälle, die Possen, die Übertreibungen zu verzichten — und auf die Heiterkeit und das Vergnügen obendrein: keine unmoralischen Personen, keine gemeinen Ausdrücke, keine hemmungslosen Liebesszenen mehr! Fort mit den schamlosen Mägden, den gefräßigen Dienern, den tollen Intrigen. Nichts als Regelmäßigkeit und Moral ...

Eine Staatsinstitution zu besitzen, deren Hauptaufgabe sein sollte, sich zu den Fragen der edlen Ausdrucksweise zu äußern und den guten Geschmack in der Literatur zu verteidigen, ist ein Wunsch, auf den nie eine andere Nation als die französische verfallen war. Das war um die Zeit gewesen, da sie sich für Ordnung und Disziplin begeisterte. Jetzt beneideten die Nachbarn Frankreich um seine *Académie française*, deren Beschäftigung nach und nach etwas von einem Gottesdienst bekommen und die ein Prestige gewonnen hatte, über das keine andere

Gesellschaft verfügte. Jede ihrer Handlungen, ein ausgeschriebener Preis, ein Empfang, eine Ansprache war ein Ereignis. Das freieste Volk der Welt, die Engländer, hätten gern eine solche Akademie. Ihre Mitglieder würden sein: Herr Prior, der gewissermaßen der englische La Fontaine ist, ferner Herr Pope, Englands Boileau, Herr Congreve, sein Molière[280], und auch Herr Swift, der sonst kein Joch erträgt, sich aber diesem willig unterwerfen würde[281]. Nachdem man lange darüber debattiert hat, misslingt der Plan. Aber die Berliner Akademie wird im Jahre 1700 gegründet und 1713 die königlich spanische Akademie. Selbst das ferne Russland bekommt im Jahre 1725 seine Akademie.

Die Kritik, die mit den Einrichtungen der Vergangenheit aufräumte, soweit es sich um Religion oder Politik handelte, war auf diesem Gebiet ganz im Gegenteil konservativ. Sie warf den »Alten« vor, dass sie den Fortschritt der Aufklärung hemmten: hier beschwor sie sie als schirmende Götter. Sie machte das individuelle Urteil zur Richtschnur aller Dinge: hier sah sie alles Heil in der Beobachtung der Regeln und verwandelte die Erfahrungstatsachen in Imperative. Wollt Ihr eine Tragödie schreiben, so nehmt vierundzwanzig Stunden, einen Saal in einem Palast, Liebe, Pflicht und ein paar feierliche Helden.

Im Jahre 1711 hatten die Engländer die Freude, auf ihrem eigenen Boden ein Gegenstück zum *Art poétique* entstehen sehen, und ein Gesetzgeber des Parnaß hatte es geschrieben: Alexander Pope. Er war schmächtig, klein, nervös und unglaublich empfindlich gegen jeden Hauch

---

280 Voltaire, Lettres philosophiques, XXIV. Sur les Académies.
281 Swift, A proposal for correcting, improving and ascertaining the english tongue, London, 1712.

und jede Strömung; aber trotz dieser Unterschiede von Boileau und noch einiger anderer war er dessen würdiger Nachfolger. Eine lange Herrschaft schien ihm gewiss, da er im Augenblick, da er seinen *Essay on Criticism* schrieb, erst zweiundzwanzig Jahre zählte.

Man meint in diesem Werk, das bald das berühmteste seiner Zeit werden sollte, noch etwas wie einen Kampf durchzufühlen. In dem Verfasser des Essays über Kritik leben nebeneinander zwei Menschen, die sich nicht immer ganz vertragen: ja, sie widersprechen einander sogar oft. Der eine repräsentiert die leidenschaftliche Wucht eines lebhaften persönlichen Temperaments, der andere Disziplin und Ordnung, und diese werden entschieden den Sieg davontragen. Die erste dieser beiden in ein und demselben Individuum wohnenden Persönlichkeiten lässt dem jugendlichen Feuer seinen Lauf und verleiht dem Gefühl Ausdruck, das eingestanden oder versteckt im Herzen vieler Schriftsteller lebt: dem Gefühl der Gereiztheit, Ungeduld, Rebellion gegen die Kritiker. Denn, wie man weiß, wollen die Schriftsteller zwar von ihnen gelobt werden, finden aber ihr Verdammnisurteil unerträglich. Pope geht sehr schlecht mit ihnen um: diese Leute, welche die Fehler meiner Arbeiten tadeln, die mich beurteilen und zensieren, woher nehmen sie das Recht? Sie haben eines Tages erklärt, sie würden Kritiker werden, sie haben diesen Beruf gewählt: genügt diese Wahl, ihre Überlegenheit zu begründen? Wieso? Der erstbeste Dummkopf kann sich wichtigmachen und den Anspruch erheben, mich zu schulmeistern! Der erstbeste entgleiste Dichter kann Urteile über den Wert meiner Verse fällen! Ein ausgepfiffener Dramaturg kann daherkommen und mir sagen, wie ich Komödien zu machen habe! Sie sollen endlich ihrerseits ein paar Wahrheiten hören, und endlich wird ein kritischer Schriftsteller sie

einmal kritisieren. Auf einen schlechten Dichter kommen leicht zehn schlechte Beurteiler. Arroganz ist noch
kein Brevier für den eigenen Wert. Bevor man verurteilt,
muss man wenigstens verstehen: ein bornierter Geist, der
den Standpunkt des Autors nicht zu begreifen vermag,
kann nichts als Unsinn reden. Was für Vorzüge wäre man
nicht berechtigt von den Herren Aristarchen zu fordern!
Haben sie sich durch Erfahrung und Arbeit ein sicheres Urteil gebildet? Nennen sie geistige Geschmeidigkeit,
Intuition ihr eigen? Sind sie bescheiden genug, um nicht
eifersüchtig zu sein? Sind sie imstande, über kleine Fehler
hinwegzusehen und stattdessen die Verdienste zu unterstreichen? ihr Lob großzügig zu spenden, anstatt es wie
Geizige abzumessen? Sind sie unparteiisch? Leider sind
sie nichts als Diener der Macht und des Ruhmes, der
politischen Parteien, der religiösen Leidenschaften . . .

Diese Empörung, die eine unblasierte Seele erkennen
lässt und ein Temperament, für das es keine schlimme-
ren Stürme als die des Tintenfasses gibt, ist sehr drollig.
Aber es ist noch viel interessanter, mit anzusehen, wie der
zweite Pope den ersten maßregelt. Dieser lässt sich ein
wenig zu rasch überzeugen: er hat wohl im Grunde die
Kritiker nur angegriffen, weil er sie von größerer Würde
wünschte. Der andere, der vernünftige und vernünfteln-
de Pope verkündet Regeln und Dogmen. Er erklärt, man
müsse der Natur folgen, der unfehlbaren Natur, die reines Licht sei, göttlicher Glanz: aber folgen muss man ihr,
dieser unwandelbaren und universellen Natur, geführt
von der Vernunft. Es ist in Wahrheit schöner, Pegasus zu
lenken als ihm die Sporen zu geben, schöner, sein Feuer
zu bändigen als ihn zur Geschwindigkeit anzutreiben;
man muss den Lauf des edlen Flügelrosses mäßigen. Die
Kunst ist immer noch Natur, aber vervollkommnete Na-

tur, methodisch gemachte und den Konventionen auf das glücklichste unterworfene Natur. Mögen die Dichter sich an die Regeln halten, welche die Alten der Natur abgewonnen haben; mögen sie lernen, durch welch nützliche Vorschriften das wissende Griechenland uns lehrt, unsere Einbildungskraft im geeigneten Augenblick zu zügeln und ihr im geeigneten Augenblick die Zügel schießen zu lassen! Virgil ist in einem Moment versucht gewesen, sich auf seinen eigenen Genius zu verlassen; aber er hat rechtzeitig eingesehen, dass Homer und Natur eins sind. Überzeugt und erstaunt hat er auf sein allzu verwegenes Unternehmen verzichtet und sein Werk so scharf überwacht und so strengen Regeln unterworfen, als ob jeder Vers von Aristoteles nachgeprüft worden wäre. Die Dichter mögen also die großen Beispiele der Vergangenheit nach ihrem vollen Wert schätzen: sie nachahmen heißt immer noch die Natur nachahmen. Und ferner mögen sie ihre Arbeiten feilen und immer wieder feilen. Ein wirklich gefälliger Stil ist ein Ergebnis der Kunst, nicht des Zufalls, erst indem man tanzen lernt, erwirbt man einen ungezwungenen Gang. — So äußert sich der Klassiker Pope. Ganz erfüllt ist er von den Werken derer, die er als seine erlauchten Vorgänger grüßt: Aristoteles, Horaz, Dionys von Halikarnass, Petronius, Quintilius, Longinus; Erasmus, der den gotischen Aberglauben besiegt hat; Vida, der die Suprematie Italiens im Zeitalter Leos X. zum Ausdruck brachte, und Boileau. Ganz stolz auf diese Galerie von Ahnen, vor denen er sich verneigt hat, wendet Pope sich den Schriftstellern seiner Zeit zu und will nun seinerseits befehlen und regieren.

Es wäre nicht schlecht, wenn man ein paar Werke vorweisen könnte, um daran die Güte der Theorien zu beweisen; und nichts dürfte leichter sein. Da die Dichter so genau wissen, wie man ein Heldengedicht aufbaut, worauf warten sie noch?

Excelling that of Mantua, that of Greece,
a wond'rous, unexampled Epick Song,
where all is just, and beautiful, and strong,
worthy of Anna's arms, of Malbro's Fire,
does our best Bards' united strength require . . .

Das von Mantua und das von Griechenland übertreffend — ein beispielloses, episches Gedicht — in dem alles richtig, schön und stark ist — würdig der Waffen Annas und des Feuers eines Marlborough —, das erfordert die vereinten Kräfte unserer besten Barden . . . Richard Blackmore, der also seine Zeitgenossen anspornt, ist selbst mit gutem Beispiel vorangegangen. Der Zweck der Dichtung ist, den Geist zu unterrichten, die Sitten zu bändigen; die epische Gattung ist die höchste an Würde und zugleich die moralischste; die Helden, die sie auftreten lässt, lehren die Religion, die Tugend, die Beherrschung der Leidenschaften, die Weisheit: man hat daher die Pflicht, Epen zu schreiben. Zwar ist es seit Homer, seit Virgil niemandem gelungen; aber dieser Misserfolg erklärt sich weniger durch Mangel an Talent als durch Unkenntnis der Regeln. Heute haben wir als Wegweiser außer Aristoteles und Horaz noch Rapin, Dacier, Le Bossu, Rymer; wir wissen also alles, was dazugehört, um Ausgezeichnetes zu schaffen: beginnen wir denn!

Und er beginnt: »Sag mir, o Muse!«, und die Muse inspiriert ihm ein heroisches Gedicht: *Prinz Arthur*, ein weiteres heroisches Gedicht: *König Arthur*, ein episches Gedicht: *Eliza*, ein philosophisches Gedicht: *Die Schöpfung*, und ein episches Gedicht: *Alfred*; viele Dutzende von Gesängen, Tausende und aber Tausende von Versen. Leider war Richard Blackmore ein besserer Arzt als

470

Dichter: seine Heldengesänge hat niemand im Gedächtnis behalten.

Und die Tragödie? Ein ausgezeichneter Kopf, ein berühmter Jurist, Gian Vincenzo Gravina gibt hier das Beispiel: Er studiert die Abhandlungen, Poetiken. Er lässt es weder bei den französischen Klassikern noch bei den Werken der Renaissance bewenden, sondern geht auf die griechische Tragödie zurück, die wahre, die ursprüngliche Tragödie: Er packt sie, sie wird ihm nicht entschlüpfen. In dem Prolog zu den fünf Stücken, die er im Jahre 1712 in Neapel veröffentlicht, lässt Gravina die Tragödie selbst das Wort ergreifen: Da bin ich! ruft sie aus. Nach so vielen Jahrhunderten der Unkenntnis erscheine ich endlich in meiner ursprünglichen Form! Geführt von einem Rechtsgelehrten, einem Redner, einem Philosophen, begleitet von der poetischen Vernunft, der die Regeln gehorchen, geleitet von der Fackel der Kritik erscheine ich endlich! Diese Muse spricht sehr schön, aber Gravinas Tragödien sind deshalb nicht weniger unausstehlich.

In ganz Europa kommt es zu einem allgemeinen Wettstreit der Tragödien. Die verschiedenen Nationen machen sich an die Arbeit, um die Siegespalme zu erringen; die Leute mit Kothurn werden überall geschäftig. Crébillon rivalisiert mit Racine: aber er malt nur schwarz in schwarz. Das Ausland rivalisiert mit Frankreich: jedes Land möchte es gern in Schatten stellen! Zum mindesten spart man weder Zeit noch Mühe noch an der Zahl der Tragödien. Jahre hindurch müht man sich verzweifelt. Der 12. Juni 1713 wird der denkwürdige Tag, an dem der Marquis Scipione Maffei zum ersten Mal in Verona eine *Meropa* aufführen lässt, die zwar etwas bleichsüchtig ist, aber klassischer als die klassischste der französischen Tragödien erscheint. Welcher Beifall, erst in der Provinz, dann in ganz Italien! Welcher Triumph! Welche Bewunderung zollt man diesen überspannten Gefühlen, diesen hochtrabenden Tiraden, dem mechanischen Rhythmus dieser Verse. Das Stück hatte einen gewaltigen Widerhall in der ganzen Welt, wurde übersetzt, diskutiert, in den Himmel gehoben; und über Voltaire und Lessing gelangte es schließlich bis zu Goethe. Auch die Engländer hatten eingesehen, dass sie ihr Theater reformieren, die schmachvollen Freiheiten eines Shakespeare verbannen mussten, der Tragikomödie verwehren, sich mit der wirklichen Tragödie zu vermischen; und dass es galt, all diesen Wust von Schlachten, Tumulten, Umzügen auf der Bühne zu beseitigen und diese Trompeten und Trommeln und Morde, deren Schaustellung man nicht ertragen kann, wenn man nur ein wenig Geschmack hat. Kurzum, sie strebten nach der schönen, den Regeln entsprechenden Tragödie, die, mit Sachkenntnis ausgeschnitten, Schrecken und Mitleid dosierte und heroisch mit Maßen, erhaben ohne leidenschaftliche Ausbrüche war. Sie arbeiteten nach besten Kräften. Man sieht Nathaniel Lee einen *Nero*, eine *Sophonisbe*, eine *Gloriana*, einen *Mithridates*, einen *Ödipus*, einen *Theodosius*, einen *Lucius Junius Brutus* und *die Rivalisierenden Königinnen*[282] verfassen und viele andere Tragödien, in denen er — obwohl von Natur konfus — stets bemüht bleibt, nicht zweierlei Handlungen in ein und dasselbe Stück zu bringen, überflüssige Episoden beiseite zu lassen, dem Ideal der Einheit der Zeit zu genügen, den Anstand zu wahren und sich nicht anders als edel und pompös auszudrücken. Es gelingt ihm sogar

---

282 Nero, 1675; Sophonisba or Hannibals overthrow, 1676; Glorian or the Court of Augustus Cæsar, 1676; Mithridates, King of Pontus, 1678; Oedipus. 1679 (zusammen mit Dryden); Theodosius or the Force of Love, 1680; Lucius Junius Brutus, the Father of the Country, 1689; Rival Queens (später Alexander the Great genannt) 1677. Anm. d. Obers.

manchmal, und er erreicht jene Regelgemäßheit, die ihn die erhabenste Schönheit dünkt. — Das Gerettete Venedig[283] von Otway ist dann schon ein recht schöner Erfolg und beweist den Ausländern, dass das englische Theater durchaus imstande ist, zugleich korrekt und pathetisch zu sein. Aber das Jahr 1713 erst bringt den endgültigen Sieg. Da erscheint der Cato von Addison, würdig, sofort ohne Zögern ins Französische übertragen zu werden. London, das bereits einen zweiten Boileau beherbergt, besitzt nun auch einen zweiten Racine, und der europäische Ruhm dieses feierlichen Cato beginnt. Er ist das Ergebnis von fast einem halben Jahrhundert der Anstrengung. So lange haben die Engländer gebraucht, um das, was an ihrem Genius ungebändigt war, zu disziplinieren und dieses Meisterwerk der Regelmäßigkeit hervorzubringen.

Die Deutschen blieben zurück: sie werden jedoch zum Ziel kommen, nur Geduld! Gottsched leidet beim Anblick des chaotischen deutschen Theaters. Er arbeitet, liest die Poetik des Aristoteles und ihre Kommentatoren, das antike Drama, die französischen Dichter einschließlich ihrer Vorworte; ihm gehen die Augen auf, und er begreift, dass die dramatische Kunst so fest auf der Vernunft begründete Regeln hat, die so absolut sind und von so zwingender Notwendigkeit, dass Deutschland barbarisch bleiben wird, solange es sich weigert, sie zu beachten. Infolgedessen arbeitet Gottsched mit allen Mitteln daran, sich die Geheimnisse der Kunst zu eigen zu machen, und veröffentlicht 1732 triumphierend einen *Sterbenden Cato*. Er würde sich darauf beschränkt haben, erklärte er, den *Cato* von Addison zu verdeutschen: aber das Stück war noch nicht regelmäßig, noch nicht blutleer genug. Es erlaubte sich einige Episoden, einiges Schmuckwerk, das

---

283 Venice preserved, 1682.

seine Architektur unziemlich überlud. Dank dem Himmel und seinem eigenen Verdienst tragen sich alle Szenen des deutschen Cato in einem einzigen Saal des Schlosses von Utica zu, und die Handlung vollzieht sich von »Mittag bis Sonnenuntergang«.

Seltsam zu denken, dass später ein Voltaire, sobald er Tragödien oder Oden verfasst, sein ureigenstes Wesen verleugnen iwird — ohne dass seine Zeitgenossen es bemerken, ohne dass er selbst sich darüber klar ist — und Racine und Corneille oder Boileau wiederholen möchte. Auch wenn man den Pseudoklassizismus nicht erst abwartet, dessen Entwicklung einen Zeitraum umfasst, wie ihn keine moderne Schule je erreicht hat, ist es traurig, von dem Zeitpunkt ab, an dem wir uns befinden, diesen ganzen Plunder von Geschichten ohne jede Frische, von Tragödien ohne Wahrheit, von Versen ohne Poesie zu sehen. Totes Gewicht . . . Es war der Tribut für alle Wohltaten, die der französische Klassizismus der Welt erwiesen hatte. Weil die französischen Klassiker eine erhabene Vollkommenheit erreicht hatten, die ihre Epigonen so sehr blendete, dass sie glaubten, ihr einziger Ausweg sei, sie nachzuahmen; weil Schriftsteller zweiten Ranges es sich nun einmal gern leicht machen und das nachahmen, was bereits Erfolg gehabt hat; weil der Geist der Geometrie die Liebe zu geschmeidigen Formen und lebhaften Farben erstickt hatte; weil die alles beherrschende Vernunft keine Blumen mehr duldete, die nichts weiter waren als Blumen, sind die lyrischen Kräfte ausgetrocknet, ist das poetische Genie eingeschlafen.

DAS MALERISCHE DES LEBENS

Da diese Felder von künstlichen Blumen so ganz ohne Duft sind, wollen wir anderswo auf die Suche gehen ...

Mr. Spectator predigt seinen Lesern Vernunft und Mäßigung; aber er unterbricht seine moralisierenden Ausführungen, um die Freuden der Fantasie zu preisen, zu erklären, die Wonnen, die uns unsere Augen bereiten, stünden denen des Verstandes nicht nach. Und schließlich bewundert er sogar die Extravaganzen eines Shakespeare: *Juvat integros accedere fontes* ...[284] Die italienischen Theoretiker predigen zwar die Unterwerfung unter die Regeln, aber zugleich verteidigen sie, den Regeln zum Trotz, so weitgehend Recht und Verdienst einer gewissen schöpferischen Fantasie, dass man in ihnen, wohlwollend und nicht ganz ohne Übertreibung, die Vorläufer der Romantiker hat sehen wollen. Welch erfreuliche Widersprüche! Lasst nur die Franzosen machen; sie sind im Begriff, alles nach ihrem Kompass auszurichten: sofern nicht eine Fee ihre geometrischen Entwürfe scheinbar spielend durcheinanderbringt. Der Schluss des Jahrhunderts war nüchtern und grämlich, voll des Gefühls, das die Zeiten des Niedergangs begleitet. Gewaltige Schöpfungen wurden abgelöst von kritischen Essays. Und dann plötzlich: Was fordert die Mode? Was erscheint in den Auslagen? Märchen!

Die Zeitgenossen des alternden Ludwigs XIV., der frömmelnden und vernünftigen Madame de Maintenon ergötzten sich an den Geschichten, die *ma mère l'Oye* den kleinen Kindern erzählte. Ich gebe zu, dass Descartes nicht plötzlich ganz seiner Macht entsetzt wurde, da ja ein goldglänzender Kürbis sich in eine goldene Ka-

---

284 Zurück zu den reinen Quellen.

rosse verwandelt, Eidechsen zu betressten Lakaien und schnurrbärtige Ratten zu Kutschern mit Schnurrbärten werden, und so bis zu einem gewissen Grade die logischen Zusammenhänge gewahrt bleiben, auf welche die französische Nation nun einmal Wert legt. Aber daneben wimmelt es von Vernunftwidrigkeiten: prunkvolle Paläste wachsen aus der Erde; sie blitzen von Gold und Rubinen; die Tür ist übersät mit Karfunkelsteinen, und um hineinzugelangen, zieht man an einem Rehfuß, der an einer Kette aus lauter Diamanten befestigt ist. Die Tiere sprechen. Die Hindin, die im Wald weidet, die Katze, die ihr Katzenhaus bewohnt, sind verzauberte Frauen, und die blauen Vögel sind reizende Prinzessinnen. Nichts als Herrlichkeiten, Blumen, Geschmeide, märchenhafte Gewänder: ein Stück Leinen von vierhundert Ellen, das in einem Hirsekorn Platz hat und entfaltet durch ein Nadelöhr geht. Alle Tiere Himmels und der Erden kommen vor und die des Wassers obendrein; dazu Sonne, Mond und Sterne. Man reitet hölzerne Pferde, die in gestrecktem Galopp dahinsprengen und besser springen als die der Hohen Schulen. Man fährt in einem Wagen, vor den ein dickes Schaf gespannt ist, das alle Wege kennt, in einem kleinen, gemalten und vergoldeten Schlitten, den zwei fabelhaft schnellfüßige Hirsche ziehen, in einer fliegenden Sänfte, die von geflügelten Fröschen fortbewegt wird, in feurigen Karossen, die Drachen durch die Lüfte davontragen. Man erkennt die Gesetze dieser Welt nicht mehr wieder. Die Zaubermächte stoßen sie nach Belieben um: die Körper haben kein Gewicht mehr, die Träume sind wahr, die Tugend wird belohnt, das Laster bestraft. Wenn man endlich diese wunderbaren Erzählungen beiseite legt, findet man das Leben farblos, kalt und schwer zu ertragen.

Diese Geschichten, die aus den ältesten Zeiten auf uns gekommen sind, weither aus dem Unbekannten, und welche Ausgeburten der primitiven Seele sind, die in der gesamten Schöpfung, im Sturm und in der Nacht, im Frühling und im Winter einzig und allein Magie erblickte, diese Geschichten haben als erste Frauen gesammelt, Frauen, die ja selbst instinktiver sind, empfänglicher für diese Vergangenheit ihres Volkes, Hüterinnen der Fantasie. Dann ist Charles Perrault gekommen, und dieser Exinspektor der königlichen Bauten nahm Schmetterlingsflügel, Sommerfäden und Mondstrahlen und wob daraus die zarten und unsterblichen Meisterwerke seiner Märchen. Dornröschen schlief in ihren Rosenhecken, alles stand still, sogar die Träume; die Launen flatterten so wenig wie die Kobolde; über Versailles, über der Stadt, über dem Hof lastete die Trauer des allzu Vollendeten. Ein Schlag mit dem Zauberstab, und alles erwacht, die Küchenjungen rennen, die Kammerdiener springen, die Pferde schnauben, die Vögel locken einander in den Zweigen, die Prinzessin erwacht, lächelt und erklärt dem Prinzen, er sei recht spät gekommen, sie habe schon lange auf ihn gewartet.

Diejenigen, die wirkliche Reisen machten, brachten nicht all das zurück, was wir heute schätzen und was erst allmählich errungen wurde. Sie verpflanzten nicht ihr Ich in die Fernen, um zu erfahren, was aus ihm würde, um zu erleben, wie ihre Seele vom Hauch unbekannter Winde bewegt würde. Und doch hat man nicht alles gesagt, wenn man nur von dem gesprochen hat, was sie dachten. Waren sie reiner Verstand? Begannen ihre Augen nicht vielleicht, das Malerische des Lebens zu sehen? Haben sie nicht vielleicht einem von Vernunft übersättigten Zeitalter Bilder vorgeführt, die es nicht mehr losließen?

Neu entdeckten Inseln in einem Ozean gleichend, tauchten auch in Europa selbst noch sagenhafte Länder auf. Lappland gehörte dazu, das allmählich aus dem kimmerischen Schatten ans Licht trat. Seltsame Leute, sagt der Reisende François Bernier, diese Lappen mit ihren platten Nasen, diese kleinen untersetzten Kerle mit plumpen Beinen, breiten Schultern, kurzem Hals und einem irgendwie in die Länge gezogenen, abscheulichen Gesicht, das an Bären gemahnt, grässliche Trantrinker . . . Ein seltsames Land, in dem die Sonne im Sommer nicht unter- und im Winter niemals aufgeht; in dem das Rentier an die Stelle der Pferde tritt; in dem die Menschen auf Brettern dahingleiten, die sie sich an den Füßen befestigen; in dem die Zauberer um ein Ja oder Nein in Trancezustand geraten. So seltsam, dass die Reisenden von dort »eher die Beschreibung einer anderen Welt als den Bericht über einen Teil unseres Kontinents« heimzubringen schienen . . .

Aus den Barbareskenstaaten kamen fortgesetzt erstaunliche Erzählungen von Seeabenteuern und Gefangenschaften, Flucht und Befreiung, getrennten und wiedervereinten Liebenden, Märtyrern und Abtrünnigen. Man sah im Geiste Paschas und Janitscharen, klagende Schöne gefangen im Serail und von ihren Tränen bezauberte Ungläubige, über die Ruder gebeugte Galeerensträflinge und ihre Aufseher, Missionare, die unter den größten Mühsalen enorme Lösegelder in spanischen Dublonen herbeischleppten. Immer von neuem wiederholt und ausgeschmückt, fuhren diese Geschichten fort, zu gefallen, mit ihren Komödienschlüssen, ihren wechselvollen Liebesgeschichten und den wirklichen Tatsachen, die noch romanhafter waren als die Romane.

Aus Jerusalem, vom Heiligen Grab kam zum mindesten einmal eine lyrische Klage. O Jerusalem, o du unglückselige Stadt! O du Stadt der Gräber! Die Skelette, die losen und die zerbrochenen Knochen, die man in den Friedhöfen betrachtet, erweckten düstere Gedanken, die in einer *Contemplation* ausströmten:

Is this, alas! Our boasted mortal State?
Is it for this, we covet to be great?
What Happiness from envied Grandeur springs,
when these poor Reliques once were mighty kings?
O frail uncertainty of human Power,
while Graves can Majesty itself devour![285]

Der, welcher also klagt, ist nicht etwa Young in seinen *Nachtgedanken*[286] oder Hervey[287] in seinen Gräbern; es ist Aaron Hill, der Romantiker, Aaron Hill, der Reisende ins Heilige Land.

Falls Ludwig XIV. die Briefe gelesen hat, die Pater Prémare aus Kanton an Pater de La Chaise sandte, so hat er annehmen müssen, dass es auf der Welt noch seltsamere Affen gäbe, als die, welche auf den Bildern der Holländer zu sehen waren. Kanton, welch wunderliche

---

285 Wehe, ist dies das so gepriesene Menschenlos?
Streben wir dafür danach, groß zu sein?
Welches Glück entspringt der viel beneideten Größe,
wenn diese armseligen Reliquien einstmals mächtige Könige gewesen sind?
Weh über die Gebrechlichkeit menschlicher Macht,
da ja die Gräber selbst die Majestät zu verschlingen vermögen!
286 Edward Young, The Complaint or Night Thoughts on Life, Death and Immortality. Juni 1742. Später noch weitere »Nights«. Anm. d. Übers.
287 James Hervey (1714-1758), Meditations among the Tombs. 1745. Anm. d. Übers.

Stadt! Stellt euch schmale Straßen vor, in denen ein ganzes Volk durcheinander wimmelt; Lastträger, die barfuß gehen und den Kopf mit einem merkwürdigen Strohhut bedecken, der sowohl gegen Regen wie gegen Sonne schützt; an Stelle von Karossen seltsame Sänften und den Pater Prémare selbst, wie er sich in einer sehr großen und schön vergoldeten Sänfte spazieren tragen lässt, die auf den Schultern von sechs bis acht Leuten ruht. Zwischen alldem militärische Aufzüge: der Tsong-Tu, das heißt der Intendant zweier Provinzen, geht nie mit weniger als hundert Mann Begleitung aus . . .« Alles, was ich soeben gesagt habe, erweckt, scheint mir, das Bild einer ziemlich neuen Stadt, die nichts mit Paris gemein hat. Welchen Eindruck aufs Auge könnten, allein was die Häuser betrifft, Straßen machen, in denen man der ganzen Länge nach kein einziges Fenster erblickt, und in denen alles zumeist nur armselige Buden sind, die oft anstatt durch eine Tür nur durch ein einfaches Bambusgeflecht verschlossen sind . . .[288]« Fügt die von Bonzen betreuten Pagoden hinzu, die beim Sinken des Tages geschlossenen Straßentore; auf dem Fluss eine ganze schwimmende Stadt, Barken, von denen jede einzelne eine Familie beherbergt; und auf dem Lande draußen die Reisfelder . . .

Aus Westindien, von den Inseln kam das Bild des leibhaftigen Abenteuers, kamen die abenteuerlichsten Abenteurer, die Land oder See jemals getragen hat. Ihr Hauptquartier ist die Schildkröteninsel bei Santo Domingo: ein Sammelplatz für die *Desperados* aller Länder, aller Rassen. Sie leben dort unter einem Ehrgesetz, das ihnen allein eigentümlich und nicht das der gewöhnlichen Sterblichen ist. Es sind die Bukanier und Flibustier.

---

288 Brief des Paters de Prémare an R. P. de la Chaise, Beichtvater des Königs. Canton, 17. Februar 1699 (Lettres édifiantes et curieuses éscrites des missions étrangères, Band I, 1703).

Die Bukanier jagen den Büffel, um sein Fell zu gewinnen, oder das Wildschwein seines Fleisches wegen. Mit langen Flinten bewaffnet, die man extra für sie in Dieppe und Nantes herstellt, gehen sie ihrer Beute nach. Sie sind dabei begleitet von ihrer Meute und ihren Dienern, die sie auf drei Jahre anwerben und die, wenn sie tapfer und kräftig sind, später zu Kameraden aufrücken. Sobald ein Tier erlegt ist, nimmt der Herr die vier Hauptknochen heraus, zerbricht sie und saugt das Mark noch warm heraus: das ist sein Frühstück. Die Bukanier sind so geschickte Schützen, dass sie zur Belustigung den Stängel einer Orange durchtrennen, ohne mit der Kugel die Frucht zu berühren, und einige sind so behände, dass sie den Stier im Lauf einholen und ihm die Kniesehnen durchschneiden. Hart, heftig, unzugänglich, grausam, immer bereit, Blut zu vergießen, aber dabei die Tapfersten unter den Tapferen und seltsam empfänglich für Freundschaft. Die Flibustier sind Seeräuber. Auf den Wogen des Ozeans dahineilend, jagen sie die gewichtigen Schiffe, vor allem die Spanier, die mit dem indischen Gold beladen daherkommen. Sie entern, sie massakrieren die Besatzung: das Schiff ist in ihrem Besitz. Von Kampf zu Kampf, von Sieg zu Sieg häufen sie die Beute: bis zu dem Tage, wo sie in irgendeinem Hafen an Land gehen und ihren Besitz für Narrheiten vergeuden; wie jene, die mit königlicher Beute in Bordeaux landeten und sich in Sänften umhertragen und am helllichten Tage von Fackeln begleiten ließen.

Das Ausmaß ihres Mutes und ihrer Grausamkeit verleiht diesen Freibeutern epische Größe. Sie heißen: Alexander, wegen der Kraft seiner Faust »Eisenarm« genannt, »der seinen Namen unter den Abenteurern so berühmt gemacht hat, wie der antike Alexander den seinen unter den Eroberern«; Peter der Große, aus Dieppe gebürtig; Roc, genannt der Brasilianer, aus Groningen stammend;

Morgan der Walliser; Hauptmann Montauban, der mehr als zwanzig Jahre lang die Küsten von Neuspanien, Cartagena, Mexiko, Florida, Neuyork, die Kanarischen Inseln und das Kap Verde heimgesucht hat. Der aus Poitou gebürtige L'Olonois geht mit einundzwanzig Mann vor Kuba vor Anker; er bemächtigt sich des Schiffes, das auf ihn Jagd machen sollte, und erfährt, dass der spanische Gouverneur diesem einen Henker mitgegeben hatte, ganz eigens, um die Flibustier zu hängen. »L'Olonois wurde bei diesen Worten ›Henker‹ und ›Hängen‹ sehr zornig. Er ließ augenblicklich die Luken öffnen und den Spaniern befehlen, einzeln heraufzukommen; und als sie der Reihe nach heraufstiegen, schlug er einem nach dem anderen mit seinem Säbel den Kopf ab. Er besorgte dies Blutbad ganz allein und bis zum letzten Mann.« L'Olonois nimmt Maracaibo und Gibraltar in der Provinz Venezuela. »Nachdem man alles gesammelt hatte, stellte sich heraus, dass sich, wenn man die Juwelen und das mit 10 Dukaten das Pfund berechnete Bruchsilber zusammenzählte, zweihundertsechzigtausend Dukaten ergaben, ohne das Ergebnis der Plünderung, das gut noch weitere hunderttausend wert war; dazu kam der Schaden, der sich auf mehr als eine Million Dukaten belief, sowohl was zerstörte Kirchen als was zerbrochenes Mobiliar, verbrannte Schiffe und ein mit Tabak beladenes Schiff betraf, das sie genommen und mitgeführt hatten, und das mindestens hunderttausend Pfund wert war.« L'Olonois nahm ein schlimmes Ende: »Er hatte das Unglück, von den Wilden gefangen zu werden, welche die Spanier *Indios bravos* nennen und die ihn in Stücke hackten, brieten und verzehrten.[289]«

---

289 A. O. Oexmelin, De Americaensche Zee-Rovers, Amsterdam, 1678. Französische Übersetzung, 1686.

Aus dem Orient kamen die schönsten Märchen, denn »bekanntlich übertreffen die Orientalen, was das Märchen angeht, alle anderen Völker«. Von 1704 bis 1711 hat Antoine Galland seine Übersetzung von *Tausendundeine Nacht* veröffentlicht. Als Scheherezade allnächtlich zu erzählen und unermüdlich die unerschöpflichen Quellen ihrer Fantasie sprudeln zu lassen begann, die alle Träume Arabiens, Syriens und der ungeheuren Levante speisten; als sie die Sitten und Gebräuche der Orientalen, ihre religiösen Zeremonien, ihre häuslichen Gewohnheiten malte: eine ganze buntscheckige und prächtige Welt; als sie zeigte, wie man die Menschen halten und fesseln konnte, nicht durch kluge gedankliche Deduktionen oder durch Erörterungen, sondern durch Farbenpracht und Märchenzauber: da lauschte ganz Europa ihr begierig. Da begannen die Sultaninnen, Großwesire, Derwische, die griechischen Ärzte und die schwarzen Sklavinnen an die Stelle der Fee Carabossa und der Fee Aurora zu treten; und die leichten und kapriziösen Architekturen, die Springbrunnen, die von Löwen aus purem Golde bewachten Wasserbecken, die großen mit Seide oder mit Stoffen aus Mekka tapezierten Gemächer traten an die Stelle der Paläste, in denen das Ungeheuer darauf wartet, dass die Schöne zur Liebe erwacht.[290] Eine Mode löst die andere ab, aber was sich nicht wandelte, war das menschliche Bedürfnis, das Märchen und immer wieder Märchen, Träume und immer wieder Träume verlangt, ohne Ende.

Auch Bilder verlangt es . . . Die Reisenden schmücken ihre Berichte mit Stichen und Zeichnungen. Da

---

290 Märchen von Madame Leprince de Beaumont: Ein in ein Ungeheuer verzauberter Prinz gewinnt die Liebe eines schönen jungen Mädchens und wird dadurch erlöst. Anm. d. Übers.

sieht man chinesische Pagoden, Cerasten[291], Balonen[292] und Talapoins[293] aus Siam, märchenhafte Pflanzen, wie sie in den Gärten von Malabar wachsen. Pater Bouvet lässt Bilder anfertigen, die den erstaunten Franzosen die Kostüme der Mandarine vor Augen führen. Monsieur de Fériol, Botschafter Frankreichs beim Sultan, bestellt eine Sammlung von hundert Stichen, die den Parisern die prunkvollen Gewänder der Levante zeigen sollen. Manche führen dem Leser unter Benutzung der exotischen Typen Szenen, ja sogar Gruppen vor: ein Wilder bringt seiner Herrin das Feuerzeug ans Bett. Forscher dringen in eine der ägyptischen Pyramiden ein, und ihre Fackeln werfen fantastische Lichter auf die tausendjährigen Gräber. Oft sind sie voll Reiz, diese aus der Ferne, dem Unbekannten stammenden Stiche. Das Neue scheint den Künstlern jene Frische zurückzugeben, die sie durch das ewige Kopieren antiker Modelle verloren hatten. Manchmal wird der Reisende im Bewusstsein, dass er die Gemüter durch die direkte Wiedergabe der Formen sicherer packen kann als durch Worte und Sätze, selber zum Zeichner: Cornelius van Bruyn zeigt gegenüber seinen Modellen die Gewissenhaftigkeit und den Ernst eines Mannes, der ein Priesteramt ausübt: er fühlt sich verantwortlich für die Wahrheit.

Aber es handelt sich nicht nur um Bücher. Die buntscheckigen Gäste von den Inseln, aus Bangkok, aus Peking, bevölkern den häuslichen Horizont. Bereitwilliger denn je nehmen die flandrischen Teppiche Motive aus allen Erdteilen zum Gegenstand: die Chinesen, die schon in der Oper und auf dem Jahrmarktstheater eine Rolle spielen, richten sich jetzt auf den Wänden und Wand-

291 Ägyptische Schlangenart.
292 Siamesisches Schiff mit mehreren Galerien von Ruderern.
293 Siamesische Priester.

schirmen häuslich ein. Die Porzellane und Lackmöbel reisen ebenso schnell wie die Ideen des Konfuzius.

Spinoza, Malebranche, Leibniz, aber auch Alexander-Eisenarm und die Scheherezade. Die großen, auf der Vernunft begründeten metaphysischen Systeme, aber auch die Fantasie, die mit Zauber und Märchen spielt, das Auge, das beim Anblick des Rhinozeros und der Seekuh erschrickt und träumt: so viele Anstrengungen, die Welt von Grund auf zu erklären, und an der Oberfläche all diese Spiegelungen und Spielereien!

Um die *natura naturans*, um die Einsicht in Gott kümmert sich eine ganze Gesellschaft fröhlicher Possenreißer, Wüstlinge, Zechbrüder und Spitzbuben so wenig wie ein Fisch um einen Apfel. Die einzige prästabilierte Harmonie, von der diese Kerle Aufhebens machen, ist die, welche nach ihrer Behauptung zwischen ihrer Kehle und gutem Wein besteht. Sie gehen ihres Weges, ohne zu fragen, woher sie kommen, und ohne zu wissen, wohin er führt. Wozu auch? Die Hauptsache ist, zu leben: ein lebender Hund ist mehr wert als ein toter Philosoph! Das Konkrete, das ist ihr Feld. Sie durcheilen es höchst vergnügt, pfeifend, singend, schlemmend, hauen die Dummköpfe übers Ohr und sind glücklich, dass sie leben. Der Tod kümmert sie so wenig wie das Jenseits.

Der Typus des Halunken, Spitzbuben, Hurenbocks muss schon eine große psychologische Wahrheit, einen symbolischen Wert enthalten, oder er muss eine fabelhafte Gabe zu amüsieren besitzen, da er unter den verschiedensten Vermummungen den einander folgenden Generationen immer von neuem gefällt. Unsterblicher *pícaro!* Die Söhne des *Guzman d'Alfarache* [294] und des *La-*

---

294 Guzman d'Alfarache: Hauptfigur eines Abenteurerromans von Mateso Aleman, dessen erste Hälfte 1699 erschien. Anm. d. Übers.

zarillo de Tormes [295] durchstürmen noch die Welt, einge-
hakt mit den Nachkommen von *Panurge* [296] und *Meriton
Latroon*[297], ihrem englischen Vetter, und schon erhält ihre
unermüdliche Sippe neue Verstärkung. In London verließ der Kneipenwirt Ned Ward seine Schenke, nachdem
er vorher mit einigen guten Freunden getafelt und zwei
gebratene Gänse, zwei Kalbsköpfe und ein riesiges Stück
Chesterkäse mit ihnen verspeist hatte: das Ganze zu
Beginn mit zahlreichen Maß Ale und zum Schluss mit
mehreren Glas Portwein begossen. Er verließ also seine
Schenke, begegnete auf der Straße Locke, Samuel Clarke,
Boyle oder auch Newton und schlenderte so dahin über
die Straßen und Plätze, wo man amüsante Muster jener
wunderlichen Spezies antreffen kann, die sich Menschheit nennt. Und dann beschrieb er sie, schwungvoll und
rücksichtslos, mit naiven Bildern, einer Fülle saftiger
Ausdrücke. Unerschöpflich, überströmend von Humor
und Ironie, machte er aus einem Kapitel seines *Spions von
London*[298] nach dem anderen eine realistische Komödie.
Realistisch und dabei heiter, das war das Wunder, das er
zuwege brachte, jeden Tag von neuem. Ihm nahe stand
Tom Brown, der Bohémien, der Satiriker par exellence,
allzeit bereit, seine Feder für Geld zu verdingen, allzeit
geneigt, das Geld auszugeben, das er mit seiner Feder
verdient hatte. Er beobachtete seinerseits die Narrheiten
der großen Stadt. Ist das Leben denn etwas anderes als

---

295 Lazarillo de Tormes: ein 1533 erschienener Abenteurerroman,
dessen Held seine Laufbahn als Führer eines blinden Bettlers beginnt.
Anm. d. Übers.

296 Panurge: eine der charakteristischen Figuren in Rabelais' Gar-
gantua. Anm. d. Übers.

297 Meriton Latroon: Hauptfigur des Abenteurerromans: The English Rogue. Anm. d. Übers.

298 The London Spy. Ab 1698 in Form einer Zeitschrift und 1703
gesammelt erschienen. Anm. d. Übers.

ein Amüsement? Der eine amüsiert sich mit dem Ehrgeiz, der andere mit dem Eigennutz und der dritte mit jener törichten Leidenschaft: der Liebe. Die kleinen Leute amüsieren sich mit kleinen Vergnügungen, die großen Männer amüsieren sich damit, Ruhm zu erwerben, und ich amüsiere mich damit, zu denken, dass das alles nichts, gar nichts weiter als ein Amüsement ist.

Also sprach dieser Moralist mit umgekehrtem Vorzeichen, der, nachdem er mehr als sein Teil getrunken, geliebt, geborgt und im Gefängnis genächtigt hatte, mit 41 Jahren starb. Indessen vergnügte sich der *Hinkende Teufel* in Paris-Madrid auf die gleiche Art und Weise: anstatt durch die Türen einzutreten, zog er allerdings vor, die Dächer der Häuser aufzulüpfen, aber er entdeckte dabei gleichfalls Anti-Metaphysiker und Anti-Helden, Leute, die ganz im Materiellen versunken waren und deshalb keineswegs schlechter daran zu sein dachten, oder vielmehr dachten sie gar nichts: sie begnügten sich damit, zu existieren. »Ein kleines Gemälde der Sorgen, Anstrengungen, Mühen, welche die armen Sterblichen sich machen, um jene kurze Spanne, die zwischen ihrer Geburt und ihrem Tod liegt, so angenehm wie möglich auszufüllen.[299]« Nicht mehr und nichts Besseres. Nach den transzendenten Realitäten wird nicht gefragt, und um sie gibt es scheinbar weder Qual noch Wissbegierde. Das Reale ist hier einzig die Hässlichkeit der Seelen und Körper; man findet es, wenn man auch nur ein klein wenig an den Erscheinungen kratzt, und man findet nichts anderes. »Ich erblicke im Nachbarhaus zwei recht vergnügliche Bilder; das eine ist eine überalterte Kokette, die sich ins Bett legt, nachdem sie auf dem Toilettentisch ihre Haare, ihre Brauen und ihre Zähne zurückgelassen

299 Alain René Lesage, Le Diable boiteux, 1707.

hat; das andere ein sechzigjähriger Galan, der soeben von einem Liebesabenteuer nach Hause kommt. Er hat schon sein Auge und seinen falschen Bart abgelegt, zusammen mit seiner Perücke, die seine Glatze verbarg. Er wartet darauf, dass sein Diener ihm seinen Arm und sein Holzbein abschnallt und wird sich dann mit dem, was von ihm übrigbleibt, ins Bett legen.« Die Schönheit existiert also nicht? Gibt es nicht noch eine Hoffnung, sie zu entdecken? »Wenn ich meinen Augen traue«, sagt Zambullo, »so sehe ich in diesem Haus ein großes junges Mädchen, das zum Malen schön gewachsen ist.« — »Nun«, antwortet der Hinkende, »diese junge Schöne, die Euch auffällt, ist die ältere Schwester des Galans, der gerade zu Bett geht. Man kann sagen, dass sie das Gegenstück zu der alten Koketten ist, die mit ihr zusammenwohnt. Ihre Taille, die Sie so bewundern, ist eine Maschine, deren Federn verbraucht sind. Ihr Busen und ihre Hüften sind künstlich . . . Da sie sich jedoch so minderjährig gebärdet, so streiten sich trotz alledem zwei junge Kavaliere um ihre Gunst. Es ist ihretwegen zwischen ihnen zu Tätlichkeiten gekommen. Die Wahnsinnigen! Sie kommen mir vor wie zwei Hunde, die sich um einen Knochen beißen.« Es gibt keine Idee im *Diable boiteux*, sondern nur die Voreingenommenheit einer zugleich grotesken und düsteren Fantasie. Lesage wird in diesem Genre das Höchste mit seinem Gil Blas leisten, dessen erster Teil im Jahre 1715 erscheint: der Held ist hier feiner, geistreicher, komplizierter; die Beobachtung dringt tiefer, die Haltung ist ungezwungener, natürlicher. Aber nichtsdestoweniger sind wir auch da noch bei den Antipoden der metaphysischen Tragödie.

Schließlich kommen da noch, gleichsam als Nachhut und ein wenig beschämt, der Truppe anzugehören, eine

Reihe von Edelleuten, die sich recht stolz gebärden, die aber den Fehler haben, nie oder nur verspätet nach Moral zu fragen, und von denen man geneigt ist dasselbe zu sagen, was der Gastwirt in Amiens von Manon Lescaut und des Grieux sagte: sie sind reizend, aber eigentlich doch Taugenichtse. Sie lieben die gelungenen Streiche, die liebenswürdigen Gaunereien, das Verwegene, die mächtigen Degenhiebe, die sie großzügig austeilen und manchmal empfangen, ohne aber jemals daran zu sterben. Man verbindet ihre Wunden, steckt sie ins Bett: acht Tage darauf stehen sie schon wieder auf und fangen ihr stürmisches, seiltänzerisches Leben von vorne an, bei dessen Bericht allein den friedlichen Bürgern schwindlig wird. Alle könnten sie den Namen tragen, den jener Gatien de Courtilz, der so viele als Edelleute verkleidete *picaros* in die Welt geschickt hat, einem seiner Helden gab, alle könnten sie *Chevalier Hasard*, Ritter Zufall, heißen. Welch ein Leben, welch rasendes Tempo! »Der Chevalier Hasard hat niemals Vater oder Mutter gekannt. Er wurde in Windeln auf der Schwelle einer Kirche gefunden und auf Kosten der Gemeinde erzogen. Er verlässt seine Ernährer, um anderswo sein Glück zu suchen, wird von einer vornehmen Dame bei einem Goldschmied in die Lehre gegeben, verlässt seinen Meister, um in die Armee einzutreten. Er nimmt Dienste im Marineregiment von Mylord S. T. Das Fahrzeug, auf dem er sich einschifft, scheitert, er rettet sich durch ein Wunder zusammen mit einem anderen Mann der Besatzung, schifft sich nach Boston ein. Sein Freund wird dort in einem Spielerstreit erschlagen. Er rächt seinen Tod auf Kosten der Liebe seiner Maitresse. Man wirft ihm vor, ein Mädchen geschwängert zu haben; er ist im Begriff, ein anderes zu heiraten. Man überfällt ihn auf der Straße, und er wird durch einen Revolverschuss verwundet. Seine Wunde wird gefährlich; man benutzt die Zeit, um seiner Heirat Schwierigkeiten in den Weg zu legen. Das Mädchen, das ihn verklagt hat, will seine Frau werden, strengt einen Prozess gegen ihn an. Ihr Bruder will ihn ermorden. Er wird ein zweites Mal überfallen, wird vierfach verwundet. Nach seiner Heilung erkrankt seine Geliebte an den Pocken und stirbt daran . . .[300]« Also umgetrieben und bei diesem Tempo, wie hätte dieser Tollkopf noch Zeit zum Nachdenken finden sollen?

Der reizvollste dieser berühmten Abenteurer ist weder der Marquis de Montbrun noch der Chevalier de Rohan, dieser Unglücksprinz; nicht einmal jener Monsieur d'Artagnan[301], der nicht ahnte, dass ihm nach hundertfünfzig Jahren Schlaf noch eine so glänzende Karriere Vorbehalten war, sondern der Comte de Grammont, mit dessen Lebensbeschreibung Anthony Hamilton sich belustigte. Wer kennte nicht dieses farbenprächtige Bild, mit dem ein Engländer die französische Literatur beschenkte? Wer hätte den Grafen Grammont nicht während seiner Lehrjahre, während seiner Feldzüge in Piemont, während seines Exils am englischen Hof begleitet, dessen fragwürdige Bereicherung er bildete? Wer hätte nicht die vergnüglichen Gestalten belächelt, die heraufbeschworen werden, die seines Kumpanen Matta, die von Mademoiselle de Saint-Germain oder der Marquise de Sénantes? Wer hätte nicht die Ungezwungenheit der Erzählung bewundert, ihre malerische Buntheit, ihre schneidende Schlagkraft, ihren Humor? Lassen wir Hamilton selbst uns auseinandersetzen, wie sehr es ihm dabei nicht auf

---

300 Mémoires du Chevalier Hasard traduit de l'Anglais sur l'original manuscrit. A Cologne, chez Pierre le Sincère, 1703. Argument.

301 Die »Mémoires de M. d'Artagnan« sind von Gatien de Courtilz. Ihnen entnahm Alexander Dumas den Stoff für seine »Drei Musketiere«, die neuerdings in einer Operette aufgelebt sind. Anm. d. Übers.

Moral, sondern auf Charakter, nicht auf Gut oder Böse, sondern auf Plastik, nicht auf Philosophie, sondern auf Leben ankam: »Es handelt sich darum, einen Menschen darzustellen, dessen unnachahmlicher Charakter Fehler auslöscht, die durchaus nicht verheimlicht werden sollen; einen Menschen, der sich durch eine Mischung von Lastern und Tugenden auszeichnet, die sich gegenseitig in einer unabänderlichen Verkettung zu bedingen scheinen und die in ihrer vollkommenen Harmonie außergewöhnlich, in ihrem Gegensatz glänzend wirken. Die unbegreifliche Plastik ist es, die dem Grafen Grammont durch Krieg, Liebe, Spiel und die verschiedenen Wendungen eines langen Lebens hindurch die Bewunderung seines Jahrhunderts eingetragen hat . . .[302]« Vitalität: das ist in Wahrheit, was Grammont verkörpert und Hamilton vermittelt hat.

Es wäre ein wenig naiv, beim Anblick des malerischen Gewimmels der Menschen, das diese Literatur widerspiegelt, in Erstaunen zu geraten: aber über der Betrachtung der Höhen allein hatte man es fast vergessen.

LACHEN UND TRÄNEN DER TRIUMPH DER OPER

Je chante les combats et ce prélat terrible
qui par ses longs travaux et sa force invincible,
dans une illustre église exerçant son grand cœur,
fit placer à la fin un lutrin dans le chœur . . .[303]

---

302 Mémoires de la vie du Comte de Grammont, contenant particulièrement l'histoire amoureuse de la cour d'Angleterre sous le règne de Charles II. Cologne, Pierre Marteau, 1713. Original in französischer Sprache.
303 Ich besinge die Kämpfe und jenen furchterregenden Prälaten, der dank langer Arbeit und unbesieglicher Kraft, großherzig, wie er

Anstatt eine Travestie der Äneis zu schreiben, einen winzigen Gegenstand wählen und ihn im epischen Stil besingen; die Kämpfe und Streitigkeiten des Schatzmeisers der *Sainte Chapelle* mit seinem Feind, dem Kantor, schildern; dem obligaten Beiwerk der großen Dichtungen, den Beschreibungen, den Kämpfen, dem Schlachtgetümmel, den Prophezeiungen und Träumen einen burlesken Sinn geben: heißt das wirklich lachen machen?

Und trotzdem hat uns *Le Lutrin* zum Lachen gebracht, als wir noch zur Schule gingen und keine bessere Kost hatten: Es hat ein Europa zum Lachen gebracht, das zweihundert Jahre jünger als das unsere und nicht blasiert war, das Europa des Klassizismus, das Europa der *honnêtes gens*. Die ganze Crème Europas hat es lachen gemacht, denn es gibt kein Land, in welchem dies heitere Werk des großen Satirikers Boileau nicht bewundert, übersetzt, nachgeahmt worden wäre. Einer der besten Londoner Ärzte, Samuel Garth, gelangte allein dadurch zu dichterischem Ruhm, dass er das Thema abwandelte, das Pult durch ein »Dispensary« ersetzte und die Domherren durch Ärzte, die Kantoren durch Apotheker mit ihren Klistierspritzen, Stößern und Mörsern:

> Muse raconte-moi les débats salutaires
> des médecins de Londre et des apothicaires
> contre le genre humain si longtemps réunis:
> Quel Dieu, pour nous sauver, les rendit ennemis?
> Comment laissèrent-ils respirer leurs malades,
> pour frapper à grands coups sur leurs chers camarades?
> Comment changèrent-ils leurs coiffure en armet,
> la seringue en canon, la pillule en boulet?

---

war, in einer berühmten Kirche schließlich ein Pult im Chor aufstellen ließ ...

Ils connurent la gloire : acharnés l'un sur l'autre,
ils prodiguaient leur vie et nous laissaient la notre . . .[304]
Man kann als Einleitung auch ein paar Verse von
Milton nehmen und ihnen eine jähe Wendung vom
Erhabenen ins Lächerliche geben:

Sing, Heavenly Muse,
thing unattempted yet in Prose or Rhyme,
a shilling . . .[305]

Nachdem man so den Ton angegeben hat, in Versen
das Glück des Mannes zu besingen, der einen Schilling
besitzt, einen schönen, blanken und blitzenden Schilling, und der fortan die blassgesichtige Armut nicht mehr
fürchtet und in jedes Gasthaus gehen und schäumendes
Bier und frische Austern bestellen kann; der Melancholie niemals zu erlauben, ganze zutage zu treten, sie, sobald sie Miene macht, sich einzunisten, durch irgendeine
spaßhafte Wendung vertreiben — ist das Komik?

Es war Komik, da der *Tatler* erklärt, die schönste bur-
leske Dichtung, die je in englischer Sprache geschrieben
wurde, sei *The splendid Shilling* von John Philipps.

---

304 Voltaire anlässlich des Dispensary von Samuel Garth,
1699 im Dictionnaire philosophique, Artikel Bouffon.
Muse, erzähle mir die heilsamen Kämpfe der Ärzte von London
mit den Apothekern, die gegen die Menschheit so lange verbündet
waren:
Welcher Gott hat sie, uns zur Rettung, in Feinde verwandelt?
Wie kam es, dass sie ihre Kranken atmen ließen und statt dessen
mit gewaltigen Schlägen auf ihre Genossen einschlugen?
Wie kam es, dass sie ihre Perücken in Sturmhauben verwandelten,
die Klistierspritzen in Kanonen, die Pillen in Kugeln?
Sie lernten den Ruhm kennen, ineinander verbissen,
schlugen sie ihr Leben in die Schanze und ließen uns das unsere . . .

305 Besinge, o himmlische Muse – was in Prosa oder Reim noch nie
gewagt wurde –, einen Schilling . . . J. Philipps, The Splendid Shilling,
1701 und 1705.

493

Und weiter: Pope setzt sich an sein Schreibpult und verfasst kunstgerecht *The Rape of the Lock*, der Lockenraub. Er ist stolz darauf, Neues gefunden zu haben, wie auch Boileau stolz war, ein Werk geschaffen zu haben, das seinesgleichen in französischer Sprache nicht hatte. In jedem heroisch-komischen Gedicht sind »Maschinen« notwendig; das ist eine von geschickten Leuten erfundene Bezeichnung für die Götter, welche die Handlung dirigieren. Von diesen Maschinen hängt das Übernatürliche ab. Pope kommt nun auf den Gedanken, an Stelle der Engel und Dämonen, die von so viel Dienst reichlich ermüdet sind, Sylphiden, Gnomen und Feuergeister zu verwenden: ein der Welt des Okkulten entlehntes Personal; denn es kommt nicht darauf an, nicht zu entlehnen, sondern die eigentliche Kunst besteht darin, immer neue Stellen zu finden, von denen man leihen kann. Und dann erfindet Pope noch etwas Neues: wenn er Gegenstände beschriebe, die sich dem Poetischen nicht leicht einfügen, wie zum Beispiel eine Kartenpartie, welch ein Verdienst! Die Überwindung der Schwierigkeit, darin besteht die wahre Kunst. — Ein verliebter Herr schneidet einer Schönen eine blonde Locke ab; diese gerät darüber arg in Zorn, und die Folge ist große Aufregung unter Menschen und Kobolden. Ein leiser Einschlag des antiken Gedichtes, ein paar winzige, geschickt eingeflochtene Blumen, Geist, ein bisschen Blendwerk: heißt das Lachen?

Sonorer klang auf jeden Fall das italienische Lachen. In den toskanischen Gefilden fühlte sich die Muse freier und war dort lustiger. Sie machte nicht so viel Umstände:

> Non è figlia del Sol la Musa mia
> nè ha cetra d'oro o d'ebano contesta:
> E rozza villanella, e si trastulla
> cantando in aria . . .[306]

---

306 Meine Muse ist keine Tochter der Sonne, — sie hat keine gol-

Natürlich wollte auch sie das Heroische parodieren: aber *alla buona*, ohne viel Umstände. Wenn sie sich festrannte, wie die Ameisen, wenn sie auf ihrem Weg Gips oder Mehl antreffen, so amüsierte sie sich nur selbst darüber:

> Ma canta per istar allegramente,
> e acciò che si rallegri ancor chi l'ode;
> nè sa, nè bada a regole niente.[307]

Und also kannte sie keine Hemmungen. Keine ätherische Liebe, keine erhabene Ehre, kein ritterlicher Geist mehr! Die Paladine verwandelten sich in plumpe Tröpfe, in Wüstlinge, in Trunkenbolde:

> E Rinaldo ed Orlando in compagnia
> s'ubbriacano ben bene all'osteria . . .[308]

Diese tolle und manchmal ein wenig gewöhnliche Muse sprang mit allen poetischen Requisiten von früher höchst ungeniert um: mit den Verzauberungen und Behextheiten, den Reiterstücken, Verfolgungen, Hinterhalten und Einzelkämpfen, den Unglücksherbergen, Gefangenschaften und dem lyrischen Sterben. Sie geriet von einer Geschichte in die andere, von einer Karikatur in die nächste und kümmerte sich wenig darum, ob ihr Weg gerade war oder zu irgendeinem Ziel führte. Mit nichts anderem war sie beschäftigt, als zu zeigen, wie leicht es

---

dene oder mit Ebenholz eingelegte Zither: — es ist eine derbe Dorfschöne, und sie vergnügt sich damit, — in den Wind zu singen.

307 Aber sie singt nur, um fröhlich zu sein — und um auch den fröhlich zu machen, der sie hört —. Sie kennt weder die Regeln, noch kümmert sie sich darum.

308 Und Rinaldo und Orlando gemeinsam — besaufen sich, was sie können, im Wirtshaus.

war, vor der Nase der Langweiler und Pedanten zu lachen und lachen zu machen.

Die italienischen Schauspieler der *Commedia dell'arte* waren 1697 aus Paris verwiesen worden. Sie waren zu frech, zu brillant, zu lustig; man hatte ihr Theater geschlossen. Aber Regnard blieb, der liebenswürdige Regnard, und die Bürger von Paris sind keineswegs melancholischer Gemütsart. Regnard begnügte sich mit den oberflächlichsten Verwicklungen, mit Unterschiebungen, Wiedererkennen, erwarteten Überraschungen; mit den abgenutztesten Typen des Repertoires: Wucherern, die den Sohn aus gutem Haus aussaugen, reichen Witwen, die ausgenutzt werden, herrschsüchtigen Müttern, verliebten Töchtern, jungen Taugenichtsen und einer Unzahl von Dienern und Kammerkätzchen, die die Fäden spinnen! Aber durch ein Wunder oder, besser gesagt, durch seinen Einfallsreichtum, seine Geschicklichkeit, sein unerschöpfliches Feuer, sein Gefühl für Situationen und Worte, seine unwiderstehliche gute Laune entlockte er diesen verbrauchten Elementen eine Komik, die jedes Mal ganz neu erschien. Was wäre oberflächlicher als sein Distrait? als dieser Leander, der unterwegs einen Stiefel verliert, der den Weg zur Picardie einschlägt, wenn er nach Rouen will, der den Finger in ein weich gekochtes Ei tunkt und hineinbeißt, bis er blutet; der die Zimmer verwechselt, seine Uhr fallen lässt, derjenigen, die er nicht liebt, seine Liebe und derjenigen, die er liebt, seine Abneigung erklärt, der nach einem Dutzend ähnlicher Leistungen an seinem Hochzeitsabend vergisst, dass er verheiratet ist. Was wäre bekannter, häufiger ausgebeutet und in einem gewissen Sinne konventioneller und banaler? Im Grund ist es ein über fünf Akte gedehnter Charakter von La Bruyère. Aber nachdem man sich das klargemacht hat, lässt man sich einwickeln und lacht bei jeder Tölpelei wie ein Kind.

Die eine oder die andere Szene, sogar das eine oder andere Stück könnte traurig sein, wenn auch nicht von der tiefen Traurigkeit eines Molière, da Regnards Psychologie nicht tiefer dringt. Aber er ist nicht blind für die Fehler und Laster der Menschen. Er kennt die Macht des Geldes in einer Gesellschaft, die in der Auflösung begriffen ist. Er scheut sich nicht, zerrüttete, fiebrische, epileptische, paralytische, hektische, asthmatische und wassersüchtige Greise zu schildern, die nur noch einen Zahn im Munde haben, der dann auch noch beim ersten Hustenanfall herausfällt, und die sich um frische, junge Mädchen bemühen. Im *Légataire universel* riecht es nach Verwesung ... Und trotz alledem ist unser stärkster Eindruck nicht Traurigkeit, sondern Heiterkeit. Die Personen sind zu keinem anderen Zweck auf der Bühne, als um uns einen Augenblick lang zu zerstreuen und um Funken sprühen zu lassen. Sie sind beweglich, leicht, sie treiben Narrenpossen und machen Sprünge: denn sie glauben ein für alle Mal, dass das Rezept gegen alle Übel, auch wenn es sich um den Tod handelt, ein Schuss Narrheit ist. Wenn das Stück zu Ende ist, wenn die Eifersüchtigen und Geizhälse geprellt sind, die Crispins und Lisetten Verzeihung erlangt und die Verliebten geheiratet haben, wenn die Schauspieler sich verneigen und der Vorhang fällt, so wird der amüsierte Zuschauer nur eins im Gedächtnis behalten:

Il faut bien que je rie
De tout ce que je vois tous les jours dans la vie ...[309]

---

309 Le Distrait, I. Akt, 6. Szene: Ich muss wohl oder übel lachen — über alles, was ich täglich im Leben sehe ...

Eine neue Art von Begleitung also, die zu den führenden Stimmen in Widerspruch steht. Weder Toland noch Collins waren Lacher. Bei Fontenelle erzielte man allerhöchstens ein ironisches und leichtes Lächeln. Jean Le Clerc war feierlich und Jurieu tragisch. Der alternde Bossuet war streng: weh Euch, die Ihr lacht, denn Ihr werdet weinen! Fénelon fand, das Lachen habe etwas Indezentes, und Ludwig XIV. lachte nicht mehr im Herbst, im Winter seines Lebens. Aber sie repräsentieren nicht die ganze Menschheit.

Wir wollen nun wie der »Hinkende Teufel« das Dach anderer Behausungen lüpfen. Wir wollen die Hansnarren und Zechbrüder sich selbst überlassen, die *picaros*, die *rogues*, die Spitzbuben, alle sorglosen Gesellen und die Lachenden obendrein. Wir wollen statt dessen die zarten Seelen betrachten, die nicht ohne Erschütterung, ohne Melancholie, ohne Verzweiflung existieren können. Wir wollen uns den Sterblichen zuwenden, welche die Vernunft für unmenschlich halten.

Nicht darum handelt es sich, zu wissen, ob man hienieden je zu weinen aufgehört hat, sondern darum, die Epoche abzugrenzen, in welcher man glaubte, dass es keine Schande sei, seine Tränen zu zeigen.

Vor uns ist eine Bühne; ein behelmter, befederter, hochtrabender, pompöser Held beichtet einem anderen nicht minder römischen Helden den Zustand seines schwachen Herzens :

Servilius:
Mais quand je songe, hélas, que l'état où je suis
va bientôt exposer aux plus mortels ennuis
une jeune beauté, dont la foi, la constance,
ne peut trop exiger de ma reconnaissance,

je perds à cet objet toute ma fermeté.
Eh! pardonne, de grâce, à cette lâcheté,
qui, me faisant prévoir tant d'affreuses alarmes,
dans ton sein généreux me fait verser des larmes.[310]

Tränen! Ein gepanzerter Held, der es wagt, auf der
Bühne Tränen zu vergießen! Der andere ist mehr ent-
rüstet als gerührt:
Manlius:
Des larmes! Ah! plutôt, par tes vaillantes mains,
soient noyés dans leur sang ces perfides Romains.
Des larmes! Jusque-là la douleur te possède![311]

Der Beschauer wundert sich und fragt sich, aus welch
geheimnisvollem Grund man sich nicht scheut, so ungezwungen auf der Bühne zu lachen, wenn man sich
schämt, dort zu weinen?[312]
Und jetzt sind wir im Zimmer von Pierre Bayle. Er
ist im Begriff, an seinen Bruder Jacob zu schreiben; ihre
Mutter ist soeben gestorben. Er lässt gelten, dass man in
einem solchen Kummer Tränen vergießt:

---

310 Manlius Capitolinus. Tragödie von La Fosse d'Aubigny, zum
ersten Mal am 18. Januar 1698 von der regulären Truppe des Königs
aufgeführt.
    Aber wenn ich — wehe! — denke, dass meine Lage
bald einer jungen Schönen den tödlichsten Kummer bereiten wird,
deren Vertrauen, deren Beständigkeit
meine allergrößte Dankbarkeit verdient,
so verliere ich bei dem Gedanken all meine Festigkeit.
Ach verzeih, ich bitte dich, diese Feigheit,
die mich bei der Vorahnung so fürchterlicher Erschütterungen
an deinem großmütigen Busen Tränen vergießen lässt.
311 Tränen! Mögen doch lieber deine tapferen Hände
diese perfiden Römer in ihrem Blut ertränken.
Tränen! So sehr hat der Schmerz dich in der Gewalt!
312 La Bruyère, Caractères. Des Ouvrages de l'Esprit.

Ich billige das Übermaß Deiner Tränen, und ich finde es nicht verkehrt, dass Du mich mahnst, deren reichlich zu vergießen. Auf die Lehre der Stoiker soll man nicht hören . . . Die Empfindsamkeit, die wir bei den schmerzlichen Prüfungen zeigen, die der Himmel uns gesandt hat, wird ihre Wirkung nicht verfehlen; deshalb muss man mehr von der Zärtlichkeit des Herzens als von der Widerstandsfähigkeit des Temperamentes erhoffen. Gott wird unser Weinen und Klagen segnen . . .

Und dann stutzt Bayle und nimmt einiges zurück. Man hat das Recht zu weinen; man hat nicht das Recht, immer zu weinen:

Indem ich dies sage, lobe ich nicht die Veranlagung, von der Du mir sprichst, wenn Du mir mit deutlichen Worten sagst, dass Du ein weiches Temperament hast und nicht das geringste sehen noch daran denken kannst, ohne entsetzlich zu weinen. Das ist eine Schwäche, die einem Manne nicht wohl ansteht und die zur Not nur den Frauen verziehen werden kann. In allen Zwischenfällen des Lebens muss alles, was einem Manne zugehört, einen gewissen Charakter von Männlichkeit bewahren . . .

Aber hat er ihn nicht vielleicht verletzt? Er nimmt noch einmal zurück: wenn sein Bruder weinen will, mag er weinen!

Aber wenn ich auch, bei aller Anerkennung der Berechtigung Deines maßlosen Schmerzes, diesen großen und alles umfassenden Schatz von Weichheit, den Du in Dir fühlst, nicht billige, so hüte ich mich wohl, wenn ich auch ein so mitleidiges Naturell verdamme, etwas gegen diesen Überfluss an Tränen zu sagen, die Du vergossen hast und noch vergießt. Man kann sich einem solchen Übermaß hingeben, ohne die geistige Kraft zu verlieren, die unser Geschlecht auszeichnen muss, und da die allergrößten Helden und die allergrößten

Heiligen geweint haben, so können Tränen nicht als weibische
Schwäche gelten . . .[313]

Eine weibische Schwäche . . . Wir sind in einem reichen Bürgerhaus, in dem eine schwache Frau weinend
Liebesbriefe schreibt. Ganz jung hatte sie sich in den Baron de Breteuil verliebt, der sie der Schönste auf der Welt
dünkte. Als sie hörte, dass er nicht mehr frei sei, war sie
so verzweifelt, dass sie eines Tages aus dem väterlichen
Haus entfloh, um in ein Kloster zu gehen. Man hatte sie
unterwegs eingeholt und hatte sie, um sie zur Vernunft
zu bringen, gegen ihren Willen verheiratet: Anne de Bel-
linzani war zur Präsidentin Ferrand geworden. Und die
Präsidentin hatte den Baron wiedergesehen und hatte ihn
mit Hingabe, mit Raserei geliebt. Die Folge waren diese
Briefe, die zu den schönsten gehören, welche die Feder
einer Geliebten jemals geschrieben hat, und die voll der
widersprechendsten Gefühle sind: Wonnen einer Liebe,
von der die Welt nichts weiß, und die umso kostbarer ist,
da sie geheim bleibt; Melancholie, weil eben diese Liebe
sich nicht frei und strahlend entfalten kann; Zorn gegen
die allmählich wachsenden Hindernisse; Töne einer fast
mütterlichen Zärtlichkeit neben Ausbrüchen der Leidenschaft; Ekel bei dem Gedanken, beim Verlassen des Geliebten in die Arme eines Gatten zurückzukehren, den
ihre Sinne verabscheuen; Hellsichtigkeit des Gefühls: »ja,
mein Teurer, Du liebst mich, und ich bete Dich an . . .«;
Verachtung, die nicht genügt, die Liebe zu töten: »Ich
habe das Wohlwollen meiner Familie verscherzt und
habe mir eine Hölle aus meinem Personal gemacht wegen
eines Liebhabers, der nur meinen Hass verdient. Aber bei
Gott! das ist die Krönung meines Elends: ich vermag ihn
nicht zu hassen; ich verachte, verabscheue ihn, aber ich

---

313 Unpublished letters of Pierre Bayle, von J. L. Gerig und G. L.
van Roosbroeck. (The Romanic Review, July-September 1932.)

fühle, dass ich ihn nicht hasse . . .« Diese geborene Geliebte besitzt schon einige der Charakterzüge, die hundertundvierzig Jahre später den Stolz der romantischen Heroinen ausmachen werden. Sie meint, die Freude zerstreue allzu sehr; die Melancholie mache die Liebe empfindsamer. Sie ist die unglückseligste Frau, die jemals geliebt hat. Sie ist vom Schicksal gezeichnet: die Liebe hatte sie von Kindheit an als ein für ihre Qualen auserlesenes Opfer angesehen. Sie vergisst Ströme von Tränen.[314] — Schon!

Die Gesellschaft korrumpierte sich allerdings. Der Luxus wirkte ansteckend, und der Luxus erforderte Geld, viel Geld und rasch gewonnenes Geld: Also suchte man es in der Spekulation, der Lotterie, im Kartenspiel, in Leibrenten à la Tontini. *Turcaret* stammt aus dem Jahre 1709, und Turcaret, der zum Teilhaber avancierte Lakai, denkt, man könne mit Dukaten alles kaufen: gute Manieren, die Kunst, das Herz der Frauen. Gewisslich zeigt Lesage ihn uns zum Schluss verlacht, geprellt und ruiniert; aber der Eindruck bleibt doch, dass das Geld zwar nicht alles vermag, aber doch alles korrumpiert. Das ist auch die Moral, die der Kammerdiener Frontin in seinem Gespräch mit der Magd Lisette aus dem Stück folgert: »Ich bewundere den Lauf der menschlichen Dinge: wir rupfen eine Kokette; die Kokette frisst einen Geschäftsmann; der Geschäftsmann plündert einen anderen aus. Das ergibt den allervergnüglichsten Reigen von Schurkereien, der sich vorstellen lässt.« In den Stücken von Dancourt, die wie ein kleiner Spiegel der Zeit mit hübschen Facetten wirken, sind die am heuchlerischsten naiven, die verderbtesten, die am meisten auf Ehre oder Geld versessenen, die Frauen.

---

314 Histoire nouvelle des amours de la jeune Bélise et de Cléante. 1689. — Lettres de la Présidente Ferrand au Baron de Breteuil. Ed. Eugène Asse. 1880.

Man drängt die Frauen auf die Philosophie, die Naturwissenschaft hin: Lord Halifax tut es und Fontenelle. Es gibt Leute, die erklären, sie müssten sich gänzlich emanzipieren: Die Männer haben bei der Aufstellung der Gesetze ihre Macht missbraucht, um sie in Abhängigkeit zu halten; sie haben ihnen oberflächliche Beschäftigungen zugewiesen, die Gewohnheit hat das Übel tiefer verwurzelt, die Erziehung hat es vergrößert. Es ist höchste Zeit, das alles zu ändern. Die Frauen müssen den Männern ebenbürtig werden, wie Logik und Vernunft es verlangen: sie müssen durch denselben Studiengang herangebildet werden und dieselben Funktionen ausüben, in der Verwaltung, im Unterrichtswesen, sogar in der Heerführung und in der Kirche. Boileau, der die *femmes savantes* nicht vergessen hat, teilt diese Ansicht nicht. Er brummt, er macht sich lustig über die Unzüchtige, die Kokette, die Spielerin, die Gelehrte, die Preziose, die Fantastische. Er erinnert ironisierend an die Annehmlichkeiten der Ehe: aber Perrault verteidigt allsogleich die Ehre des Geschlechtes. Boileau, so erklärt Perrault, ist altmodisch. Boileau redet satirisch von den Frauen, weil er dieses Thema von Horaz und Juvenal übernommen hat und sich verpflichtet glaubt, alles zu wiederholen, was die Alten gesagt haben. Aber die Modernen sind gerechter und wissen, dass die Sitten von heute sehr verschieden von denen von einst sind: Dank sei dafür den Frauen! Ein italienischer Philosoph, Paolo Mattia Doria, stößt in dasselbe Horn, indem er beweist, dass »die Frauen in Bezug auf fast alle ganz großen Tugenden dem Manne um nichts nachstehen«.

Alles das ist wahr. Zeugen stellen fest, dass die jungen Mädchen sich emanzipieren, dass sie die guten alten Sitten vergessen, Skandal verursachen; dass die Frauen dreist, gierig, auf ihren Vorteil bedacht sind. Aber es braucht nur eine große Liebe zu kommen mit ihren Hindernissen, und plötzlich tritt die Leidenschaft in alle ihre Rechte, macht sich Luft, äußert sich in herzzerreißenden Klagen, in Schluchzen: ein Appell an eine kommende Zeit, die ganz und gar Leidenschaft sein möchte.

Wie erfinderisch zeigte sich die Empfindsamkeit, die einige aus der Welt verbannen möchten, in ihrem Bestreben, immer wieder zum Vorschein zu kommen! Auch aus England kam ein Signal, und ein Schauspieler gab es, Colley Cibber: Er hatte die verkappte Sehnsucht seiner Zeit erkannt. Fort mit den leichtfertigen Stücken, fort mit den ausschweifenden Herren, die sich auf der Bühne breitmachen! Jeremy Collier hatte recht: es war mehr als an der Zeit, die englischen Theaterstücke zu Wohlanständigkeit und Moral zurückzuführen. Und die Moral verbündete sich mit dem Gefühl.

Nehmen wir einen schlechten Ehemann, der seine Frau gemein verlassen hat, um auf Abenteuer zu gehen; der sein ganzes Hab und Gut, wie er selber sich ausdrückt, an alte Weine und junge Frauen vertan hat und der, ruiniert aber nicht weniger zynisch, nach England zurückkehrt. Nennen wir ihn, ohne unsere Fantasie weiter zu überanstrengen, »Loveless«. Nehmen wir als Gegenspielerin die Krone aller Ehefrauen, Amanda. Sie hat nie aufgehört, ihren Taugenichts von Ehemann zu lieben, und sie will ihn zu sich zurückführen. Durch eine direkt angewandte Moral? Nein, natürlich nicht; er würde nur von neuem auf und davon gehen. Durch das Gefühl weit eher, durch die Reue; durch einen kleinen Rest von Anhänglichkeit, der allmählich geweckt wird; und sogar durch die Lust. Zum Schluss sieht Loveless seine Fehler ein und spricht als höchst demutsvoller Bußfertiger: »Du hast mich der tiefen Lethargie des Lasters entrissen ... Ich will mich aufs Knie werfen und der danken, deren sieghafte Tugend mich schließlich bezwungen hat. Hier will ich bleiben, zu meiner Schande also niedergeworfen; ich will meine Verbrechen in nicht versiegenden Tränen abwaschen.« Er ist durch die Schule des Gefühls gegangen.

Dieses höchst tugendhafte Stück von Colley Cibber *Loves Last Shift*, der Liebe letzter Ausweg, wurde 1696 im königlichen Theater in London mit großem Erfolg aufgeführt. Und von nun an entstanden Zwitterkomödien, heiter und ernst, bürgerlich und moralisch, mit einem Nachgeschmack der alten Unmoral: denn es erschien darin mehr als eine Gestalt aus dem alten Repertoire, die dementsprechend keineswegs verlernt hatte zu trinken, hinter Schürzen herzujagen oder, ohne Rücksicht auf keusche Ohren, unanständig zu reden. Neu waren daran ein paar frische und reine Szenen, aber die ältesten Kniffe wurden skrupellos benutzt, als da sind: Verkleidungen, Maskeraden, an die verkehrte Adresse gelangende Briefe, Verwechslungen. Für die letzteren gab Colley Cibber das Beispiel mit seiner Unterstellung, dass Loveless seine Frau Amanda nicht wiedererkennt, weil ihr Gesicht, wie er erklärt, durch die Pocken leicht verändert worden ist. Linkisch sind diese Komödien; am Aktschluss, und manchmal sogar am Sendeschluss sind sie mit kleinen moralisierenden Verschen gespickt, die nur schwer als spontan oder schön gelten können. Aber alle bezeugen sie ein und dieselbe Geistesverfassung, ein und denselben psychologischen Grundzug, um dessentwillen ihnen viel vergeben werden wird: eine moralische Reform kann sich nicht von außen vollziehen, nicht durch Gewalt, nicht durch Autorität; die Zustimmung der Seele ist erforderlich. Die Seele muss daher angerührt und, ehe man an einen Willen zur Erneuerung appelliert, zunächst durch das Gefühl erschüttert, dann gebessert werden. Ein Ehemann, der sich über die Zügellosigkeiten seiner Frau klar wird, wird nichts bei ihr ausrichten, wenn er in ihrem Herzen nicht Bedauern und Reue hervorruft. Um das zu erreichen, wird er eine ganze kunstvolle Inszenierung ersinnen, einen falschen Liebhaber aus dem Boden stampfen, einen Figuranten, den er bezahlt hat, um sie bis an den Rand des Abgrundes zu führen. Der Schuld so nahe, wird sie Abscheu vor der Lüge und dem Verrat empfinden. Sie wird zur Tugend zurückkehren aus Ekel vor dem Laster.

Man wird rührselig. Alte Dienstboten, so treu wie gute Hunde, dankbar für alle Wohltaten, die ihre Herren über sie ausgeschüttet haben, zeigen im kritischen Augenblick wunderbare Aufopferungsfähigkeit. Man überlässt einige unverbesserliche Frauen ihrem unglücklichen Schicksal, aber die Mehrzahl ist zärtlich und sanft, und wenn ihr Herz in die Irre geht, so versteht man, sie zur rechten Zeit auf den richtigen Weg zurückzuleiten. Bei den Männern wird die Beständigkeit aufrichtiger Liebe nach einigen Prüfungen stets belohnt. Man bewundert einen Vater, der seinem Sohn keinen Kummer bereiten will, und einen nicht weniger zartfühlenden, nicht minder anhänglichen Sohn; den besten und zärtlichsten Vater, den besten und zärtlichsten Sohn: zwei Empfindsame, die sich in sich selbst zurückziehen, sobald man sie anrührt. Im selben Stück tritt eine reine und reizende Unschuld auf, die — was man ihr auch sagen mag — nicht an die Existenz des Bösen glauben will. Die unsympathischsten der Gestalten sind höchstens etwas raubeinig oder zur Eifersucht geneigt. Aber die Eifersucht legt sich, die Rauheit schmilzt in Sanftmut dahin, die Missverständnisse klären sich auf, und alle Welt fällt sich weinend in die Arme. So ist es in *The conscious lovers* von Steele, das im Jahre 1722 erscheint und den Höhepunkt des Genres bedeutet.

Ein Teil der Literatur neigt alles in allem dazu, ein »wertvoller Dienst an der menschlichen Gesellschaft«[315] zu werden.

Die Oper — welche Beleidigung der Vernunft! Den Augen und Ohren schmeicheln und den Verstand empören: das ist etwas wie eine Herausforderung. Alles singen vom Anfang bis zum Schluss, nicht nur die Liebeserklärungen, sondern auch die Reden, die Botschaften, die Befehle, die Beschwörungen, die verschwiegenen Mitteilungen, die Geheimnisse: welche Absurdität! »Kann man sich vorstellen, dass ein Herr seinen Diener singend herbeiruft oder ihm einen Auftrag erteilt; dass ein Freund sich seinem Freunde singend anvertraut; dass man bei einer Sitzung singend berät; dass man die Befehle, die man erteilt, singend ausspricht und in einem Kampfe melodisch Menschen mit Degen oder Lanze umbringt . . .?« — »Wenn Sie wissen wollen, was eine Oper ist, so kann ich Ihnen sagen, dass es ein wunderliches Machwerk aus Dichtung und Musik ist, bei dem Dichter und Musiker sich gleichermaßen gegenseitig behindern und sich viel Mühe machen, um nichts als ein schlechtes Stück Arbeit zustande zu bringen . . .«

Den Dekorateur, den dritten Verbrecher, nicht zu vergessen! Das Theater mit allerhand Papiermaché-Wundern anfüllen und so das psychologische Interesse durch äußerliche, Überraschung und Staunen erregende Effekte ersetzen; außerordentlich komplizierte Maschinen erfinden, fliegende Gefährte, zum Himmel schwebende Götter, lebendige Ungeheuer: welch ein Widersinn! Kurzum, wenn man die Wohlgesinnten hört, die, welche das Wahre, das Wahrscheinliche, das Logische und das Geord-

---

315 R. Steele, The tender husband, a comedy, 1705. To Mr. Addison: »Poetry ... is an obliging service to human society.«

nete lieben, Saint-Évremond, Boileau und La Bruyère, Addison und Steele, Gravina und Crescimbeni, Maffei, Muratori, so ist die Oper vernunftwidrig und vollkommen verächtlich, denn schließlich ist sie »eine mit Musik, Tänzen, Maschinen und Dekorationen beladene Narretei, eine großartige Narretei, aber deshalb nicht minder eine Narretei . . .[316]«

Eben: die Oper war vernunftwidrig, und die Oper gefiel! Das war eine Tatsache, die niemand bestreiten konnte; das war das Neue, das die Verteidiger des gesunden Menschenverstandes in Zorn versetzte. Die Oper triumphierte überall; sie hatte Florenz, Venedig, Rom, Neapel, jede italienische Stadt erobert. Sie hatte in den großen musikalischen Zentren Deutschlands Fuß gefasst, in Dresden, in Leipzig. Sie entzückte Wien, das etwas wie ihre zweite Heimat geworden war. Es gab keinen Fürsten oder Großherzog, der nicht sein Theater, seine Dekorateure, seine Komponisten hätte haben wollen, den besten *maestro*, den besten Ballettmeister, die beste *prima donna*. Paris umjubelte Lulli und Quinault. London beschlagnahmte Händel. Madrid war sehr zurück. Madame d'Aulnoy[317] erzählt 1691 in ihrer *Relation du Voyage d'Espagne* mit einem Lächeln: »Ich sah noch nie so erbärmliche Maschinen; man ließ die Götter zu Pferde auf einem Balken herunter, der von einem Ende des Theaters zum anderen reichte. Die Sonne leuchtete dank einem Dutzend Laternen aus Ölpapier, von denen jede eine Lampe enthielt. Als Alcine zauberte und Dämonen beschwor, stiegen diese behaglich auf Leitern aus der Hölle

---

316 Saint-Évremond, Lettre sur les Opéras.

317 Marie Catherine Jumel de Berneville, Comtesse d'Aulnoy, französische Schriftstellerin, vor allem bekannt durch ihre Märchen, ihre »Mémoires secrets sur la cour de France« und die »Mémoires d'Espagne« mit der »Relation du Voyage d'Espagne«. Anm. d. Übers.

herauf . . .« Das wird sich ändern: im Jahre 1703 lässt sich eine italienische Truppe in Madrid nieder.

Woher diese Leidenschaft? — Die Menschen brauchen immer das Erschütternde. Die Tragödie, die vom Ende des 18. Jahrhunderts an nur noch Nachahmung und ganz mechanisiert ist, liefert es nicht mehr. Also wird die Musik es geben. Ein psychologisches Bedürfnis führt zu einer Verschiebung in der Kunst, zu einer neuen Kunstform.

Eine gewaltige dekorative Synthese, bei der alle Künste mitwirken, ein Fest der Töne, der Farben, der rhythmischen Bewegungen; eine Bezauberung von Auge und Ohr; vor allem aber eine Erschütterung ganz neuer Art, da man sie nicht analysieren kann, da ihre Süßigkeit sinnlich ist, da der Körper selbst dabei zu schmelzen und sich aufzulösen scheint; ein Genuss, der etwas von Magie und Zauber an sich hat; ein unerklärliches tiefinnerliches Lustgefühl: das war die Oper! Und wenn man sie auch hundert- und tausendmal verurteilt hätte, so hätte man doch in der Wüste gepredigt. Die Kritiker hatten unrecht. Sie begriffen nicht, dass eine Sehnsucht erwacht war, die befriedigt werden wollte: das Publikum verlangte das Übernatürliche, verlangte Pathos und Zärtlichkeit. Die Seelen wollten nicht mehr überzeugt, sie wollten »aufgerüttelt[318]« werden. Das war das Neue!

Versuchen wir uns genauer auszudrücken: Was Europa mit Begeisterung aufnahm, war die italienische Oper. Italien, welches die ersten Vorbilder der Gattung gegeben hatte, bleibt die unerschöpfliche Quelle, aus der die volltönenden Wellen entspringen. Es liefert dem gesamten Europa sowohl die Musik als auch die Ausführenden. Es ist die Melodie selbst. Seine Melodramen erobern denn auch alle benachbarten Nationen. Paris will kämp-

318 Madame de Sévigné, Lettre du 8 janvier, 1674.

fen, aber das Genie, das es den Italienern entgegenstellt, ist selbst italienisch; und überdies ist es nur die Hälfte Frankreichs, die Widerstand leistet, die andere Hälfte ist gewonnen. Hamburg bleibt lange der deutschen Musik treu, aber es gibt zum Schluss doch nach. Die Welt der Oper ist nur noch eine italienische Kolonie.

Woher kommt nun diese Bevorzugung und diese Hegemonie? — Die italienischen Librettisten möchten für ihr Teil der alles beherrschenden Vernunft treu bleiben. Indem sie ihr gehorchten, würden sie der Verachtung entgehen, welche die Kritiker für sie hegen; sie würden an Würde mit den großen tragischen Autoren wetteifern. Apostolo Zeno, der Lieferant der Kaiserlichen Majestät, der gern der Pierre Corneille der Oper sein möchte, und Benedetto Marcello bemühten sich, das Textbuch den Regeln gemäßer zu gestalten, ihm den ihm eigenen Mangel an Geschlossenheit zu nehmen, es zusammenzuballen, zu vereinfachen, kurzum, es der Tragödie anzunähern. (Später einmal wird Metastasus sogar das Melodrama im Namen der Poetik des Aristoteles rechtfertigen.)

Aber vergebens: diese übereifrigen Librettisten waren Opfer der literarischen Illusion, die ringsum herrschte und die das Heldengedicht und die Tragödie an die Spitze der Schöpfungen des menschlichen Geistes stellte, und wollten daher nicht begreifen, dass die Dichtung nur noch eine bescheidene Dienerin war, der die Musik die Gesetze vorschrieb. Die Musik forderte hier eine Arie, dort ein Duett, weiterhin einen Chor. Sie verlangte, dass dem Tenor oder dem Bass so und so viele Verse und der oder jener Rhythmus Vorbehalten würde. Sie ordnete alles an, sogar das Vokabular, das nur noch Leichtes und harmonisch Klingendes enthalten durfte. Vom Schriftsteller forderte sie nichts als Geschmeidigkeit und Geschicklichkeit: es blieb ihm nichts anderes übrig, als sich mit Geschick anzupassen, dem Komponisten, dem Kapellmeister, der *prima donna* zu gehorchen. Und die italienische Sprache, die reicher, klangvoller und harmonischer ist als irgendeine andere Sprache Europas, gewann hier das Prestige zurück, das sie, soweit es sich darum handelte, Gedanken zum Ausdruck zu bringen, verloren hatte.

Die italienische Musik, welche Wonne! welch ein dem Druck entronnener Springbrunnen! welcher Reichtum! welche Fülle! welch triumphierende Leichtigkeit! Großmütig strömend, unerschöpflich, bot sie dem Publikum, das sie nicht mehr entbehren konnte, alles, was der französischen Musik, jeder anderen Musik fehlte: Schwung, Brio, Eigenart. Jawohl! höchst betonte Eigenart, sowohl dort, wo sie leidenschaftlich, wie dort, wo sie zärtlich war. Sie erstrebte nicht eine sanfte, gleichmäßige, geschlossene Harmonie, sie gebrauchte keine vorsichtigen, folgerichtigen Übergänge: sie wagte, riskierte und berauschte die Seele gerade durch diese Kühnheiten. Auch das haben schon Zeitgenossen festgestellt, und zwar Franzosen. »Die französischen Musiker glauben sich verloren, wenn sie im Geringsten gegen die Regeln verstoßen. Sie schmeicheln dem Ohr, kitzeln es, respektieren es und zittern auch dann noch aus Furcht vor dem Misserfolg, wenn sie die Dinge so regelmäßig wie nur möglich gestaltet haben. Die Italiener sind viel kühner: sie wechseln unvorbereitet Takt und Tonart, bringen verdoppelte und zweifach verdoppelte Kadenzen von sieben bis acht Takten auf Tönen, von denen wir annehmen würden, sie ertrügen nicht das leiseste Tremolo; sie lassen den Ton so fabelhaft lange halten, dass diejenigen, die nicht daran gewöhnt sind, sich unwillkürlich zunächst über diese Kühnheit entrüsten, während man sie später nie genug bewundern zu können glaubt . . .« Kurzum, sie erfüllen den Geist des Hörers mit Entsetzen und Erstaunen, so dass er glaubt, das ganze Konzert werde in eine grauenhafte Dissonanz verfallen; dadurch gewinnen sie sein Interesse an dem Ruin, der die ganze Komposition bedroht, und alsbald beruhigen sie ihn durch so regelmäßige Abschlüsse, dass jeder voll Staunen die Harmonie gerade aus der Dissonanz entspringen und ihre größte Schönheit eben aus jenen Unregelmäßigkeiten gewinnen sieht, die sie vorher mit Zerstörung zu bedrohen schien[319].

Ein Genuss, den die Kühnheit schafft; ein unruhevoller Genuss, den die Vorstellung oder Illusion vermittelt, man verletze sakrosankte Regeln; ein Genuss, an dem die Sinne Anteil haben, bei dem unsere Nerven vibrieren, wie die Geige unter dem Bogen: so war der Genuss, den all die italienischen Komponisten mit ihren allein schon so volltönenden Namen vermittelten, die »ganz Europa mit ihren ausgezeichneten Produktionen in Entzücken versetzten«. Wenn die Schüler Scarlattis, des berühmtesten dieser Komponisten, ihren Meister fragten, warum er diese oder jene Vorliebe bekunde, diesen oder jenen Rat gäbe, so hatte er immer nur die eine Antwort: *Perchè fa buon sentire*[320].

DAS NATIONALE, VOLKSTÜMLICHE, INSTINKTIVE

Wir haben versucht, einige jener Kräfte aufzuzeigen, die, so verworren sie sind, doch durch ihr einfaches Dasein verhindern, dass Europa ganz der Kritik und Analyse, der Logik und Vernunft anheimfällt: Reserven für die Zukunft sind es; für eine Revanche von Gefühl und Ein-

---

319 Raguenet, Parallèle des Italiens et des Français en ce qui regarde la musique et les opéras, 1702.
320 Weil es sich gut anhört.

bildungskraft, die zwar noch fernliegt, sich aber schon dunkel vorbereitet. Wir haben diese Kräfte zunächst nur so, wie sie sind, betrachtet und die Manifestationen dieses konkreten Lebens in ihrer verworrenen Mannigfaltigkeit zur Kenntnis genommen und registriert. Vermögen wir sie nun zu übersehen und von einem höheren Gesichtspunkt aus einige Prinzipien herauszulösen, um welche diese Elemente des Widerstandes sich mit Vorliebe sammeln?

Wer wird je das Gefühl für die nationalen Differenzen ausrotten? Unreduzierbare Werte spielen dabei eine Rolle, und es wirken Ursachen mit, die der Verstand kennt, und solche, die er nicht kennt.

Ein und dieselbe Art, zu denken und somit zu schreiben, gelangte mehr oder weniger in allen Ländern zur Herrschaft. Ordnung, Präzision, geregelte Vernunft, eine solide Schönheit, die sich nur als Preis großer Geduld und angespannter Arbeit erringen lässt, herrschten: darüber besteht kein Zweifel. Aber ist es nicht ebenso unbestreitbar, dass jedes Land diese allgemeine Vorschrift auf seine eigene Manier auslegte und dass sich infolgedessen selbst noch in dieser gewollten Einheitlichkeit fühlbare Unterschiede, ja sogar Gegensätze geltend machten? Zum Beispiel: England hatte den Klassizismus übernommen, teils unter französischem Einfluss, teils weil es eine innere Reform brauchte, die seine Gewalten bändigte; aber es blieb stets ein britischer Klassizismus, ein besonderer Klassizismus, ein Kompromissklassizismus.[321] Greifen wir sogleich ein schlagendes Beispiel heraus. Swift zählt zu den Klassikern; und tatsächlich hat er ein gut Teil dazu

---

321 Siehe hierzu die scharfsinnigen Bemerkungen von Louis Cazamian in der Histoire de la littérature anglaise von E. Legouis und L. Cazamian, 1924, S. 694.

beigetragen, der englischen Prosa ihre Form zu geben. Er wird heute in den Schulen durchgenommen und wird es zweifellos immer werden. Seine Qualitäten und sein Genie sind so unbestreitbar, dass wir ihn ohne Zögern unter die größten Schriftsteller seines Volkes einreihen. Aber welch seltsamer Klassiker ist er schon in den Augen eines Franzosen von heute; und wieviel seltsamer in den Augen eines Franzosen, der auf Boileau eingeschworen war: schlagen wir die *Geschichte von der Tonne*[322] auf; versuchen wir uns in den Geisteszustand eines kontinentalen Lesers um 1704 zurückzuversetzen; malen wir uns seine Bestürzung aus. Zunächst einmal, welch ein Durcheinander! Dieser Mensch versteht nicht zu gestalten; er folgt der erstbesten Idee, die ihm in den Kopf kommt, schweift ab und immer wieder ab: gerade als ob er jenes hervorragende Hilfsmittel der Kunst zu schreiben nicht kennte, das man die Oberleitung nennt. Er folgt nur seinen Launen; seine Einleitungen sind länger als seine Ausführungen; er hat keinerlei Respekt vor der formalen Logik, und bei alledem scheint er sich noch über uns lustig zu machen. »Nachdem ich so weitschweifende Umwege gemacht habe, kehre ich auf den Weg zurück, entschlossen, meinen Gegenstand fortan Schritt für Schritt bis zum Ende meiner Reise zu verfolgen, falls sich nicht irgendein anmutiger Ausblick vor meinen Augen auftut . . .« Was soll man von einem Autor halten, der sich eine Abschweifung zum Lob der Abschweifung erlaubt? Und welch absonderliche Bilder! Welche Wunderlichkeiten! Welche Raserei der Fantasie! »Die Weisheit ist ein Fuchs, den man oft vergeblich jagt, wenn man ihn nicht zwingt, seinen Bau zu verlassen; sie ist ein Käse, der um so besser ist, je dicker, zäher und widerlicher die Rinde ist, die

---

322 Tale of a Tub. London 1704.

ihn bedeckt; sie ist wie Schokolade, die immer besser wird, je mehr man auf den Grund kommt. Die Weisheit ist ein Huhn, dessen unangenehmes Gegacker man in Kauf nehmen muss, weil ein Ei darauf folgt; sie gleicht einer Nuss, die, falls man sie nicht vorsichtig wählt, einen Zahn kosten kann und dafür eventuell nur mit einem Wurm zahlt . . .«

Und was soll überdies diese Manier, alles anzugreifen und alles zu zerstören? Er hat in erster Linie etwas gegen die Katholiken, aber auch gegen die Lutheraner, die Calvinisten, die Schwarmgeister jeder Art. Man ist nie sicher, ob er nicht, nachdem er gestreichelt hat, zu beißen beginnt. Er regt sich auf, gerät in Zorn, schimpft: er ist ein tollgewordener Aristophanes. Und dann diese ewigen Allegorien! Und diese Ironie! Sie nimmt kein Ende. Und diese grauenhaften Scherze! »Ich sah letzte Woche eine Frau, die man geschunden hatte, und Sie glauben nicht, wie ungünstig ihr diese Art Déshabillé stand . . .«

Wie viele Engländer haben wohl, obgleich sie den Wert der klassischen Regeln anerkannten und sogar versuchten, sich ihnen anzupassen, im innersten Herzen Heimweh nach der verlorenen Freiheit gehabt? Wie viele haben wohl gedacht, Aristoteles und Horaz genügten völlig, und man hätte fürwahr nicht nötig gehabt, sich die französische Strenge und Unbeugsamkeit zu eigen zu machen? »Gerade wie wenn man, um ausgezeichneten Honig zu gewinnen, die Flügel der Bienen beschneiden und sie darauf beschränken wollte, sich in ihrem Bienenstock zu halten oder doch nur wenig davon zu entfernen . . . Die Bienen wollen sich über Garten und Flur verbreiten und selber nach Gefallen die Blüten wählen . . .[323]

323 William Temple, Upon Poetry, in Miscellanea von 1692. — Essai de la poésie in den Œuvres mêlées, französische Übersetzung. Utrecht 1693 und 1694. Amsterdam 1708.

Der Widerspruch wird deutlicher und zäher und macht sich sogar mit Heftigkeit geltend, sobald es sich nicht mehr um Literatur, sondern um die Sitten handelt; sobald es sich, anders ausgedrückt, darum handelt, letzte Zuflüchte, eingewurzelte Gewohnheiten, eine spezifische Art zu sein, zu verteidigen. Wenn man die Romane und Komödien einer Zeit liest, die doch bis zu einem gewissen Grad das Beispiel der französischen Geselligkeit akzeptierte, so ist man erstaunt über die Heftigkeit der Reaktionen. Frankreich wird darin als schamlos dargestellt; es schickt seine Tanzmeister nach London, seine verderbten Lakaien, seine kupplerischen Kammerkatzen, seine Modistinnen und Abenteuerinnen, seine eitlen Marquis, die ihre guten Manieren töricht zur Schau tragen und dabei nichts sind als Feiglinge und Spitzbuben. Ihr Gegenspieler ist der redliche, einfache und raue Engländer: gerade diese Rauheit wird als Tugend dargestellt. Besser seine freimütige Sprache, seine altmodischen Manieren, seine ungebrochene Kraft bewahren, als sich von einem ausländischen Einfluss verderben lassen, der dazu neigt, aus einem Mann einen Mannequin, einen Heuchler, einen »Beau« zu machen. Franzosen und Französinnen dienen so in unzähligen Stücken als abschreckendes Beispiel: lächerliche Figuren, die in erster Linie bestimmt sind, das Parterre zu belustigen, und die überdies die Vorzüge, die unzerstörbaren britischen Vorzüge zur Geltung bringen sollen.

Italien klagt, es sei der Sklave Frankreichs, und tatsächlich wird es das bis zu einem gewissen Grad. Aber auch hier müssen wir uns vor allzu einfachen Behauptungen hüten. Denn abgesehen davon, dass der eine oder andere transalpine Dichter die Tradition der römischen Einheit aufrechterhält, den Gedanken, dass Gallien schließlich nur ein Nachkömmling ist, und die Hoffnung auf eine Zeit, da die wahrhaft souveräne Nation wieder in ihre Rechte eintreten wird, vertreten die italienischen Theoretiker, da es nun einmal Klassizismus sein soll, den Anspruch des italienischen Klassizismus, der dem Datum nach älter ist als die französischen Doktrinen. Nach ihnen ist der ihre der einzig legitime, authentische und unverfälschte Klassizismus. Sie setzen hartnäckig die Renaissance fort, ihre Renaissance; wer könnte ihnen das Verdienst daran streitig machen? Während die Dichter daran arbeiten, Corneille und Racine nachzuahmen, und laut ihre Absicht kundtun, sie zu übertreffen, wiederholen die Theoretiker unaufhörlich, sie wollten dem Geist und Beispiel der griechischen Tragödie treu bleiben: der einzigen, die zählt und die ihnen nach dem Recht des Entdeckers und ersten Ausbeuters gehört. Was hat Frankreich schließlich geleistet? Es hat diese edlen Vorbilder abgeändert und verdorben. Es hat die antike Tragödie verweichlicht, hat sie galant gemacht, hat dem Ausdruck der Liebe einen unverhältnismäßigen Platz eingeräumt. Der große Meister bleibt Sophokles, auf ihn muss man zurückgreifen.

Auch um den Anspruch eines zeitlichen Vorher wird von Nation zu Nation gekämpft. Alle versuchen sie, in den Abgrund ihrer Vergangenheit hinabzusteigen, um Adelstitel daraus hervorzuholen. Sie besitzen die älteste Sprache oder die älteste Dichtung oder die älteste Prosa, und jede versichert stolz, ihre Nachbarinnen seien nur anmaßende Parvenüs.

Kein Land machte in dieser Richtung kühnere Anstrengungen als Deutschland. Es war nur ein Staub, es war erdrückt, gedemütigt. Es verfiel einem Einfluss nach dem anderen und übte selber keinen. Es schien keine moralische Macht mehr zu sein. Aber es verteidigte seine verborgene Vitalität und kämpfte, um sein Dasein zu behaupten, auf allen Fronten zugleich. Die Einheit? Es würde sie mit Leichtigkeit durch eine innere Reform wiedergewinnen, sagten sowohl Pufendorf als Leibniz. — Das Recht? Gab es nicht ein germanisches Recht, das vor dem römischen, vor dem kanonischen Recht dagewesen und diesen überlegen war? Das römische und das kanonische Recht wurden höchst irrtümlicherweise allein an den Universitäten gelehrt. Es war an der Zeit, dem nationalen und autochthonen Recht wieder seinen Platz einzuräumen. — Die Sprache? Die deutsche Sprache war doch ebenso alt und überdies ebenso schön wie das Lateinische und das Griechische, wie irgendeine andere Sprache: die deutsche Sprache reichte an den Ursprung der Welt zurück. — Die Literatur? Die deutsche Literatur gab keiner anderen etwas nach. Das wies 1682 der gelehrte Morhofius nach. Wie er sich anstrengte, wie er die Beweise häufte! Wie man auf allen Seiten seines gedrängten und schwerfälligen Buches die Liebe zum deutschen Vaterlande durchfühlte! Er erklärte, Deutschland habe sehr ruhmreiche Dichter besessen, die zu Unrecht vergessen worden seien, darunter Hans Sachs und ältere, die Olaus Rüdbeck ohne Berechtigung für Skandinavien in Anspruch nehme. In seinem Eifer zieht Morhofius recht seltsame Schlüsse: Deutschland hat Dichter gehabt, von denen keine Spur bleibt, aber das will nicht heißen, dass sie niemals existiert haben. Sie müssen ganz im Gegenteil existiert haben, da bei allen Völkern die Dichtung die ursprüngliche Ausdrucksform ist; und also existieren sie, auch wenn sie unbekannt, auch wenn sie unauffindbar sind . . .

Diese deutsche Sprache, welche die Rundung der griechischen Sprache besitzt, die Majestät der römischen, den Reiz der französischen, die Anmut der italienischen, den Reichtum der englischen und die Würde der flämischen, diese tausendjährige Sprache wird, so hoffen ihre eifrigen Verteidiger, Meisterwerke hervorbringen, die das neidische Europa zwingen werden, ihre Vorzüge anzuerkennen. Als im Jahre 1689 Arminius und Thusnelda von Casper von Lohenstein erscheint, erhebt sich ein Triumphgeschrei. Endlich hat ein großer Dichter, patriae amantissimus, einen Gegenstand gesucht und gefunden, welcher der deutschen Nation würdig ist; er hat jenen Arminius gefeiert, der Rom Widerstand geleistet hat, nicht als es noch in seinen schwachen Anfängen war, sondern auf dem Höhepunkt seiner Macht. Er gibt Deutschland die Krone aus Eichenlaub und Lorbeer zurück. Freudenrufe, Triumphgeschrei . . .

Sehnsucht, welcher Wesenszug des ewigen Deutschland wäre allgemeiner anerkannt? Er fehlt nicht zu einer Zeit, da die Aufklärung alle Dunkelheiten der Seele zerstreuen und sogar das Unbewusste aufheben will. Christian Weise, der Poet und Pädagoge, der in seinem ganzen Werk das Einfache und Natürliche aufs rührendste gesucht hat, führte in der Schule, die er leitete, jedes Jahr Theaterstücke auf: ein Vergnügen für die Schüler, die zu Schauspielern wurden; der Stolz der Eltern. Und in einem dieser Stücke kam die Qual einer unbefriedigten Seele zum Ausdruck: Die unvergnügte Seele wurde aufgeführt im Jahre 1688. Vertumnus ist gut und von vornehmer Herkunft und müsste daher logischerweise glücklich im Leben sein; er ist aber unglücklich: er fühlt sich unfähig, die Güter zu genießen, die er sein eigen nennt; er kann nicht einmal sagen, was ihm fehlt. Er versucht die Leere seiner Seele auszufüllen: durch Frauen, durch die lustige Gesellschaft von Zechbrüdern; durch Ehren, durch Umgang mit den *Virtuosi* des Parnaß. Alles ist nutzlos. Er verfällt der Verzweiflung, er ist dem Sterben nahe. Gibt es denn nur im Tode Zufriedenheit? — An diesem Punkt wird das Stück moralisierend und verliert an psychologischem Interesse. Ein paar Landleute kommen vorüber, Contento und Quieto; sie haben ein gut Teil Unglück gehabt, aber sie hängen trotzdem am Leben, verlangen nicht mehr von ihm, als es zu geben vermag: sie lesen Vertumnus die Leviten, und er hört sie an und bekehrt sich.

Die unbefriedigte Seele ist noch schüchtern und bescheiden; sie hat noch keinerlei Hochmut, hält sich nicht für privilegiert, glaubt noch an ihre eigene Gesundung. Aber wir wissen, dass Vertumnus Nachfolger haben wird, die ihren Überdruss bis zum Außersichsein steigern werden, die Gott und die Welt zum Zeugen ihrer Verdammnis anrufen und denen weder Contento noch Quieto zu Hilfe eilen werden, wenn sie beschlossen haben, diese ihrer unwürdige Welt zu verlassen.

Die Kritiker jener Zeit, die *Arminius und Thusnelda* und die unzähligen Verse von Christian Weise bewunderten, wussten nicht, dass Deutschland bereits einen der schönsten Romane hervorgebracht hatte, in dem je eine Kollektivseele ihren Ausdruck gefunden hat: den *Simplicius Simplicissimus* von Grimmelshausen. Ein Schelmenroman, wenn man will, durch die unzähligen Abenteuer, in die der Held gerät; aber von einer so tief bodengebundenen Saftigkeit, dass er sich als unübersetzbar erwiesen hat und, was einige Länder, darunter Frankreich, betrifft, noch heute erweist. Es geht darin um Erinnerungen an den Dreißigjährigen Krieg mit vernichteten Ernten, geplünderten Dörfern, gemarterten Bauern, mit Feuer und Blut überall. Es geht um eine einfache und gesunde Seele, die mitten in eine verderbte Welt geschleudert wird und die, von ihr in Versuchung geführt und angefressen, doch zuletzt Sieger bleibt. Es geht um einen Glauben, der über die Erde wie durch einen Wald von Symbolen schreitet und der sich in seinem ständigen Streben nach ewigen Gewissheiten bewusst bleibt, inmitten einer Unzahl vorübergehender Illusionen zu leben. Es geht um den Christen, der den Himmel mühselig gewinnt durch tausend Prüfungen hindurch, durch Ungewissheit, Sünde, Reue und die Hoffnung, die der ewigen Freude vorausleuchtet. Alle diese verschiedenen Themen entwickeln, verschlingen, verschmelzen sich und nehmen wieder ihre eigene Melodie auf; sie folgen einander in unvergleichlicher Fülle und Mächtigkeit, sie singen das Heldenlied eines Volkes, das seine Nachbarn dem Sterben nahe glaubten und das ganz im Gegenteil seinen unbesieglichen Willen zur kraftvollen Originalität bekundete.

Man hatte damals die Theorie von der Überlegenheit einer Rasse über die andere noch nicht erfunden. Man hatte den Gehalt des Wortes »Vaterland« noch nicht analysiert. Man war sich noch nicht klar bewusst geworden, was eine Nation war. Man hatte das Gefühl, das der Boden und der Kirchturm in den Seelen erweckt, noch nicht mit Hilfe des Verstandes zu rechtfertigen und erklären gesucht. Aber man lebte diese Gefühle, und sobald ein Italiener aus dem zerstückelten Italien, ein Deutscher aus dem zerrissenen Deutschland, ein Pole aus dem so gern mit sich selbst in Fehde liegenden Polen, ein Spanier aus dem schlummernden Spanien glaubte, man rühre an die tiefsten Werte oder auch nur an den äußerlichen Ruhm seines Landes, so begannen die Proteste und Streitigkeiten; und gegenüber den nationalen Eigentümlichkeiten verlor die universale und alles gleichmachende Vernunft ihr Recht.

Manchmal stieg ein Lied empor; keine kunstvoll verfasste Ode, kein Madrigal oder Epigramm, sondern ein sozusagen barbarischer Sang. Man erzählte, ein skandinavischer König des Mittelalters, Regner Ladbrog, sei von einer Schlange tödlich verletzt worden und habe, kurz bevor das Gift sein Herz erreichte, Verse in Runensprache gesungen.[324] Und diese Verse vermochten durch die Fremdartigkeit die Zeitgenossen Wilhelms von Oranien und Ludwigs XIV. zu überraschen und zu entzücken. Oder man zitierte Klagelieder, die von sehr weit her aus dem Lande jener unwahrscheinlichen Polbewohner, der Lappen, kamen: den Gesang von Orras Heide:

Oh soleil levant, dont le joyeux rayon
invite ma beauté aux plaisirs champêtres,
dissipe la brume, éclaircis le ciel
et amène devant moi ma chère Orra.
Ah! si j'étais sûr de la revoir, ma bien-aimée
je grimperais jusqu'à la plus haute branche de ce sapin;
là-haut, dans cet air qui doucement frissonne, et
tout à l'entour, je regarderais sans trêve.[325]
Oder das Lied vom Rentier:
Hâte-toi, mon renne, et accomplissons d'un pas agile
notre voyage d'amour à travers cette lande désolée.
Hâte-toi, mon renne, tu es encore, encore trop lent,
un amour impétueux exige la vitesse de l'éclair.[326]

Das wollte nicht viel bedeuten inmitten einer solchen Fülle von nach den besten Regeln geschliffenen Versen.

---

324 W. Temple, Essay upon Heroic Virtue, in Miscellanea, The second part. London 1690, S. 234 — 235.

325 O du aufgehende Sonne, deren heitere Strahlen — meine Schöne zu den ländlichen Freuden lädt, — verstreue die Nebel, erleuchte den Himmel — und führe meine teure Orra zu mir her.

Ach! wenn ich sicher wäre, sie wiederzusehen, meine Geliebte, — so würde ich zum höchsten Zweig dieser Tanne emporklettern, — in die sanft zitternde Luft dort oben, — und würde ohne Ermatten in die Runde blicken.

326 Spectator, Nr. 366 und 406:

Es hätte noch weniger bedeutet, wenn Addison sich nicht hätte einfallen lassen, diesen formlosen Produkten Interesse entgegenzubringen und zu gestehen, dass er sie liebe. Das alte Lied von Chevy Chace, die sanfte Ballade von den beiden Kindern im Walde, er lobte sie: sie waren naiv und schön; er für sein Teil fand Vergnügen daran, wenn er England durchquerte, jenen Liedern zu lauschen, die sich vom Vater auf den Sohn vererben und welche die einfachen Leute entzücket.[327] Allerdings lässt Addison, um seinen Geschmack zu rechtfertigen, Homer und Virgil Fürsprecher sein und weist nach, dass diese Verse dieselben Vorzüge hätten wie die Odyssee, wie die Aeneis. Aber glücklicherweise verbeißt er sich nicht in diesen gelehrten Nachweis und beginnt bald wieder das Natürliche, Spontane, Naive in dem Lied, das ein von der Arbeit zurückkehrender Bauer trällert, hervorzuheben — den Ausdruck der Volksseele. »Das Lied ist eine einfache Nachahmung der Natur und ermangelt jeder Hilfe und jeden Schmuckes der Kunst . . .; und es gefällt aus keinem anderen Grunde als dem: es ist eine Nachahmung der Natur . . .«

An einem anderen Pol des Lebens herrschte eine verwandte Vorstellung oder war doch im Wachsen begriffen, die Vorstellung, dass die Macht des Volkes die einzig legitime Macht sei und die königliche Macht sich nur aus einer Übertragung derselben herleite. Selbst im Königreich Frankreich gab es Leute, die daran erinnerten, dass Gallien von den Franken erobert worden sei; dass das Volk der Franzosen seine Versammlungen auf dem

---

Spute dich, mein Rentier, und lass uns im behenden Lauf — unsere Liebesreise durch diese öde Heide vollenden. — Spute dich, mein Rentier. Du bist noch immer, noch immer zu langsam, - eine stürmische Liebe fordert die Geschwindigkeit des Blitzes.

327 Spectator, Nr. 70, 74, 85.

Marsfeld abzuhalten und seine Führer zu wählen pflegte; und dass somit die Macht nicht auf irgendein göttliches Privileg, nicht auf irgendeine römische Tradition, sondern auf Einsetzung eines frei gewählten Herren durch die Schar der Krieger zurückgehe. Das Volk existierte als Demokratie noch nicht, aber der Begriff der Volksmacht löste sich allmählich zukunftsträchtig heraus.

Dann war da der Instinkt. Nicht als ob er schon sehr in Gunst gestanden hätte. Bei den Christen rief er Abscheu und Besorgnis hervor, und die Philosophen zögerten noch, die Natur für vollkommen gut zu halten, und zogen sie lieber nach der Seite der Vernunft hinüber. Aber der Instinkt fehlte auch nicht ganz in den landläufigen Präokkupationen. Bald tauchte ein Arzt auf, der die Fakultät und ihre Rezepte beschimpfte und die Gewohnheit, sich selbst zu pflegen und seine Gesundheit durch seinen Instinkt zu bewahren, pries. Bald führte irgendein Original bei der Behandlung der poetischen Inspiration deren eigentliches Wesen auf einen Furor, eine höhere Art von Tollheit, auf den Instinkt zurück. Und hierbei meldete sich ein Störenfried, der sich allen Bestrebungen des Verstandes ihn einzuordnen und allen willkürlichen Disziplinen entzog, und den die Rationalisten zum Gehorsam zu zwingen rechte Mühe hatten: das Erhabene. Wenn gesagt war, es sei nichts als das Wahre mit dem Neuen in einer großen Idee vereinigt und dann mit Eleganz und Genauigkeit ausgedrückt; ohne das Wahre könne es keine erhabene Schönheit geben und also auch nichts Erhabenes: so fühlte man, dass die Sache nicht ausgetragen war. Man befragte daher mit nie befriedigter Leidenschaft Longinus, der sich nicht gescheut hatte, eine Definition dieses schwierigen Wortes zu geben, und der das Prestige des Altertums für sich in Anspruch nehmen konnte. Ist das Erhabene vielleicht trotz allem ein Wert, der sich teilweise der Kontrolle der Vernunft entzieht?

Die Diskussion über die Seele der Tiere, die seit Descartes andauerte und noch sehr weit von einem Abschluss war und bei der die Kämpen jeder Sorte in einem stets offenen Turnier aufeinanderprallten, was war sie anders als ein oft unklarer Protest zugunsten des Instinktes? Wenn der eine für sein Lieblingspferd, der andere für seinen Lieblingshund plädierte, so wollten sie den Tieren nicht eine Seele zusprechen, welche der des Menschen ebenbürtig war. Man nahm für sie nur ein klein wenig Urteilsfähigkeit in Anspruch; aber man sah, dass sie liebten, litten, und dass sie keine Maschinen waren, da die Maschinen keinen Anteil an der Wahrnehmung haben. Ich erblicke bei den Tieren, sagte bereits La Fontaine in seiner Anrede an Madame de la Sablière:

> Non point une raison suivant notre manière,
> mais beaucoup plus aussi qu'un aveugle ressort:
> Je subtiliserais un morceau de matière
> que l'on ne pourrait plus concevoir sans effort,
> quintessence d'atome, extrait de la lumière,
> je ne sais quoi plus vif et plus mobile encor
> que la flamme . . .
> . . . Je rendrais mon ouvrage
> capable de sentir, juger, rien davantage,
> et juger imparfaitement . . .[328]

Magalotti, ein Naturforscher aus Florenz, die Seele der Akademie von *Cimento*, war kühner. Er machte Descartes

---

328 Nicht eine Vernunft nach unserer Art, aber – doch viel mehr als einen blinden Antrieb: – Ich würde ein Stück Materie so sehr verfeinern, dass man es sich nicht mehr ohne Anstrengung vorstellen könnte die Quintessenz eines Atoms, ein Extrakt des Lichts – irgend etwas noch Lebendigeres und Beweglicheres als die Flamme . . .

gegenüber unsere Liebe zu den Tieren geltend, »die sehr große, sehr zärtliche und oft sehr närrische und törichte Liebe, die wir für einen Hund, eine Katze, ein Pferd, einen Papagei, einen Sperling empfinden«. Nun hat aber Dante es ausgesprochen:

amor, ch'a nullo amato amar perdona ...

und auch Tasso:

amiamo or quando
esser si puote riamati amando;

... »wir lieben nur, wo wir wiedergeliebt werden können«. dass wir die Tiere lieben, bedeutet demnach, dass sie uns lieben; sie sind also nicht ohne Gefühl ... — Aus all diesen zerstreuten Stimmen sprach unter so verschiedenartigen Umständen die Wirksamkeit jenes Teils des Bewusstseins, das dem Gefühl zustrebte: Luftblasen, die vom Grunde des Teiches aufstiegen, oft nur, um an der Wasseroberfläche zu vergehen.

Ihr glücklichen Nymphen, ihr glücklichen Schäfer, die ihr ein sanftes Leben am Rande der Quellen und in der Waldeinsamkeit führt, wie beneidete man euch in jenen dürren Zeiten! Ihr glücklichen und so einfältigen Bewohner von Andalusien, die ihr träumend die verfeinerten Genüsse der Zivilisation so leicht entbehren könnt, wie pries man euer Glück, so unerreichbar denen, die aufgehört haben, dem Gesetz der Natur zu folgen! »O wie ungleich sind diese Sitten den eitlen und ehrgeizigen Gebräuchen derjenigen Völker, die man für die weisesten hält! Wir sind so verdorben, dass wir kaum zu glauben vermögen, dass solche Einfachheit wirklich sein kann. Uns erscheinen die Sitten dieses Volkes wie eine schöne Sage, und ihm müssen die unsrigen wie ein entsetzlicher

---

Und dann würde ich mein Werk fähig machen, zu fühlen, zu urteilen, nichts weiter, und zudem unvollkommen zu urteilen ...

Traum Vorkommen!« — Glücklicher Wilder, in was für revolutionären Tönen erklärte man dich zum Musterbild vollkommenen Daseins und forderte, dass der Europäer zum Huronen werde?

Die allergeistreichsten Leute verkündeten den Bankrott des Geistes:

> Source intarissable d'erreurs,
> poison qui corromps la droiture
> des sentiments de la nature,
> et la vérité de nos cœurs;
> feu follet, qui brilles pour nuire,
> charme des mortels insensée,
> esprit, je viens ici détruire
> les autels que l'on t'a dressés ...
>
> Esprit! tu séduis, on t'admire,
> mais rarement on t'aimera;
> ce qui sûrement touchera
> c'est ce que le cœur nous fait dire;
> c'est ce langage de nos cœurs
> qui saisit l'âme et qui l'agite;
> et de faire couler nos pleurs
> tu n'auras jamais le mérite ...[329]

Leute, die gewisslich nicht empfindsam, dafür aber um so schneller bei der Hand waren, zu spüren, woher der Wind weht, tadelten die Missetaten der Vernunft:

---

329 Chaulieu, Ode contre l'esprit, 1708.
   Unerschöpfliche Quelle des Irrtums,
   Gift, das die Ehrlichkeit
   der natürlichen Gefühle
   und die Wahrheit unseres Herzens verfälscht;
   Irrlicht, das leuchtet, um uns zu schaden,
   Zauber der wahnsinnigen Sterblichen,
   erstand, ich komme, die Altäre,
   die man dir errichtet hat, einzureißen.

C'est elle qui nous fait accroire
que tout cède à notre pouvoir;
qui nourrit notre folle gloire
de l'ivresse d'un faux savoir;
qui par cent nouveaux stratagèmes
nous masquant sans cesse à nous-mêmes
parmi les vices nous endort:
Du Furieux fait un Achille,
du Fourbe un Politique habile,
et de l'Athée un Esprit fort.

Mais vous, mortels, qui dans le monde
croyant tenir les premiers rangs
plaignez l'ignorance profonde
de tant de peuple différents,
qui confondez avec la brute
ce Huron caché sous sa hutte
au seul instinct presque réduit:
parlez: quel est le moins barbare
d'une raison qui vous égare
ou d'un instinct qui le conduit?[330]

Verstand! Du verführst, man bewundert dich,
aber selten wird man dich lieben;
was mit Sicherheit rührt,
ist das, was das Herz uns sagen lässt;
die Sprache unseres Herzens ist es,
welche die Seele ergreift und bewegt,
und du wirst niemals das Verdienst haben,
unsere Tränen rinnen zu machen.

330 Jean Baptiste Rousseau, Ode IX à. M. le Marquis de la Fare.
Sie ist es, die uns glauben lässt,
alles wiche unserer Macht,
die unsern wahnsinnigen Stolz nährt
mit dem Rausch eines falschen Wissens,
die uns mit hundert neuen Listen
immer wieder vor uns selbst verbirgt
und uns inmitten der Laster einschläfert,
aus dem Wütenden einen Achill,

Man begegnet in der Folge einem packenden Ausdruck dieses Gefühls, dieses Bedürfnisses, die angehäufte Künstlichkeit abzuschütteln, das Gewicht der Jahrhunderte, das unsere Schultern niederbeugt, die Heuchelei, die wir, ohne selbst daran zu glauben, Moralität nennen: Es war einmal ein Engländer, der Thomas Inkle hieß, er war der dritte Sohn eines reichen Londoner Bürgers und schiffte sich nach Ostindien ein, um dort Handel zu treiben. Während einer Expedition ins Binnenland wurde ein Teil der Abteilung, zu der er gehörte, von Indern niedergemetzelt; er entkam, versteckte sich. Eine Inderin entdeckte ihn; sie war jung und schön und hieß Yarico. Sie liebte diesen Fremden, diesen Unglücklichen, gab sich ihm mit Leib und Seele, ernährte ihn, behielt ihn bei sich. Er versprach ihr, sie nach England mitzunehmen, wenn sich je die Gelegenheit bieten würde. Eines Tages entdeckten sie ein Segel, gaben Zeichen: das Schiff kam heran, die Matrosen setzten an Land und brachten sie an Bord. Aber im Verlauf der Reise wurde Thomas Inkle nachdenklich. Was sollte er mit dieser Frau anfangen? Er hatte seine Zeit, sein Geld verloren: er entschloss sich, sie im nächsten Hafen als Sklavin zu verkaufen. Yarico weinte, klagte, versuchte das Herz ihres Geliebten zu rühren; da sie schwanger war, verkaufte Thomas Inkle sie

---

aus dem Schurken einen geschickten Politiker macht
und aus dem Atheisten einen Freigeist.
Aber ihr Sterblichen, die ihr in der Welt
den ersten Platz einzunehmen glaubt,
die ihr die tiefe Unwissenheit
so vieler verschiedener Völker bemitleidet,
die ihr den in seiner Hütte versteckten Huronen
mit dem Tier verwechselt,
weil er nur auf seinen Instinkt angewiesen ist,
sprecht: wer ist weniger barbarisch,
die Vernunft, die euch irreleitet
oder der Instinkt, der ihn führt?

zu einem höheren Preis. So betragen sich die Zivilisierten . . .[331]

Eines schönen Tages begegnet Fontenelle auf seinem Wege dem Instinkt. Er ist überrascht, fast gereizt von dieser Erscheinung. »Man versteht unter dem Ausdruck Instinkt etwas, was zu unserer Vernunft hinzukommt und von vorteilhafter Wirkung auf die Bewahrung meines Daseins ist; etwas, was ich tue, ohne zu wissen warum, und das trotzdem sehr nützlich für mich ist; und darin liegt das Wunderbare des Instinktes Da er solche Abweichungen nicht zulassen kann und es feststeht, dass das Wunderbare keine Existenzberechtigung hat, so beginnt er eine außerordentlich komplizierte Geistesgymnastik, eine höchst spitzfindige Argumentation, um nachzuweisen, dass der Instinkt nichts weiter ist als eine Vernunft, die zögert, eine Vernunft, die ihre Wahl zwischen zwei verschiedenen sich ihr darbietenden Handlungsweisen noch nicht bewusst getroffen hat: und damit fühlt er sich beruhigt.

Wir sind noch weit, so scheint es, von dem »göttlichen Instinkt«, den Rousseau dereinst preisen sollte; aber weniger weit, als man denken sollte, sofern wir uns nur, anstatt bei denen zu forschen, die ohne die Raffinements der Gesellschaft nicht zu leben vermögen, an derbere Temperamente halten. Wir finden bei einem Schweizer, Beatus von Muralt, eine Vorahnung der berühmten Apostrophierung von Jean Jacques Rousseau:

Seitdem der Mensch seine Beschäftigung und Würde verloren hat, hat er gleichfalls das Wissen um das, was ihn angeht, verloren, und inmitten der Verwirrung, in der wir uns befinden, wissen wir nicht, worin unsere Würde und unsere Beschäftigung eigentlich bestehen. Da die Ordnung allein

---

331 Spectator, Nr. 11.

530

uns dies Wissen verleihen kann, so gibt es, glaube ich, nur ein einziges Mittel, in der Ordnung zu verbleiben: das ist, dem Instinkt zu folgen, der in uns ist, dem göttlichen Instinkt, der vielleicht das einzige ist, was uns von dem ursprünglichen Zustand des Menschen verbleibt, und der uns belassen worden ist, um uns dahin zurückzuführen. Alle Lebewesen, die wir kennen, haben ihren Instinkt, der sie nicht täuscht. Sollte der Mensch, der von all diesen Geschöpfen das hervorragendste ist, nicht den seinen haben, der an seinem ganzen Wesen teil hat und der ebenso zuverlässig wie umfassend ist? Er hat ihn ohne Zweifel, und dieser Instinkt ist die Stimme des Gewissens, durch die Gott sich uns zu erkennen gibt und zu uns spricht...[332]«

»Der göttliche Instinkt, der vielleicht das einzige ist, was uns von dem ursprünglichen Zustand des Menschen verbleibt, und der uns belassen ist, uns dahin zurückzuführen«: kann man den Ruf des Primitiven lauter und deutlicher ertönen lassen?

---

332 Lettre sur les voyages, geschrieben zwischen 1698 und 1700. Siehe die von Ch. Gould besorgte Ausgabe, 1933, S. 288.

DIE PSYCHOLOGIE DER UNLUST, DIE ÄSTHETIK DES GEFÜHLS, DIE METAPHYSIK DER SUBSTANZ UND DIE NEUE WISSENSCHAFT

Die Psychologie der Unlust

John Locke verzichtet auf die ganz großen Einsätze, wir sagten es schon. Mit wenigem zufrieden, gibt er die Suche nach den letzten Wahrheiten auf und begnügt sich mit den relativen Wahrheiten, die unsere schwachen Hände zu greifen vermögen. Wer bei ihm einen hohen Flug der Einbildungskraft suchen ginge, hätte sich in der Adresse geirrt; der weise Locke würde ihn nur auf einen beschaulichen Weg weisen, der zu einer bescheidenen Gewissheit führt, auf eine ebene Straße ohne Windungen.

Und doch: wie folgenschwer für die Zukunft sollte diese seine prinzipielle Feststellung werden: »Die Wahrnehmung ist die Grundtatsache der Seele!« Denn sie ruft, wenn man richtig darüber nachdenkt, eine Umwälzung in der Hierarchie derjenigen Werte hervor, die bis dahin am allerfestesten gegründet schienen. Die erhabenen, die schönsten und reinsten Ideen, die moralischen Gebote, die Tätigkeit der Seele, alles stammt aus der Wahrnehmung. Auch unser Geist operiert auf der Grundlage eben dieser Wahrnehmung und ist daher nichts anderes als ein

Arbeiter, ein Handlanger: kein rationales Leben ohne ein Gefühlsleben, das es beherrscht. Die Dienerin ist fortan Herrin; sie hat sich häuslich eingerichtet, hat soeben Erstgeburtsrecht und Adel erworben; ihre Adelstitel sind *im Essay on human understanding* niedergelegt.

Das Gefühl ist nicht das Wesen der Seele. — Aber das Wesen der Seele lässt sich nicht erfassen; fest steht nur, dass das Denken seinerseits unter keiner Voraussetzung Anspruch machen kann, es zu sein. Wenn die Seele wesentlich Denken wäre, so würde man diese nicht (wie man tut) verschiedene Grade durchschreiten sehen, die von der stärksten Aufmerksamkeit und Anspannung bis zu einem Zustande gehen, wo es nah am Verschwinden ist. Das Denken verschwindet völlig während des Schlafes; selbst bei einem wachen Menschen hat es Augenblicke der Abschwächung und Verdunkelung, die dem Nichts sehr nahekommen. Nun sind aber dies Verschwinden, dieser Wechsel, dies Abnehmen nicht einem Wesen eigen, sondern nur einer Betätigung, die ihrerseits Unterbrechungen und ein Aussetzen einbegreift.

Auch die Psychologie der Begierde und der Unlust sind eine Folge dieser Neuordnung der Werte.

Wie denn? Locke hätte die Seele des Sehnsüchtigen vorbereitet? Und Saint-Preux?[333] Und Werther? Und René?[334] — Alle stammen sie nicht unmittelbar und direkt von ihm ab; aber wir dürfen ohne Zögern die Psychologie von Locke mitzählen, wenn wir den unzähligen Ursachen nachgehen, welche die Mentalität der aufeinanderfolgenden Generationen verwandelt und zur Entstehung einer Geisteshaltung geführt haben, die schließlich vom Herzen die Befriedigung verlangte, die der Verstand ihr

333 Saint-Preux: der Held in Rousseaus Novelle »La nouvelle Héloïse«. Anm. d. Übers.
334 Romanze von Chateaubriand. Anm. d. Übers.

verweigerte. Ehe noch das 17. Jahrhundert abgeschlossen war, sagte Locke das Folgende:

Die Unlustgefühle, die ein Mensch im Innern durch das Fehlen einer Sache empfindet, die ihm, wenn sie da wäre, Lust verursachen würde, nennt man Begierde, und diese ist stärker oder schwächer, je nachdem die Unlustgefühle mehr oder weniger heftig sind. Und es ist vielleicht nicht überflüssig, nebenbei zu bemerken, dass die Unlustgefühle der hauptsächlichste, um nicht zu sagen einzige Ansporn unseres Fleißes und unserer Tätigkeit sind.[335]

Uneasiness: das ist das Wort im englischen Text, und Pierre Coste, der Locke ins Französische übersetzte, stolpert über das Wort, weil er kein Äquivalent in der französischen Sprache findet; er übersetzt es mangels eines Besseren mit *inquiétude* und lässt es kursiv setzen, um anzudeuten, dass es sich um einen neuen und besonderen Sinn handelt. Er begegnet diesem Wort öfters, denn Locke kommt darauf zurück:

Jeder, der über sich selbst nachdenkt, wird bald herausfinden, dass die Begierde ein Zustand der Unlust ist; denn wer hätte in der Begierde nicht das gefühlt, was der Weise von der Hoffnung sagt, die nicht sehr verschieden von der Begierde ist, dass sie nämlich, wenn sie nicht befriedigt wird, das Herz krank macht (Sprüche Salomonis XIII, 12), und zwar in einem dem Maß der Begierde entsprechenden Grade, welche die Unlustgefühle manchmal so sehr steigert, dass sie uns mit Rahel ausrufen lassen: gebt mir Kinder, gebt mir, was ich begehre, oder ich werde sterben.[336]

Nicht das Vorhandensein eines bestimmten Gutes lässt uns handeln; sondern dessen Fehlen. Unsere Handlungen hängen von unserem Willen ab, und das, was unseren

---

335 Essay on human understanding, 1690. Buch II, Kapitel XX.
336 Essay on human understanding, 1690. Buch II, Kapitel XXI. Französische Übersetzung von Pierre Coste.

Willen in Bewegung setzt, sind die Unlustgefühle. Ohne die Unlustgefühle würden wir verschlafen und apathisch bleiben: aus ihnen stammen unsere Hoffnungen und Befürchtungen, unsere Freude und unsere Trauer; von ihnen hängt unser Leben ab. Die Schüler Lockes greifen dieses Thema wieder auf und verleihen ihm erst seine ganze Tragweite. Condillac erklärt nach einer vollen Würdigung seines Lehrers (zwischen Aristoteles und Locke hat es nach ihm niemand gegeben, der des Namens eines Philosophen würdig wäre), nach Locke verbliebe noch der Nachweis, dass die Unlustgefühle das Urprinzip sind, das uns erst daran gewöhnt, zu tasten, zu sehen, zu hören, zu riechen, zu schmecken, zu vergleichen, zu urteilen, nachzudenken und gleichfalls zu begehren, zu lieben, zu hassen, zu fürchten, zu hoffen, zu wollen; aus den Unlustgefühlen entsprängen alle Gewohnheiten unserer Seele und unseres Körpers. Er verherrlicht die Begierde und definiert die Langeweile, dieses Leiden der Seele. Helvetius übersteigert Condillac noch, betont nachdrücklich die Gewalt der Leidenschaften, die Qual der Langeweile. Er legt dar, dass die leidenschaftlichen Menschen mehr wert sind als die vernünftigen, und dass man stumpfsinnig wird, sobald man aufhört, von Leidenschaft erfüllt zu sein. — Man hat zahllose Erklärungen für den Aufstieg der romantischen Geisteshaltung beigebracht und hat vergessen, zu Locke hinüberzublicken: Locke führte zur Encyclopédie, Locke hat die Ideologen ins Leben gerufen: das ist schon viel. Aber er ist auch derjenige, der zuerst in der Seele jene Unlust entdeckt hat, die uns quält, und der sie zum Ursprung unseres Willens, unseres Handelns gemacht hat.

Und wenn er sich mit Erziehung abgibt; wenn er auf Grund seiner Erfahrung als Erzieher und seines philosophischen Ideals ein menschliches Wesen zu bilden bemüht ist, was sucht er dann in ihm zur Entfaltung zu bringen? Was anders als die natürliche Spontaneität? Er gibt sich als Revolutionär und protestiert gegen die Art, wie die Kinder um ihn herum erzogen werden. Zunächst einmal sind es keine Schatten, sie haben Arme, Beine, eine Brust, einen Magen; einen Körper, den man durch allerhand Übungen abhärten muss, um ihn gesund und kräftig werden zu lassen. Und was ihren Geist betrifft, so soll er mit Vernunft geleitet werden, nicht aber mit Routine; noch weniger durch eine von außen angewandte, ohne Rücksicht auf unsere Zustimmung geübte Autorität; nicht nach einer willkürlichen, auf alle ohne Unterschied angewandten Norm. Denn es gibt in jedem Kind eine natürliche Anlage, der man Rechnung tragen muss. »Man sollte die natürlichen Anlagen eines Kindes so weit entwickeln, wie es möglich ist; aber versuchen, denjenigen, die es bereits besitzt, andere, ganz abweichende aufzupfropfen, ist vergebliche Mühe. Alles, was derartig darüber gekleistert würde, vermöchte auch im besten Fall nur eine höchst erbärmliche Figur zu machen; man würde immer jenen abstoßenden Zug daran entdecken, den Zwang und Unnatur nie hervorzurufen verfehlen. — Eine einfache und ungeschlachte Natur, die man sich selbst überlässt, taugt immer noch mehr als eine gekünstelte und unechte Grazie und als alle jene einstudierten Manieren, die das Natürliche verkleiden und verderben, anstatt es zu korrigieren.« Die Tugend ist dem Wissen vorzuziehen: denn es kommt im Leben nicht darauf an, viel zu wissen, sondern redlich und gut zu sein. Überdies muss man, wenn man dem Kind jenes Minimum von Wissen beibringt, dessen es bedarf, jener Spontaneität Rechnung tragen, die Locke stets im Auge behält. Man muss die richtige Stunde und den richtigen Ort wählen, das, was der augenblicklichen Stimmung entspricht und dem Tagesinteresse. Der Unterricht erscheint, solange er als Pflichtaufgabe dargestellt wird, als eine schwere Last, langweilig und unangenehm: man benutze eine Laune, eine augenblickliche Neigung, und man wird sehen, wieviel leichter die Aufgabe wird. Man muss der Natur nachhelfen, sie korrigieren, leiten, aber ohne dass sie selbst es bemerkt: im Notfall hilft man ein bisschen nach, damit sie umso natürlicher wirkt.

Das Individuum: das ist im Grunde, was Locke interessiert. Keine öffentlichen Schulen; ein weiser Präzeptor, der den Vater ersetzt und der sich selbst ohne Vorbehalte seinem Schüler widmet. Keine körperlichen Strafen, die erniedrigen und demütigen. Sobald die allerersten Jahre vorbei sind, so wenig Zwang wie möglich; mit der Zeit immer mehr Freiheit. Feinfühlig und vorsichtig muss man mit der jungen, heranwachsenden Pflanze umgehen: tausend erfinderische Überlegungen dienen zur Rechtfertigung der Gewohnheiten, die man dem Schüler einschärfen will. Diese Erziehung, die sich selbst für so einfach hält und die im Grunde außerordentlich kompliziert und sehr anspruchsvoll ist, die zeitweise stoisch bis zur Härte sein will, während sie die meiste Zeit die höchste Empfindsamkeit fordert und duldet, die unaufhörlich von Realitäten spricht und voll von Träumereien steckt; diese Erziehung ist gleichzeitig ein auf den Schüler zugeschnittenes Programm, und der Roman, in den der Lehrer seine eigenen Revolten, seine Versäumnisse, sein Heimweh, seine Wünsche hineingeschrieben hat. Sie lässt den Mann vorausahnen, der siebzig Jahre später seine Vorliebe für Locke laut verkündigen sollte: Jean Jacques Rousseau.

Die Ästhetik des Gefühls

»Der Geist der Philosophie, der die Menschen so vernünftig, so konsequent werden lässt, wird bald aus dem größten Teil von Europa das machen, was ehemals die Goten und Vandalen daraus gemacht haben. Ich sehe, wie notwendige Künste vernachlässigt werden, wie die Vorurteile, die zur Erhaltung der Gesellschaft am allerunentbehrlichsten sind, überwunden und spekulative Überlegungen dem Handeln vorgezogen werden. Wir handeln ohne Rücksicht auf die Erfahrung, diesen besten Lehrmeister, den das Menschengeschlecht hat. Die Vorsorge für die Nachwelt wird völlig vernachlässigt. Alle Ausgaben, die unsere Ahnen an Bauwerken und Möbeln für uns gemacht haben, wären für uns verloren, und wir würden in den Wäldern kein Holz zum Bauen, nicht einmal genug, um uns zu wärmen, finden, wenn sie auf dieselbe Art vernünftig gewesen wären, wie wir es sind.« Der Abbé Dubos ist es, der diese kühnen Worte ausspricht. Seine *Réflexions critiques sur la poésie et la peinture* erscheinen im Jahre 1719 und sind das Ergebnis eines langen Reifeprozesses.

Es gab zwei Lager, und im Vordergrund standen die, welche auch die Kunst auf die reine Vernunft zurückführen wollten. Was ist das Schöne? Was ist der Geschmack, der erlaubt, das Schöne zu erkennen? Was ist das Erhabene? Schwierige Fragen! Nicht allein eine Reihe von Philosophen, sondern auch viele andere, die keine Philosophen waren, trauten aus Gewohnheit, Übung, Mode einzig und allein dem geometrischen Geiste zu, die richtigen Lösungen zu finden. Sie sagten — wir hörten sie ja schon —, das Schöne sei das Wahre oder zum mindesten das Wahrscheinliche; da es die Wahrheit sei, trüge es für seinen Teil zur Moral, zur Tugend bei; der gute

Geschmack basiere auf Grundsätzen, auf Vorbildern, und könne daher auf Grund feststehender Regeln sichere Urteile abgeben.

Übertragt diese Kunstphilosophie auf die Praxis, und ihr habt den Akademiegeist: die Nachahmung der Antike, die vollkommene Kenntnis einer Technik, der jedes Individuum sein Talent unterzuordnen hat, die Beobachtung der Natur, aber zugleich die Gewohnheit, diese Natur, die sich im Detail allzu viel Launen und Einfälle erlaubt, zu verbessern, regelmäßig zu gestalten. Der Le Brun Ludwigs XIV., der auf seinem Sachgebiet durch die Weihe des Erfolgs, der Dauer, der königlichen Autorität wie Boileau zu einer Art Institution wurde; dieser Le Brun, dessen Name allein vor unseren Augen eine Reihe feierlicher und in ihren riesigen Goldrahmen erstarrender Gemälde erstehen lässt, gab seinen Schülern das Rezept für den Ausdruck. Er lehrte sie, wie sie den Zorn, die Überraschung, das Entsetzen darzustellen hätten, oder wie sie, was weit komplizierter ist, Achtung, Bewunderung, Verehrung malen müssten: »Das Gesicht erfährt nur geringe Veränderungen in allen seinen Teilen, und soweit es eine solche erfährt, besteht sie nur im Heben der Brauen; aber die beiden Seiten müssen gleich sein, und das Auge wird ein wenig weiter geöffnet sein als für gewöhnlich, und die Pupille wird mitten zwischen den beiden Lidern stehen und unbeweglich auf das Objekt gerichtet sein, das die Bewunderung hervorgerufen hat. Der Mund wird auch leicht geöffnet sein, aber er wird ohne jede Veränderung erscheinen wie alle übrigen Teile des Gesichtes.« Und so fort; alles ist vorgesehen, eingeordnet, geregelt. Die Schönheit, das ist die in Rezepte gefasste Vernunft ...

Die zweite Gruppe ist weniger zahlreich. Maler sind darunter, die das Beispiel von Le Brun nicht mehr befriedigt, Bildhauer, die sich von den Vorbildern eines Bernini frei zu machen und die Anmut an die Stelle der Erhabenheit und Emphase zu setzen suchen; Architekten, die davon träumen, an Stelle von Kirchen, wie Gesu, oder Schlössern, wie Versailles, hübsche Behausungen zu bauen, welche die Liebesabenteuer der Libertiner beherbergen sollen: eine Jugend wünscht ungeduldig, mit den Alten, mit den Meistern zu brechen. Dazu kommen Amateure, die sich gegen die Professoren stellen und die im Aufruhr gegen den Akademiegeist das Recht verlangen, zu lieben was ihnen gefällt.

Zu ihnen gehört Roger de Piles, der den Bolognesern Rembrandt und vor allem Rubens vorzieht und es offen auszusprechen wagt. Er ist nicht eigentlich ein Revolutionär, insofern als er nicht gegen die herrschende Lehre eingenommen ist und sie angreift; aber er ist ein Mann, der er selbst sein will: das ist je nach Sachlage etwas weniger als ein Revolutionär oder auch sehr viel mehr. Gerade sein Mangel an Voreingenommenheit hat dazu beigetragen, seinen Ausführungen einen saftigen Geschmack von freier Gesinnung zu geben. Zum Beispiel: »Genie ist das erste, was man in einem Maler erwarten muss. Das ist etwas, was man weder durch Studium noch durch Arbeit erwerben kann ...« — »Freiheiten sind so notwendig, dass es sie in allen Künsten gibt. Sie stehen wörtlich genommen im Gegensatz zu den Regeln; aber wenn man sie nach ihrem Geist nimmt, dienen sie, wenn sie richtig angewendet werden, als Regeln.[337]«

Unter diesen Undisziplinierten ragt der Abbé Dubos besonders hervor. Deshalb, weil er seltene Vorzüge miteinander vereinigt, indem er gleichzeitig ein Weltmann und ein Gelehrter ist: er kennt die Münzkabinette nicht

---

337 Abrégé de la Vie des peintres, 1699.

weniger gut als die Kulissen der Oper. Deshalb, weil sein Geist zugleich fein und stark ist. Deshalb, weil er zugleich französisch und kosmopolitisch ist. Deshalb, weil er zugleich ein Mann der Tat und ein Philosoph ist. Deshalb, weil der Umgang mit Locke (er hatte ihn in London kennengelernt und hatte an Hand des Manuskriptes die Genauigkeit der Übersetzung von Pierre Coste nachgeprüft) ihn an jene Quelle der Empfindung geführt hat, deren Entdeckung das Verdienst des großen Engländers ist: und Dubos hat begriffen, dass sie den unerklärlichen Durst seiner Zeitgenossen stillen kann. Die Empfindung ist die Quelle des Schönen und des Erhabenen und der Kunst. Er macht sich zur Aufgabe, es den Menschen zu beweisen.

Die *Réflexions critiques sur la poésie et la peinture* wimmeln von Ideen. Der Abbé Dubos hat so viel Erfahrungen gesammelt; er hat so viel Bilder gesehen, so viel Komödien, Tragödien und Opern gehört; er liebt die Plaudereien so sehr, sofern sie sich nicht nur um Worte drehen, sondern den Gedanken zur Anregung dienen; er ist so erfindungsreich, selbst dann, wenn er nicht die ganze Wahrheit erfasst hat, dass sein Buch den Eindruck eines unendlichen Reichtums macht. Er will Gleichgewicht hineinbringen, teilt es in Abschnitte ein; aber die einen sind kurz und die anderen lang; die Erörterungen hören nach Gutdünken auf oder werden fortgesetzt; die Themen verschwinden, nachdem sie kaum angeschnitten worden sind, oder wiederholen sich nach Belieben. Da ist nichts mehr von dem großen klassischen Aufbau; es ist schon der Stil des *Esprit des lois*, nur nicht so brillant. Die Empfindung macht sich ein wenig mühselig vom analytischen Geist frei und drückt sich mit Hilfe eines beweglichen Verstandes aus, unter Berufung auf Beispiel und Tatsachen.

541

Wie mächtig ist die Wirkung des Pathetischen auf unsere Seelen! Ist es nicht seltsam, dass Dichtung und Malerei uns nie größeren Genuss bereiten, als wenn es ihnen gelingt, uns zu betrüben? In einer Wohnung, die uns gefallen soll, wird ein Bild, das die schreckliche Opferung von Jephthas Tochter darstellt, uns länger fesseln und besser gefallen als die heiteren Bilder. Ein Gedicht, dessen Hauptgegenstand der Tod einer jungen Prinzessin ist, fügt sich in ein Festprogramm ein: und diese Tragödie entzückt eine Gesellschaft, die nur zusammengekommen ist, um sich zu zerstreuen. »Ich wage den Versuch, dies Paradoxon aufzuhellen und den Ursprung des Genusses zu erklären, den uns Verse und Bilder bereiten . . .«

Tatsächlich ist der große Feind der Menschen die Langeweile. Sie suchen ihr, sei es durch Empfindungen, sei es durch Reflexionen zu entgehen. Aber das erstgenannte Mittel besitzt größere Kraft; die Leidenschaften nehmen ganz von uns Besitz. Die Erregung, in der sie uns halten, ist so stark, dass im Vergleich dazu jeder andere Seelenzustand uns matt erscheint. Nur haben die wirklichen Leidenschaften gefährliche Folgen, und wir wissen es auf Grund unangenehmer Erfahrungen. Was tun wir also? Wir bilden die Dinge nach, die in uns die wirklichen Leidenschaften wachgerufen hätten: das ist die Funktion der Kunst. »Die Gemälde und Dichtungen rufen in uns diese künstlichen Leidenschaften hervor, indem sie uns die Objekte vor Augen führen, die imstande sind, in uns wirkliche Leidenschaften zu erregen.«

Fortan gilt die allgemein anerkannte Formel »Kunst gleich Vernunft« nicht mehr. Kunst gleich Leidenschaft, einer veredelten, aber in voller Intensität wiedergegebenen Leidenschaft. Der Grad der Intensität der Leidenschaft erklärt die Hierarchie der Dichtungsgattungen: die Tragödie packt uns stärker als die Komödie: »Jedes

Genre packt uns im selben Maße, wie das Objekt, das es seinem Wesen nach schildern und nachahmen muss, fähig ist, uns zu erschüttern. Das ist der Grund, weswegen das elegische und das bukolische Genre mehr Anziehung für uns haben als das Drama.« Und schrittweise wird alles erneuert, was die Kunstschöpfung sowohl als was die Kritik betrifft, da es sich nur noch darum handelt, die Leidenschaften wirksam wiederzugeben und zu wissen, ob sie wirksam wiedergegeben worden sind. Dem Geheimnis der Kunst spürt Abbé Dubos bis in die tiefsten Tiefen unseres Wesens nach, bis zur Empfindung, dem ursprünglichsten Wert: die intellektuellen Werte erscheinen im Vergleich stets nur blass, fade, künstlich. »Ich glaube«, erkühnt er sich, »die Wirkung der Malerei auf die Menschen ist größer als die der Dichtung, und ich stütze meine Ansicht auf zwei Gründe. Der erste ist der, dass die Malerei durch den Gesichtssinn auf uns wirkt. Der zweite ist, dass die Malerei nicht künstliche Zeichen anwendet, wie die Poesie es tut, sondern natürliche. Mittels natürlicher Zeichen erzielt die Malerei ihre Nachahmungen.« Sinnlich ist der Genuss, den der Stil bereitet, sinnlich der Genuss, den der Wohlklang der Dichtung vermittelt. Das Genie ist keineswegs ein mageres Talent, und man würde sich vergeblich bemühen, ein solches durch Nachahmung und Übung zu kräftigen. Es ist vielmehr eine Gabe der Natur, eine primitive Kraft, die nichts aufzuhalten vermag und die über allen Regeln und Lehrbüchern steht. Ohne Zweifel handelt es sich sogar um eine physische Kraft: »Das Genie ist eine göttliche Raserei, eine Begeisterung, die ohne Zweifel physische Ursachen hat, eine Eigenschaft des Blutes zusammen mit einer glücklichen Veranlagung der Organe.« Das wird man später wissen, wenn diese physischen Erklärungen, die heute noch unvollkommen sind, mehr Sicherheit gewonnen haben werden. Aber man kann sich heute fragen, ob physische Ursachen nicht einen Anteil an den erstaunlichen Fortschritten der Literatur und der Künste haben? Ob die Sonne, die Luft, das Klima nicht auf die Produktion der Maler und Dichter einwirken? Ob diese selben Kräfte nicht auf die ganze menschliche Maschine Einfluss haben? Die Eigenart unseres Geistes und unserer Neigungen hängt weitgehend von der Eigenart unseres Blutes ab; diese hängt von der Luft ab, die wir, besonders zur Zeit unseres Wachstums, unserer Kindheit, atmen. Das ist ohne Zweifel der Grund, weshalb Geist und Neigungen der Nationen, je nach dem Klima, unter dem sie leben, verschieden sind.

Dubos macht hier halt. Welch langer Weg ist zurückgelegt! und welch leuchtendes Signal einer doppelten Revolution gegeben: gegen den dogmatischen Akademismus einerseits und gegen die rationalistische Abstraktion andererseits! Im Augenblick, da der Abbé seine Ideen aufzeichnet, ist das Wort Ästhetik noch nicht erfunden. Es wird im Jahre 1735 auftauchen, in der Doktordissertation eines jungen Deutschen, Alexander Amadeus Baumgarten. Nichtsdestoweniger sind die *Réflexions critiques* der Versuch einer auf die Empfindung gegründeten Ästhetik. Ein Protest der Farben und der Töne, ein Protest von Wasser, Luft und Erde, von allem, was wir sehen, hören, anrühren, von allem, was Teil unseres Sinnenlebens bildet, von allem, was es in uns an Gefühlsmäßigem, Animalischem, ja beinah Materiellem gibt, ein Protest gegen die reine Vernunft, die sie allzu sehr vergessen und verachtet hatte.

Die Metaphysik der Substanz

In der Philosophie von Leibniz kann man eine weitere Gegenbewegung sehen: die Gegenbewegung einer Metaphysik, die sich auf den Wert des unendlich Kleinen, des nicht mehr Wahrnehmbaren, des Unbewussten, des Dunklen gründet; auf die Kraft der psychologischen Dynamik, auf die Existenz einfacher Substanzen, die etwas wie die Essenz des vitalen Instinktes, die Essenz des Ich sind.

Leibniz konnte nicht zugeben, dass die Geometrie die letzten Dinge zu erklären vermöchte. In Bezug auf Descartes empfand er ehrliche Bewunderung, aber auch einen Widerwillen, der seiner Art entsprechend von Schrift zu Schrift immer deutlicher zutage trat, bis er schließlich 1714, zwei Jahre vor seinem Tode, sein philosophisches Testament schrieb, die *Monadologie*. Sie wurde nicht sogleich veröffentlicht. Prinz Eugen von Savoyen ließ sie in einer Kassette verschließen und zeigte sie nur einigen Eingeweihten: einen verborgenen Schatz . . . Aber der Augenblick kam, da Briefe und Abhandlungen aus dem Dunkel ans Licht traten, die Kassette geöffnet wurde und die geistige Substanz, die sie enthielt, wie ein Gärstoff zu wirken begann.

Descartes erschien Leibniz allzu einfach; er verwechselte Ausdehnung und Substanz, Bewegung und lebendige Kraft. Allzu klar dünkte er ihn auch mit seiner Manier, alles mitten durchzuschneiden, die Abstufungen zu vernachlässigen, die uns bis zum unendlich Kleinen hinabsteigen lassen, die dunklen Wahrnehmungen der Seele zu übersehen. Die Wahrnehmungen, die uns nicht bewusst sind, für nichts zu achten, das ist gerade, worin die Cartesianer gefehlt haben, sagt er ausdrücklich in der *Monadologie*: er hatte bereits zehn Jahre vorher in seinen *Nouveaux essais sur l'entendement humain* [338] dargelegt, dass es in jedem Augenblick in uns eine unendliche Zahl von Veränderungen gibt, von denen wir uns keine Rechenschaft geben, weil unsere Eindrücke entweder zu klein oder zu zahlreich oder zu sehr miteinander verbunden sind. Die Gewohnheit macht, dass wir auf die Bewegungen einer Mühle oder eines Wasserfalls nicht mehr achten, wenn wir einige Zeit ganz in ihrer Nähe gewohnt haben, und doch trifft diese Bewegung immer noch auf unsere Sinnesorgane. Wenn wir am Ufer des Meeres sind, hören wir sein Brausen: wir müssen also das Geräusch vernehmen, das jeder Tropfen in jeder Welle macht, und doch werden wir uns dessen nicht bewusst. Diese unbemerkbaren Wahrnehmungen, die das Wesentliche des psychischen Lebens ausmachen, hat Descartes nicht beachtet. »Man muss zugeben, dass die Wahrnehmung und alles, was davon abhängt, aus mechanischen Ursachen, das heißt aus Figuren und Bewegungen nicht erklärt werden kann. Wenn wir annehmen, dass es eine Maschine gebe, deren Struktur uns denken, fühlen, wahrnehmen ließe, so könnte man sie sich unter Beibehaltung derselben Proportionen vergrößert vorstellen, so dass man hineingehen könnte wie in eine Mühle. Und unter dieser Voraussetzung würde man, wenn man sie von innen untersuchte, nur Stücke finden, die sich gegenseitig stoßen, aber nichts, was eine Wahrnehmung erklären könnte. Man muss diese daher in der einfachen Substanz und nicht im Zusammengesetzten oder in der Maschine suchen . . .

Diese einfache Substanz ist die Monade, das wirkliche Atom der Natur, das Element der Dinge. An der Art, wie Leibniz die Eigenschaften der Monade auseinandersetzt,

---

338 Original in französischer Sprache.

welche die letzte Erklärung des Lebens der Physik entziehen und der Metaphysik übertragen soll, fällt uns vor allem die Verteidigung, die Sicherstellung einer individuellen psychischen Kraft auf. Während Spinoza mit der Zurückführung des Besonderen auf das Allgemeine arbeitet, sucht Leibniz eine Lösung, bei der das Allgemeine zum Ausdruck kommt, ohne dass das Besondere seine Rechte verliert. Die Monade kann durch irgendein anderes Geschöpf weder beeinflusst noch abgeändert werden; sie hat keine Fenster, durch die irgendetwas eindringen oder herauskommen kann. Jede Monade hat, im Gegensatz zu ihrer Nachbarmonade, ihre ganz spezifischen Eigenschaften, da es in der Natur niemals zwei identische Wesen gibt. Die Monade ist wie jedes geschaffene Wesen dem Wandel unterworfen, aber dieser Wandel hängt von einem inneren Prinzip ab und kommt nicht von außen.

Dieser Charakter der Monade ist so ausgesprochen, dass eine Schwierigkeit entsteht: da sie eine einfache Substanz ist, und da sie nichts enthält, was nicht aus ihrem Inneren stammt, wird sie nicht zur Isolierung verurteilt sein? — Nein, durchaus nicht, dank der prästabilierten Harmonie.

Es ist nicht unsere Aufgabe, hier zu wiederholen, wie Leibniz diese wunderbare Harmonie begründet. Jede Geschichte der Philosophie erläutert es viel besser, als wir es zu tun vermöchten. Wir haben alles beisammen, dessen wir für unsere Beweisführung bedürfen. — Erstens: das Unbewusste. — Zweitens: den substantiellen Wert des Geistes: »Jeder Geist ist wie eine gesonderte Welt, genügt sich selbst, ist unabhängig von jeder anderen Kreatur, umfasst das Unendliche, bringt das Universum zum Ausdruck, ist so dauerhaft, so sehr Substanz und so absolut wie das Universum der Kreaturen selbst.« — Drittens: die poetische Vision wimmelnden Lebens:

Jeder Teil der Materie kann wie ein Garten voller Pflanzen und wie ein Teich voller Fische sein. Aber jeder Zweig der Pflanze, jedes Glied eines Tieres, jeder Tropfen seiner Säfte ist abermals solch ein Garten, solch ein Teich.

Und obwohl die zwischen den Pflanzen des Gartens eingeschlossene Erde und Luft, das zwischen den Fischen des Teiches eingeschlossene Wasser weder Pflanze noch Fisch sind, so enthalten sie davon dennoch etwas, aber meistens in einer für uns nicht wahrnehmbaren Feinheit.

So gibt es nichts Unbewohntes, Unfruchtbares, Totes im Universum; kein Chaos, keine Konfusion, außer dem Anschein nach.[339]

Kurzum: die Behauptung einer souveränen Harmonie in einer Form, dass wir, indem wir uns an ihr berauschen, in die Bezirke der reinen Liebe geraten.

Die Neue Wissenschaft

Neapel: Sonne, Lebensfreude. Geschrei, Getümmel. In den verschlungenen Gassen drängt sich die beweglichste Menge, die es auf der Welt gibt. Eine unvergleichliche geistige Lebendigkeit und Wissbegierde herrschen, ein intensiver kultureller Trieb. Leidenschaftliche Konversation, Gesellschaften, Salons, in denen Männer, welche die Last ungeheuren Wissens mit Leichtigkeit tragen, alle naturwissenschaftlichen und philosophischen Probleme erneut in Frage ziehen, alle Doktrinen nachprüfen, alle Tatsachen sammeln. In Neapel, an das alle Botschaften europäischen Denkens gelangen, weil es sie anzieht, und das sie seinem eigenen Genius anzupassen versteht — in Neapel, dem ursprünglichen, dem bewegten, das hier als ein Symbol von Macht und Vitalität erscheint, wurde am 23. Juni 1668 Giambattista Vico geboren.

---

339 Monadologie §§ 67, 68, 69.

Sein Geist erfuhr jeden Zwang und wusste sich jedem zu entziehen. Er verstand es, der Gefahr zu entrinnen, ein Wunderkind zu werden; der Gefahr, seinen Lehrern ein allzu folgsamer Schüler zu werden, der nur noch auf ihr Wort schwört; der Gefahr, von einem Beruf eingefangen zu werden; und sogar der Gefahr, glücklich zu sein, der größten für alle, die nachdenken wollen. Er las Aristoteles und alle Griechen, den heiligen Augustin und den heiligen Thomas, Gassendi und Locke, Descartes und Spinoza, Malebranche und Leibniz, ohne der Sklave von irgendeinem von ihnen zu werden. Er wählte sich nur vier Vorbilder: Plato, Tacitus, Bacon, der erkannt hat, »dass die menschlichen und göttlichen Wissenschaften ihre Forschungen notwendig weitertreiben müssen und dass die wenigen Entdeckungen, die sie gemacht haben, der Korrektur bedürfen«; und Grotius, der »in einem universellen Rechtssystem die ganze Philosophie zusammengefasst hat und der seine Theologie auf die Geschichte der Tatsachen, mögen sie nun gewiss oder sagenhaft sein, gestützt hat und auf die der drei Sprachen: Hebräisch, Griechisch und Latein, der einzigen gelehrten Sprachen des Altertums, die uns durch die christliche Religion übermittelt worden sind Aber diese Genies wirken nie in einem solchen Grade auf ihn, dass er darauf verzichtet, die Elemente ihres Wissens an der Wurzel wieder anzupacken. Er ist aufs schmerzlichste und großartigste er selbst.

Er hat beide Arten Verstand, den, der begreift, und den, der neu schafft. Sein Ungestüm lässt ihn den Weg verlassen, den er sich selbst vorgezeichnet hat. Er fließt über von Bildern, Gesichten. Er will analytisch sein, und plötzlich arbeitet er mit großartigen Intuitionen. Er beweist nach den striktesten logischen Regeln; und dann gerät er in der Eile aus der Spur seiner eigenen Beweisführung heraus, weniger wegen der gedrängten Fülle des Stoffes, den er behandelt, als weil das seinem geistigen Wesen entspricht. Da er hartnäckig ist, wiederholt er sich; da er ungeduldig ist, geht er zu schnell vor und setzt die Ergebnisse bereits auseinander, während er noch bei den Anfangsprinzipien ist. Das Neue berauscht ihn, das Kühne, das Paradoxe, die Wahrheit, die er, Giambattista Vico, unter den angehäuften Irrtümern entdeckt und endlich der Welt offenbart. Er hat nicht das klassische Gleichgewicht; er ist aufbrausend, nervös, ja sogar manisch, ein ewig Unzufriedener: nie hat er seinen Text ausreichend belegt, korrigiert, seine Gedanken präzis genug ausgedrückt, seinen Lesern seine wunderbaren Entdeckungen genügend aufgezwungen. Er ist zäh; er ist nicht umgänglich oder auch nur liebenswürdig; er ist hochfahrend, jähzornig; er ist sich einer genialen Überlegenheit bewusst, die seine Zeitgenossen nicht zugeben, nicht verstehen, und er leidet darunter. Und deshalb verdoppelt er seine Anstrengungen, sie zu überzeugen, und entfesselt einen Kampf gegen sie, gegen sich selbst. Er wird ihnen schließlich sein großes Geheimnis enthüllen, das der »Neuen Wissenschaft«.

Denn neu ist sie, zunächst durch die Gabe, deren ihr Verfasser sich in erster Linie bedient, nämlich der schöpferischen Fantasie. Gewisslich hat die Kritik ihre Aufgabe und ihren Nutzen, aber sie harmoniert nicht mit dem tieferen Sinn des Lebens, der nicht Abstraktion, sondern unaufhörliche Neuschöpfung ist. — Sie ist ferner neu durch die Methode, die eben gerade die ist, die man ringsumher verwirft: die historische Methode! Nur besteht für Vico Geschichte nicht in den Erzählungen der Historiker: man liest sie ab aus jenen Spuren, welche die Menschheit auf ihrem Wege zurückgelassen hat: aus der primitiven Dichtung, der Sprache, dem Recht, den

Einrichtungen, aus allem, was ihre Art zu sein ausmacht. — Neu ist diese Wissenschaft ferner durch ihre Ausrichtung, denn sie verfolgt den Lauf der Zeit rückwärts und sucht die Realität nicht in der fernen Zukunft, sondern in den Ursprüngen unserer Gattung. — Sie ist auch neu ihrem Wesen nach: sie bedeutet die Erkenntnis des kollektiven Werdens, des Seins, das sich gleichzeitig schafft und begreift und dem die Identität von Subjekt und Objekt die Sicherheit verbürgt: Wissenschaft ist die Erschaffung der Menschheit durch die Menschheit, registriert gleichfalls von der Menschheit. »Aus der Mitte jener tiefen und dunklen Nacht, welche das Altertum einhüllt, von dem wir so weit entfernt sind, dringt ein ewiges Licht zu uns herüber, das nicht untergeht, eine Wahrheit, die man in keiner Weise anzweifeln kann: diese bürgerliche Welt ist gewisslich von Menschen geschaffen worden. Es ist also möglich, denn es ist nützlich und notwendig, ihre Grundprinzipien in den Modifikationen unseres Geistes wieder aufzufinden.«

Armer, großer Vico! Man verstand ihn nicht; man hörte ihm kaum zu; seine Ideen waren zu neuartig, zu abweichend von all denen, die man rings um ihn bejahte. Die anderen priesen das Abstrakte, das Rationale, erröteten über eine Vergangenheit, die ihnen eine Schande für ihre fortschrittliche Zivilisation schien, hielten die Geschichte für eine einzige Lüge und die Dichtung für einen Kunstgriff, verbannten die Empfindsamkeit als krank, die Einbildungskraft als toll. Er aber weigerte sich mit dem Eigensinn des Genies, den ungeheuren Körper der Menschheit als ein Objekt der Anatomie zu betrachten, und wollte durchaus den Pulsschlag des Lebens wiederfinden. Mit Hilfe der Rechtswissenschaft, der Philologie, der Bilder, der Symbole und der Sagen wurde er allmählich mit der Vergangenheit vertraut und stieg tief in den Abgrund der Jahrhunderte hinab, um dort sowohl der Geschichte unserer Entwicklung als der Idealform unseres Geistes nachzuspüren.

Man nahm den goldenen Zweig, den er zurückbrachte, nicht an. Wir können denn auch noch in der *Scienza Nuova* [340] den Aufschrei einer empörten Seele vernehmen. Die Leidenschaft versucht die allzu gedankenbeladenen Sätze hochzutragen, damit sie ihren Flug leichter nehmen können. Und so sehen wir Vico, gierig, alles auf einmal zu beweisen, stets fürchtend, nicht genug gesagt zu haben, eilig, außer Atem und schwerfällig, seinen Zeitgenossen das grandiose Werk anbieten, das sie ganz gleichgültig lässt. Dreiviertel Jahrhundert müssen noch vergehen, bis dies bewundernswürdige Buch endlich seinen strahlenden Glanz auf den Horizont Europas wirft.

---

340 Principii di una Scienza Nuova intorno alla comune natura delle nazioni (Erste Auflage 1725: Prima Scienza Nuova. Zweite Auflage 1730: Seconda Scienza Nuova.)

INBRUNST

Unzählige Kirchtürme beherrschen die Fluren. Um unzählige Kathedralen drängen sich die Häuser der Städte und scheinen sie anzuflehen, zum Himmel aufzusteigen. Vor den Tabernakeln flackern die Kerzen im goldenen Schimmer; auf die Stimme der Priester antwortet der Chor der Gläubigen, und da ist das Credo und Magnificat, der Klang der Glocken, der Duft des Weihrauchs. In katholischen und protestantischen Kirchen, in Synagogen und Moscheen und an vielen anderen Stätten versammeln sich die Menschen, um sich zu dem Mysterium zu bekennen, das ihre Geburt, ihr Leben und ihren Tod umgibt, und Gott die letzte Erklärung zu überlassen, die ihre Vernunft allein nicht zu finden vermag . . .

Die religiöse Forderung ist ewig und verteidigt sich.

Um jene Zeit fühlten die Gläubigen sich bedroht durch die Bestrebungen der Freidenker und Atheisten. Eine Unzahl von Apologeten wiesen auf die wachsende Gefahr hin. Und wenn einige von ihnen ohne Zögern den Kampf auf dem rationalistischen Boden aufnahmen, so gab es auch solche, die diesen mieden und andersgeartete Waffen suchten. Die räuberischen Wölfe mehrten sich rings um die Herde; man musste ihren Angriffen mit neuen Verteidigungsmitteln begegnen: dem offenen Unglauben möge eine wachere Frömmigkeit antworten! Gegen die, die da wachen und beten, vermag der Feind nichts.

»Dies erhabene Zeitalter, das man das Zeitalter des Geistes oder auch der reinen Liebe nennen könnte . . .«, so drückte sich Henri Bremond aus; und er wies nach, dass die Ausbreitung des Cartesianismus bei den frommen Seelen weder den Eifer, mit dem sie sich den grundlegenden Glaubenswahrheiten unterwarfen, noch den ihrer Andachtsübungen vermindert hatte. Unter den Gebetbüchern, die er zur Unterstützung dieser Behauptung zitierte, sei nur das eine erwähnt, das ebenso naiv wie schön ist: *L'Horloge pour l'adoration perpétuelle du Saint Sacrement.* Es stammt aus dem Jahre 1674. Diese heilige Uhr hebt die Stunden der besonderen Gefahren hervor; die Fantasie der Gläubigen kann sich bei ihrem Schlag den Ansturm der Feinde vorstellen, die den Glauben zunichtemachen möchten und die Satan anführt; jede Stunde beschwört eine Vision, die schaudern lässt. Mitternacht: die Fürsten der Finsternis kommen in der Tiefe der Nacht, auf der ihre Herrschaft in erster Linie beruht, aus ihren Höhlen hervor; sie führen die Qualen und das Feuer mit sich und tragen sie überallhin. Sie fliegen über die ganze Erde, um ihre Helfershelfer zu sammeln ... Fünf Uhr morgens: die heiligen Hostien den Hunden vorgeworfen ... Aber jedem Frevel entspricht eine Sühnelitanei; und die Schläge dieser fürchterlichen Uhr wecken »einen neuen Instinkt«, »ein heimliches Feuer«, die in der Beschaulichkeit der kampflosen Zeiten keinen Grund hatten, zutage zu treten.

Ein verstärktes Gefühlsleben: das ist wohl die Hauptsache. Es zeichnen sich hier noch unbestimmt und verworren die Anfänge einer Apologetik ab, die zu ihrer Entwicklung ein ganzes Jahrhundert brauchen sollte. Aufklärung, nun gut: keine Kirche ist der Aufklärung feindlich gesinnt. Die Vernunft, nun gut: keine Kirche macht den Anspruch, ohne die Hilfe der Vernunft auszukommen. Aber auch, wenn man von den extremen Formen des erklärten Atheismus absieht und nur die Wandlungen, die sich im Bewusstsein des Durchschnittes vollziehen, berücksichtigt, wird der Religion die Unterstützung gewisser intellektueller Kräfte entzogen, die sich vom Glauben trennen, ohne ihn auskommen und ohne ihn ein menschliches Ideal aufstellen wollen. »Gewiss ist unser Jahrhundert gelehrt und aufgeklärt. Man hat große Fortschritte in Kunst und Wissenschaft gemacht, sei es, dass man ihnen bessere Prinzipien zugrunde gelegt, sei es, dass man ihre Beweise und Beweisführungen sicherer begründet hat. Wieviel neue Entdeckungen, wieviel neue Erfahrungen hat man nicht gemacht, die dem Geist ermöglichen, über jene Grenzen hinauszudringen, innerhalb welcher die Barbarei der vergangenen Jahrhunderte das Wissen gefangen hielt?

Indessen kann man mit Recht zweifeln, ob die Religion großen Nutzen aus all dieser erfreulichen Forschertätigkeit gezogen und ob sie dabei nicht eher verloren als gewonnen hat . . .[341]« Sie kann das verlorene Terrain wiedergewinnen, wenn sie an andere Kräfte der Seele appelliert, die ihre Gegner verachten oder ableugnen.

Die metaphysischen Beweise für das Dasein Gottes sind sicherlich die besten; aber sie bleiben »dem Durchschnitt der Menschen, die von ihrer Einbildungskraft abhängen«, unzugänglich. Indem der Apologet der christlichen Religion an ihre Fantasie, ihre Empfindsamkeit appelliert, vermag er noch Gott zu beweisen. Zeigen die Wunder der Natur nicht sein Dasein, seine Macht, seine Güte? Das Argument ist nicht neu, aber es gewinnt einen neuen Wert, wenn man ihm allen Nachdruck verleiht, wenn die Beweisführung zum Erguss wird. Man gerät dann in einen Zustand der Bewunderung, der alles erklärt, in einen lyrischen Zustand, der alles mit fortreißt. Seht die Wälder an: »Im Sommer schützen uns diese Zweige mit ihrem Schatten gegen die Strahlen der Sonne; im Winter nähren sie die Flamme, die in uns die na-

341 Isaac Jaquelot. Dissertation sur l'existence de Dieu. Haag 1697, Vorwort.

555

türliche Wärme bewahrt. Ihr Holz ist nicht nur nützlich
für das Feuer; es ist ein sanftes, wenngleich starkes und
dauerhaftes Material, dem die Hand des Menschen für
die großen Werke der Architektur und der Schifffahrt
ohne Mühe jede Form gibt, die ihm beliebt. Außerdem
scheinen die Obstbäume, indem sie ihre Zweige zur Erde
senken, dem Menschen ihre Früchte anzubieten . . .« Seht
die Gewässer an: »Wenn das Wasser etwas dünner wäre,
so würde es eine Art Luft werden; die ganze Oberfläche
der Erde würde trocken und unfruchtbar sein; es würde
nur fliegende Tiere geben; kein Tier könnte schwimmen,
kein Fisch könnte leben; es gäbe für die Schifffahrt nichts
zu tun. Wenn das Wasser etwas dünner wäre, so könnte es
diese riesigen schwimmenden Gebäude, die man Schiffe
nennt, nicht mehr tragen; die leichtesten Körper würden
sofort im Wasser versinken . . .« Seht die Luft und das
Feuer an, die Sterne und jene Morgenröte, die »seit Tausenden von Jahren kein einziges Mal versäumt hat, den
Tag anzukündigen; sie beginnt ihn zur bestimmten Zeit
am gegebenen Ort und im gegebenen Augenblick«. Seht
die Tiere an: »der Elefant, dessen Hals wegen seines Um-
fangs zu schwer sein würde, wenn er so lang wie der des
Kamels wäre, ist mit einem Rüssel versehen worden . . .[342]«

Binnen kurzem wird Nieuwentijt kommen und der
Abbé Pluche, die einer unzählbaren Zuhörerschaft die
Existenz Gottes aus den Wunderwerken der Natur beweisen werden. Und dann wird Bernardin de Saint-Pierre
kommen. Und dann Chateaubriand.

An diesem Punkt unseres Weges und an der Schwelle der letzten Schlupfwinkel, in denen der Mensch von
Gefühl sich der Verzückung hingibt, wollen wir Gott-

---

342 Fénelon, Démonstration de l'existence de Dieu, tirée de la con-
naissance de la nature. 1713.

fried Arnold beschwören, in der Hand seine *Unparteiische Kirchen- und Ketzerhistorie*[343]. Er erklärt uns, sie sei unparteiisch, weil sie von einem Menschen geschrieben sei, der keiner Sekte angehöre und der nicht die theologische, sondern die historische Methode anwende; sie sei allgemein, weil sie nicht annehme, dass es nur eine einzige Kirche gebe, und alle Kirchen behandele, die den Glauben an Gott und Jesum Christum verkündeten. Vor allem aber will sie eine glorreiche Geschichte der Häresien sein.

Will man ihm Glauben schenken, so irrt man sich in der Tat in bezug auf die Ketzer: diese sind nichts als Missverstandene und Verleumdete. Ketzer, das ist der Name, den diejenigen, welche die Machtpositionen innehaben, denjenigen geben, die ihre Interessen, ihre Macht schädigen. Die Inhaber der gesicherten Stellen rühmen sich, den rechten Glauben zu besitzen: aber Orthodoxie ist noch nicht Glauben. Dogmen und Formeln blind adoptieren, sich Autoritäten unterwerfen, annehmen, der Glaube sei ein *opus operatum*: das ist Orthodoxie, und sie ist in Wahrheit nichts als leerer Rationalismus, der nichts von religiösen Erlebnissen, Erweckungen und Wiedergeburten weiß.

Die wahren Ketzer sind nicht diejenigen, die Gefahr laufen, sich zu irren, obwohl sie guten Glaubens sind; sondern viel eher die, welche sich weigern, Gott auf sich wirken zu lassen, und wie Heiden leben: die Egoisten, die Dogmatiker, die Intoleranten ... So spricht im Jahre 1688 Gottfried Arnold, ein Gelehrter, ein Rebell, ein Mystiker: die, welche man gemeinhin Ketzer nennt, sind die wahren Christen, die Jünger Christi, die das Leiden reinigt und die Liebe über sich selbst hinaushebt; und die, welche man gemeinhin Orthodoxe nennt, die Trockenen, Unfruchtbaren, sind die Ketzer.

343 Deutsche Ausgabe. Schaffhausen 1740 — 42. Anm. d. Übers.

Dringen wir nunmehr unter seiner Führung in den Kreis der glühenden Seelen ein.

Im Jahre 1709 hat man die letzten Nonnen vertrieben, die noch in Port-Royal verblieben waren; im Jahre 1710 hat man das Kloster zerstört. Der Jansenismus würde, so meinte man, dadurch endgültig vernichtet werden; die Sekte, die seit so vielen Jahren die französische Kirche beunruhigte, würde endlich zur Unterwerfung gezwungen sein: *ubi solitudinem faciunt, pacem appellant.*[344] — Aber nein; diese Sekte verbreitet sich im Ausland; sie greift allmählich um sich; in Löwen, in Utrecht, woselbst eine hartnäckige Kirche die Flüchtlinge, die Verbannten aufnimmt, bleiben jansenistische Herde bestehen, ebenso in verschiedenen deutschen Städten, in Wien, sogar am kaiserlichen Hof, in Piemont, in der Lombardei, in Ligurien, in Toskana und selbst in Rom. Auch in Spanien treiben die Jansenisten Propaganda. In Frankreich ist der Streit im Jahre 1713 mit der Proklamation der Bulle Unigenitus so wild wie am ersten Tage wieder aufgeflammt. Quesnel, ein Priester des Oratoriums, veröffentlicht ein Buch über die Moral des Evangeliums; der Papst verdammt unzählige aus diesem Buch gefolgerte Behauptungen. Es ist wie ein Signal: alles fängt von vorn an. Appellanten, Acceptanten, Accomodanten[345] streiten sich, werden sich Jahre hindurch streiten. Bald treten die Verzückten in Erscheinung. Im Verlauf der Prozessionen, auf den Gräbern der Erwählten treten Wunder ein, und diesmal steigert sich die Unruhe bis zum Skandal. Es stecken zwei Elemente im Jansenismus: ein theologisches und ein moralisches, und die Kraft des ersteren lässt mit der Zeit nach, während das zweite an Stärke zunimmt. Die Bitterkeit und Unruhe der Seele, die Ungewissheit des Heils, die er-

---

344 Sie schaffen eine Einöde und nennen es Befrieden.
345 Verschiedene jansenistische Sekten. Anm. d. Übers.

schütternde Erinnerung an die Verfolgungen, der Glaube an rächende Wunder lassen sich weder durch den Willen des Königs noch durch Dekrete niederschlagen. Auf die Dauer ist der Jansenismus keine Doktrin mehr; er ist eine herbe und strenge Gesinnung, die angesichts der zunehmenden Verweichlichung des Glaubens und der Sitten an Boden gewinnt.

Mit noch viel mehr Recht nähren die Camisarden in den Cevennen, von den Dragonern gehetzt, die sie martern, wenn sie sie fangen, als Märtyrer ihres Glaubens eine gefühlsmäßige Erbitterung, die von einer Übersteigerung zur anderen bis zur Halluzination geht. Sehen wir uns einen ihrer Führer, Abraham Mazel, näher an: er hat seine Memoiren und sozusagen seine Beichte hinterlassen. »Einige Monate, ehe ich zu den Waffen griff, und ehe mir noch der leiseste Gedanke daran ins Herz gedrungen war, träumte mir, ich sähe in einem Garten große und sehr fette schwarze Ochsen, die den Kohl des Gartens fraßen. Eine Persönlichkeit, die ich nicht kannte, hatte mir den Befehl gegeben, die schwarzen Ochsen aus dem Garten zu verjagen, aber ich weigerte mich, es zu tun. Erst da die Stimme dringlicher wurde und ihre Befehle wiederholte, gehorchte ich und jagte die Ochsen aus dem Garten. Darauf kam der Geist des Herrn über mich und packte mich, wie es gewöhnlich ein mächtiger und starker Mann macht, und ließ mich, nachdem er mir meinen Mund aufgetan hatte, unter anderem erklären, der Garten, den ich gesehen hätte, stelle die Kirche dar, und die dicken Ochsen seien die Priester, die sie verschlängen, und ich sei berufen, das Bild zu Ende zu führen. Ich hatte mehrere Inspirationen, durch die mir geboten wurde, mich bereit zu halten, zu den Waffen zu greifen, um mit meinen Brüdern gegen meine Verfolger zu kämpfen; ich würde mit Feuer und Schwert gegen die Priester der

römischen Kirche kämpfen und ihre Altäre verbrennen.«
Von Inspirationen getrieben, halten sie dann Versammlungen im Walde ab, und der Heilige Geist kommt über
sie in so schrecklicher Weise, dass die Erschütterungen,
die ihre Körper erzittern machen, Angst und Schrecken
unter denjenigen verbreiten, die sie ansehen. Von Inspirationen getrieben, nehmen sie ihre Waffen, marschieren,
greifen an, zerstreuen sich. Von Inspirationen getrieben,
verbrennen sie Pfarreien und töten die Priester. Mazel
wird gefangen, in den Constantia-Turm in Aigues-Mor-
tes geworfen. Er sägt einen der Steine des Turmes heraus,
um zu fliehen, und »fühlt sich jedes Mal vom Heiligen
Geist ergriffen, wenn er an diesem Werk arbeitet«.

Der Fall von Élie Marion ist noch verwirrender. »Am
ersten Tage dieses Jahres 1703 ehrte mich Gott durch
den Besuch seines Heiligen Geistes; und durch die erste
Inspiration, die mein Mund aussprach, wurde mir unter
anderem verkündet, dass Gott mich vom Mutterleibe an
zu seinem Ruhme ausersehen habe.« Élie Marion ist der
Erwählte, der Vorläufer der glorreichen Herrschaft Jesu
Christi. Ohne ihn bei seinen Kämpfen, seinen Nieder-
lagen zu begleiten, wollen wir uns ins Gedächtnis rufen,
wie er sich in London aufführte, wohin er 1706 flüchtete.
Er hat Visionen; er spielt den Propheten; Gottes Geist
kommt über ihn, versetzt ihn in Trance; er wettert weniger gegen die Gottlosen als gegen die Lauen, die Pastoren. Schon die in Genf hatte er gescholten, weil sie
nicht an die baldige Wiederkehr Christi glauben wollten:
»Diese Wiederkehr ist für sie eine Sonne, deren Blick sie
nicht ertragen können und die sie blendet. Sie mögen sich
hüten, dass sie nicht verworfen werden, wie die Juden es
wurden!« In London donnert er gegen die französischen
Prediger, gegen die Anglikaner, gegen alle. So beginnt
eine erstaunliche und beklagenswerte Geschichte: aus

den Kirchen ausgeschlossen, vom Pöbel verhöhnt, verhaftet, vor die Gerichte geschleppt, verurteilt, fühlen die camisardischen Propheten sich von immer heftigerem Feuer durchglüht. Sie gewinnen Anhänger unter den Engländern, denn ihre Krankheit ist ansteckend. Eine hysterische Engländerin stößt zu ihrer Truppe. Einmal erklären sie, die Zeiten seien erfüllt, Feuer und Schwert würden die Stadt und alle Ungläubigen, die sie enthält, verzehren; allein die Gläubigen würden verschont bleiben, und damit der Engel der Vernichtung sie erkennen könne, hätten sie ein grünes Band als Arm- oder Stirnbinde zu tragen. Ein andermal prophezeien sie, noch bevor sechs Monate vergangen sein würden, werde die Verfolgung der Propheten ein Ende nehmen, und die Wahrheit ihrer Sendung werde dargetan werden: die sechs Monate vergehen, und nichts geschieht. Wieder ein anderes Mal prahlen sie, sie seien fähig, einen Toten wiederzuerwecken. Die Masse der Engländer betrachtet diese Schwarmgeister, diese Narren mit grenzenlosem Erstaunen; sie zeigt zunächst Ungeduld, dann ruhige Strenge. Élie Marion wird an den Pranger gestellt, und auf einem über seinem Kopfe befestigten Zettel ist zu lesen: »Élie Marion, überführt, sich als wahrer Prophet ausgegeben zu haben, was falsch und gottlos ist, und viele Worte gedruckt und gesprochen zu haben, die er als ihm vom Heiligen Geist diktiert und offenbart ausgab, um die Untertanen der Königin in Schrecken zu versetzen.« Élie Marion ging schließlich fort, gefolgt von einigen Getreuen, die hartnäckig fortfuhren, an ihm zu hängen. Der kleine Trupp zog von einem Land zum anderen bis nach Konstantinopel, bis nach Kleinasien, immer predigend, prophezeiend und drohend; verfolgt, manchmal eingesperrt, aber eine Wahnsinnsflamme mit sich tragend, die er bei allen Nationen leuchten lassen will: es ist der »Blitz des Lichtes, der vom Himmel niederfährt, um in der Nacht der Völker der Erde die Verderbtheit aufzudecken, die sich in ihren Finsternissen birgt . . .«

In einem gewissen Sinne repräsentiert der Fatalismus Spinozas gerade die Unbeugsamkeit der Vernunft. Aber es liegt eine Süßigkeit darin, sich im Gott-All aufzulösen. Sich mit ihm zu verschmelzen ist ein Gefühl, fast schon eine Sensation. Um als Verdienst zu wirken, muss die Integration in die Ordnung, die die Welt regiert und selbst die Welt und auch Gott ist, die alles ist, bewusst und absichtlich erfolgen: aber man kann sehr leicht von dieser überlegten Art und Weise in eine passive Unterwerfung hinübergleiten, die Selbstaufgabe wird. Wundern wir uns daher nicht, wenn wir aus der Ethik einen Mystizismus entspringen sehen, der sich in Holland und in Deutschland verbreitet. Aber mit diesen Spinozisten sind wir noch weit von den letzten, glühendsten Kreisen.

Da man den lutherischen Geistlichen dieselben Laster vorwirft, die sie den katholischen vorwerfen; da sie zu Dienern des Buchstabens geworden sind, anstatt Diener des Geistes zu sein; da sie weder Barmherzigkeit noch Glauben haben; da sie Geld für die Abhaltung des Gottesdienstes beziehen und sogar erlauben, dass man die Bußen mit Geld abkauft; da ihre Predigten, anstatt Quellen der Wahrheit und des Lebens zu sein, nur noch auswendig gelernte Tiraden sind, unter die ein paar populäre Späße gemischt werden, und nichts mehr mit der Verkündung von Gottes Wort gemein haben, so entsteht und verbreitet sich in Deutschland gegen sie der Pietismus, die Religion des Herzens. Die Frömmigkeit, das Herz: diese Worte kehren immer wieder unter der Feder und im Munde des Menschen, welcher der so lange unterdrückten deutschen Empfindsamkeit erlaubte, offen zutage zu

562

treten: Philipp Jacob Spener. Er war Pfarrer in Frankfurt, als er 1670 auf den Gedanken kam, die *Pietistischen Kollegs* zu gründen: die Aufgabe der Geistlichen war es nicht, zu zetern, sondern viel eher das innere Leben zu erwecken, und so versammelte Spener denn zweimal in der Woche abends die Menschen, die guten Willens waren, um mit ihnen die Bibel zu lesen, zu beten, Gott in ihren Seelen wirken zu lassen. Das war der erste Schritt. Er vollzog den zweiten, als er 1675 die *Pia Desideria oder herzliches Verlangen nach gottgefälliger Besserung der wahren evangelischen Kirche* veröffentlichte. Damit erweiterte sich seine Wirkung auf die Pfarrer, auf die Gläubigen. Er lud sie ein, zu einem lebendigen und tätigen Glauben zurückzukehren, einem auf Liebe gegründeten Glauben. Im Jahre 1686 ging er nach Dresden als Hofprediger, Beichtvater des Kurfürsten von Sachsen, Mitglied des Oberkonsistoriums. Diese Ehren wären bedeutungslos, wenn sie uns nicht erlaubten, die Größe seines Einflusses und seines Erfolges zu ermessen: Studenten und Frauen lauschten seinen zugleich feurigen und ernsten Worten. Auf seine Anregung hin bildeten sich Gruppen, die gemeinsam die Bibel lasen. Das Wort Pietist, das zunächst verächtlich gemeint war, wurde zu einem Lob. Ein Pietist ist auch August Hermann Francke, der, als er über den Glauben predigen soll und bemerkt, dass er ihn selbst nicht hat, in Verzweiflung gerät, niederkniet und Gott anfleht, ihn aus seinem erbarmungswürdigen Zustand zu erlösen. Gott erleuchtet ihn, und seine Mission ist fortan, seinerseits die anderen zu erleuchten. Fürsten, Adlige, die selber ihr Heil suchen wollen, werden Pietisten und ebenso Bürger und Leute aus dem Volk: Deutschland erwacht zum Glauben.

Die Ansteckung verbreitet sich immer weiter, eine fromme Ansteckung. Spener verlässt Dresden und geht

nach Berlin. Er gewinnt den Kurfürsten von Branden-
burg, und als dieser im Jahre 1694 die Akademie von
Halle in eine Universität umwandelt, wird Spener deren
Seele. So erhebt sich die pietistische Zitadelle, ganz umgeben von christlichen Werken. Was bedeuten sie nun
aber, diese leidenschaftlichen und hier so siegreichen
Herzen? Zunächst einmal lebt in ihnen Boehme weiter,
der Mystiker; er ist stets in ihnen gegenwärtig. Dann ist
da eine Ablehnung, eine Revolte gegen die Tendenz, die
in ihnen aufsteigende Flut religiösen Lebens zu kristal-
lisieren, zum Gefrieren zu bringen. — Im Untergrund
aber ist da auch die Idee, dass die analytische Methode
und die rationelle Untersuchung nicht das ganze Wissen ausmachen; dass Klarheit nicht notwendig die ganze
Wahrheit bedeutet: Sie bewahren die Intuition, sie behalten sich die Möglichkeit unmittelbaren Wissens, einer
totalen Gemeinschaft mit der ewigen Quelle des Lebens
vor. Sie bewahren das Ich; und im Ich die ganze Fülle der
Gemütskräfte, die persönlicher, individueller sind als die
anderen. Und sie bewahren die Bindung an ein primiti-
ves Substratum, das die gewohnten Formen der religiösen
Kultur in seiner Integrität bedrohten.

Die unendlichen Nuancen des Gefühls bereichern ihr
Leben. Sie fühlen sich trocken, unfruchtbar, verloren; sie
erleben die Ängste dessen, der vergeblich in die Wüste
schreit: was gäbe es Schmerzvolleres als ein langes Warten auf die Gnade? Und dann kommt die Stunde des Be-
kennens, der Ergüsse. Es kommt der große Schock: das
Wunder, die Erleuchtung, die direkte Offenbarung. Darauf folgt dann die unendliche Süße überirdischer Liebe,
das Aufgehen des menschlichen Seins in das Sein, das da
weiß und will und dem Leben einen Vorgeschmack der
Ewigkeit verleiht. Wozu fortan noch suchen? Wozu noch
Philosophen? Und selbst Theologen? Oder selbst Bibel-

ausleger, da die Bibel sich ja aus sich selbst verstehen lassen muss, da das »Wort« darin ohne Rätsel geschrieben steht? Eins aber ist not: in Gott handeln. — Hier gibt es noch ein Handeln; die Quietisten werden auch damit Schluss machen.

Wie ließe sich der Streit erklären, der die beiden erlauchtesten Prälaten der französischen Kirche, Bossuet und Fénelon, einander feindlich gegenübertreten lässt, der sie dazu bringt, Vorwürfe und Anklagen gegeneinander zu schleudern, Rom so lange anzurufen, bis der eine der beiden verdammt wird — wenn man nicht in diesem großen Disput die allgemeine Tendenz erkennt, die sich hier in einem Sonderfall äußert? Der Quietismus war eine der Formen des mystischen Dranges, der überall im Namen eines entfesselten Gefühls die Mauern der bestehenden Kirchen erzittern ließ.

In was für Träumen hatte Fénelon sich nicht gewiegt? Er war im Begriff aufzubrechen. Griechenland tat sich ihm auf, der Sultan wich erschreckt zurück; Fénelon sah — das sind seine eigenen Worte — das Schisma fallen, Orient und Okzident sich vereinigen, hörte Asien beim Anblick des nach so langer Nacht heraufdämmernden Tages bis zum hintersten Euphrat aufseufzen. Oder er dachte sich ein Traumland aus und malte es in hinreißenden Farben: ein idealschönes Andalusien; die Winter sind dort milde, die Sommer niemals brennend, das ganze Jahr ist nichts als eine glückliche Vereinigung von Frühling und Herbst, die sich die Hand zu reichen scheinen; die Erde ist dort so fruchtbar, dass sie doppelte Ernten trägt; Granatbäume, Lorbeer und Jasmin säumen duftend die Straßen. Oder er erbaute eigenhändig die makellose Feste Salent: dort gab es keine Laster mehr und kein Unglück; selbst das »Australland« vermöchte den

Menschenkindern kaum ein gleiches Glück zu bieten. In Salent herrschen Friede, Gerechtigkeit, soziale Ordnung und Überfluss; die Reichtümer strömen hin wie die Flut des Meeres; im Zurückfluten lassen sie andere Reichtümer an ihrer Statt zurück. Für jede Schwierigkeit ist »leicht Abhilfe zu schaffen«. Mit einem Zauberstreich verwandelt sich alles: die Stadtbewohner sind glücklich, die Frauen sind es und auch die Kinder. »Die Greise sahen mit Erstaunen, was sie am Abend eines so langen Lebens nicht zu erhoffen gewagt hatten, und weinten vor übermäßiger Freude und vor Rührung; sie hoben ihre zitternden Hände gen Himmel . . .« Nach außen herrscht der Friede. Um die vorrückenden Feinde aufzuhalten, genügt es, mitten unter sie zu treten und ihnen Reden zu halten. Die Soldaten werden ihre Waffen wegwerfen; und alle Welt wird sich weinend umarmen.

Denn Fénelon liebt die Tränen; die Helden seines *Télémaque* vergießen Bäche, Ströme davon, und das Buch ist ganz darin gebadet. Kalypso, Eucharis und Venus; Télémaque, Mentor, Philokles, Idomene lassen wieder und wieder diese geliebten Tränen strömen. Er selbst ist gern liebenswürdig, sanft, weich. Ich ziehe das Liebenswürdige dem Überraschenden und Wunderbaren vor, sagt er in seiner *Lettre sur les occupations de l'Académie*; und er sagt darin auch, er möchte in der Sprache gern jede fehlende Wendung autorisieren, sofern sie nur sanft klingt. »Durch eine Sanftmut, die Ihnen eigen ist«, antwortet ihm der Direktor der Akademie. Er war wohltätig, freigebig; er kannte und nutzte spontan alle Mittel, welche die Herzen gewinnen können: die Herzen, die sich verschließen, und diejenigen, die sich darbieten.

Aber er wusste sehr wohl, dass seine Einbildungskraft ehrgeizig und anspruchsvoll war und sich nicht begnügte, im Irrealen zu bauen. Er wusste, dass er hochfahrend, schneidend sein konnte und sogar leidenschaftlich zu hassen fähig war. Wie weit war er von der Vollkommenheit! Wie unglücklich war er über diese Widersprüche! Eine gequälte Seele, ein Herz voll Melancholie und Überdruss, betrachtete er schmerzbewegt «einen gewissen unerklärlichen Untergrund» seines moralischen Wesens. Er empfand dabei eine Art Ekel, denn er erkannte, wie er sich ausdrückte, Reptilien.

Er sehnt sich nach den reinen Wassern, die seinen Durst zu stillen vermöchten. Er strebt nach der Gnade, welche die Fehler des Weltmanns, des Intriganten, des Ehrgeizigen, des Komödianten auslöscht; er ersehnt eine Vollkommenheit, die er ohne Hilfe nicht zu erreichen vermag; er leidet unter seinen eigenen Ängsten. Das ist ohne Zweifel das Geheimnis der Macht von Madame Guyon: sie hat über ihn nur deshalb so große Gewalt bekommen, weil er das Bedürfnis empfand, die Ketten, die auf ihm lasteten, im mystischen Feuer zu schmelzen und zu zerstören. Madame Guyon hatte die Fräulein von Saint-Cyr und die großen Damen gewonnen, ja sogar Madame de Maintenon: rasch wieder verlorene Eroberungen, weil diese Seelen sich ihr auf den kleinsten Wink hin wieder entzogen. Sie hatte versucht, Bossuet zu erobern: das war eine allzu schwere Aufgabe gewesen; er war nicht einmal in Versuchung geraten, da seine Seele solch zweifelhafter Unterstützung nicht bedurfte. Diese Frau mit ihren »aus ihr selbst stammenden großen Gefühlen«, mit ihrem Anspruch, zu prophezeien, Visionen zu haben, Wunder zu vollbringen, war ihm schon als Frau zuwider. Allein schon durch ihre Behauptung, das Gebet müsse eine Art völliger Selbstauflösung sein, und sie könne Gott um nichts bitten, nicht einmal um Vergebung ihrer Sünden, hatte sie bei ihm verspielt: Madame Guyon ist eine Ketzerin. Bossuet wird nie mehr auf sie hören. Aber Fénelon, diesem gequälten, diesem fiebernden Herzen, dieser Seele, die hochstehend genug war, um ihre Fehler zu empfinden, und zu sehr im Leben verstrickt, um sie mutig abzuschütteln — Fénelon brachte Madame Guyon die Lehre von der reinen Liebe.

Zwischen Gott und den Menschen stehen Mittler, Zwischenglieder, von denen die einen derb und grob, die anderen fein und fast immateriell sind. Auch diese letzteren bedeuten noch Trennungen, die immer unerträglicher werden, je mehr man sich jenem Grad der Sehnsucht nähert, wo das allerletzte Hindernis — wie die Notwendigkeit einer Geste, der Zwang zu einem Gebet — das stärkste zu sein scheint. Diese Zwischenglieder zwischen Gott und seinem Geschöpf will Madame Guyon beseitigen. Als Neubekehrte und von der Leidenschaft erfüllt, die Gewissen zu lenken, sagt sie uns, was wir tun müssen, um diesen hohen Grad der Geistigkeit zu erreichen. Lernet beten, ruft sie aus; lernt richtig beten: Ihr müsst leben vom Gebet, wie Ihr leben müsst von Liebe. Kommt, Ihr hungernden Herzen; kommt, Ihr armen Beladenen; kommt, Ihr Kranken, Ihr Sünder; kommt zu Eurem Gott. Kommt, Ihr, die Ihr ein Herz in Euch tragt.

Ihr müsst Euch durch einen Akt lebendigen Glaubens in Gottes Gegenwart versetzen: Ihr müsst zum Beginn irgendeinen frommen Text lesen, nicht um darüber nachzudenken, sondern nur, um Euren Geist zu konzentrieren. Darauf versenkt Ihr Euch stark in Euch selbst, Ihr sammelt all Eure Sinne im Innern. Wenn Euer Gefühl erschüttert ist, lasst Ihr es sanft und in Frieden ausruhen. Es noch weiter erschüttern, hieße der Seele ihre Nahrung nehmen; sie muss das, was sie gekostet hat, in einem kurzen Ausruhen voll Liebe und Vertrauen in sich aufnehmen.

Wenn das zur Gewohnheit geworden ist, beginnt die Einführung in den zweiten Grad der Weihe: das Gebet in Einfalt. Weniger Anstrengung ist erforderlich; die Möglichkeit steigert sich: die Gegenwart Gottes wird leichter empfunden und ist gleichsam intensiver. Vor allem muss die Seele zum Gebet eine reine Liebe mitbringen, die von allem frei ist, was nicht selbst Liebe ist, also eine uneigennützige Liebe. Nichts darf die Seele erflehen; sie darf nicht beten, um irgendetwas von Gott zu erlangen, denn ein Diener, der seinem Herrn nur um der Belohnung willen dient, ist nicht wert, belohnt zu werden. Nichts erflehen, alles erwarten. Nur so viel Gebet als nötig ist, um sich zu sammeln; das Gebet ist nichts anderes als wärmende Liebe, welche die Seele zum Schmelzen bringt und auflöst.

Der Christ, der den heiligen Berg erklimmt, gelangt sodann zur Hingabe: der Befreiung von aller Vorsorge für sich selbst, um sich einzig und allein der Führung Gottes zu überlassen. Kein Urteilen mehr, keine Reflexionen; Verzicht auf alles Wollen, selbst das gute. Gleichgültig werden gegen alles, sei es der Körper, sei es die Seele, seien es die zeitlichen Güter oder auch die ewigen; das Vergangene dem Vergessen, die Zukunft der Vorsehung überlassen und die Gegenwart Gott geben. Wer sich ihm recht hinzugeben weiß, wird bald vollkommen sein.

Damit verschwindet der dem Individuum eigene spezifische Charakter, aus dem alles Böse stammt. Der Allmächtige sendet seine eigene Weisheit vor sich her, wie das Feuer auf die Erde gesandt werden wird, um alles zu verzehren, was im Menschen unrein ist. Das Feuer verzehrt alle Dinge, und nichts widersteht ihm, dass es es nicht verzehre. Ebenso ist es mit der höchsten Weisheit: sie verzehrt alles Unreine in der Kreatur, um sie für die Vereinigung mit Gott vorzubereiten. Diese ist un-

beschreiblich. Will man sie trotz allem in Worten ausdrücken, so kann man sagen, man fühle sich von einer
Liebe durchdrungen, die uns mit überströmendem Glück
erfüllt. In dem Verzicht auf das eigene Sein, im Besitz des
Unendlichen ist eine solche Süßigkeit, dass kein menschlicher Genuss eine Vorstellung davon zu geben vermag.
Nicht Leere, sondern Fülle. Verzichten heißt erwerben;
aufgeben heißt, sich um alles bereichern. Man braucht
nur zu lieben.

So liefert Madame Guyon denn, indem sie ausnahms-
weise ihre allzu wortreichen Ausführungen zusammen-
drängt, jedem, der ihr lauschen will, eine Anleitung:
*Moyen court et facile pour l'Oraison, que tous peuvent prati-
quer très aisément, et arriver par là en peu à une haute per-
fection* (1685). Unternehmend und intrigant, liebäugelt
sie mit dem Plan einer vollkommenen religiösen Erneuerung. Niemals hatte sie, weder in der Dauphiné, noch
während sie Piemont mit ihrem Gehilfen, Pater Lacom-
be, predigend und die Doktrin von Molinos verbreitend
durcheilte, noch in Paris einen Mann gefunden, der imstande gewesen wäre, ihrem Quietismus Verbreitung und
Bedeutung zu sichern. Nun sollte Fénelon die brennende
und leuchtende Lampe sein, welche die erneuerte Kirche
erhellen würde. Er würde darlegen, wie man den *Petit
Maître* in der Hostie anbeten, wie man gegen den Teufel
kämpfen muss; kurz, er würde unter ihrer Leitung die
Herrschaft der göttlichen Liebe einführen.

Für die anderen mochte sie eine Abenteuerin sein:
für ihn war sie der Führer, der ihn zur Vollkommenheit geleitete. Wie schwer wurde es ihm, auf seinen so
scharfsinnigen und misstrauischen Verstand und auf die
menschliche Vernunft zu verzichten! Auf alle jene unreinen Elemente, deren Vorhandensein seinen guten Willen
störten und bekümmerten! Aber die mystische Glut, die

von ihr ausging, verzehrte nach und nach diese Unrein-heiten. »Mehr und mehr der Ihre im Herrn ohne alle Vorbehalte und mit einer Dankbarkeit, die er allein er-misst.« Er hatte Rückfälle, Augenblicke der Zerstreut-heit, Augenblicke, da sein Wille aufbegehrte. Wider-wille, Ungeduld, Hochmut packten ihn oder ein Anfall von Dürre, einer inneren Dürre in bezug auf das Gebet, einer äußeren im Verkehr mit dem Nächsten: dann kor-rigierte sie ihn, half ihm vorwärts, nahm ihm die Fesseln ab. Er verspürte in sich eine Erneuerung der Kindlichkeit und Unschuld: »O unendliches Glück der Demütigung, nichts zu sein!« Er fühlte, wie er das wurde, was er sein wollte: ausgelöscht, hilflos, einem kleinen Kinde gleich. Dann schrieb er Verse auf Liedermelodien:

> O pur amour, achève de détruire
> ce qu'à tes yeux il reste encor de moi.
> Divin vouloir, daigne seul me conduire,
> je m'abondonne à ton obscure foi . . .[346]

oder auch:

> C'est peu pour toi que n'avoir plus de vie,
> et qu'abimer ce moi jadis si cher . . .[347]

Das genügte noch nicht; in diesen Versen verblieb noch irgendetwas Formales und Verständliches; er brauchte wie die Kinder ein Lallen, ein Stottern. Immer kam er dar-auf zurück: o Wonne, einstmals eine Kreatur gewesen zu sein, die beanspruchte, aus sich heraus zu leben, und die voll Bosheit und Unruhe und dabei elend und unendlich

---

346 O reine Liebe zerstöre vollends,
　　was in Deinen Augen noch von mir übrigbleibt.
　　Göttliches Wollen, geruhe mich allein zu leiten,
　　ich überantworte mich dem blinden Glauben an Dich.
347 Es will wenig heißen, für Dich kein Leben mehr zu haben
　　und dieses einst so geliebte Ich zu zerstören.

gequält war — und die nun nichts weiter ist als ein kleines Kind, das im Arm von Gottvater einschläft. Sie schrieb ihm: »Sie müssen eines Tages so einfach wie ich werden. Je weiser Sie sind, um so einfältiger und kleiner werden Sie werden, falls Sie treulich fortfahren aufzuhören, ein großer Mann zu sein, um ein kleines Kind zu werden.« Und er schrieb ihr: »Ich öffne Gott mein Herz in seiner ganzen Ausdehnung, um jenen Geist des Kleinseins und Kindseins zu empfangen, von dem Sie sprechen.« — »Es scheint mir, als ob Gott mich wie ein kleines Kind tragen will, und als ob ich nicht einen Schritt aus mir selbst machen könnte, ohne zu fallen: wenn er nur in mir und durch mich seinen Willen tut, so wird alles gut sein, was auch kommen mag.«

Alles wird gut sein; sogar die Verfolgungen, sogar die falschen Auslegungen, die man der Lehre von Madame Guyon gab; denn er hielt sie für falsch und sah in ihr nichts anderes als das, was man bei den größten von der Kirche anerkannten Mystikern auch findet: bei der heiligen Therese von Jesu[348], dem heiligen Johannes vom Kreuz. Aber die Leute, die nicht geschaffen waren, die Süßigkeit der reinen Liebe zu empfinden, und die in ihren plumpen Händen die zarte Blume der tiefsten Frömmigkeit zerdrückten, erklärten, diese Lehre entweihe die Altäre. Selbst das nach unendlichen Streitigkeiten aus Rom eintreffende Verdammnisurteil war für Fénelon nur eine weitere Prüfung. Es annehmen, sich demütigen, es den Gläubigen seiner Diözese in einem Hirtenbrief mitteilen, war nur eine andere Form, das Fleisch abzutöten, das höchste Opfer auf sich zu nehmen, den letzten Widerstand des Ehrgeizes zu brechen und in Gott zu triumphieren. Inveni portum: er hatte die Seelenruhe gefunden, die er vor

---

348 Geb. 1515 in Avila in Altkastilien, Karmeliterin; gest. 1582 im Kloster zu Alba de Liste. Anm. d. Übers.

seiner Begegnung mit Madame Guyon nie gekannt hatte und die er bis zum Tode nicht wieder verlieren wollte. Er gab seine Irrtümer zu, wenn immer es Irrtümer waren; er unterwarf sich der Buße, wenn er gesündigt hatte; aber in seinem Geiste war kein Raum mehr für den Irrtum, sein Herz war unfähig der Sünde; er war ein wahres Nichts, ein bisschen Asche — übrig geblieben von einer Liebe, die so glühend war, dass sie nur im Tode des Wesens, das sie erwählt hatte, um darin zu brennen, ihr Genüge fand. Das Drama seines inneren Weges zur reinen Liebe war für Fénelon von weit größerer Bedeutung als dasjenige, auf das wir gewöhnlich unsere Aufmerksamkeit richten — wichtiger als der Streit mit Bossuet, als all die Briefe, Abhandlungen, Erwiderungen, Erwiderungen auf Erwiderungen, Untersuchungen, Plädoyers, Entscheidungen. Ein verborgenes Drama, von dem der gemeine Mann sich keine Vorstellung machen kann: denn wie vermöchte er den erschütternden Charakter, den furchtbaren Charakter dieser Verwandlung menschlicher Substanz in göttliche Substanz, dieser Reinigung im Feuer auch nur zu ahnen? — »Wenn ich von reiner Liebe spreche, so meine ich nicht jene leidenschaftliche Liebe, die denjenigen, der sie besitzt, nur zu verschönern trachtet, die sich nur auf ihn selbst zu richten scheint: diese Liebe nenne ich unvollkommen, obwohl es eine Liebe ist, welche die unwissenden Menschen als den Gipfel der Heiligkeit ansehen. Ich sehe als reine Liebe nur die erbarmungslose, zerstörende Liebe an, die — weit davon entfernt, ihren Träger zu verschönen und zu schmücken — ihm vielmehr ohne Erbarmen alles abreißt, damit nichts diesem Träger verbleibt und somit nichts ihn verhindert, in das Ende überzugehen. Außerhalb gibt es für sie keine Existenz. Ihr ganzes Trachten ist, zu verlässlichen, abzureißen, zu zerstören, zu verderben; sie lebt allein von Zerstörung; sie ist gleich jenem Tier, das Daniel erblickte, das alles frisst, zermalmt und verschlingt.«

Madame Guyon hatte Anhänger in ganz Europa; Poiret gab ihre Werke heraus; Poiret,[349] der nicht der geringste derer war, welche sich zur Theologie des Herzens bekannten. Man mochte die Schwarmgeister noch so sehr in Acht und Bann tun: keine Kraft vermochte gegen sie aufzukommen, und wie wollte man sie mit Vernunft überführen, da sie alle Vernunft ablehnten? Sie vervielfachten sich, es wimmelte von ihnen, von diesen Sehnsüchtigen, Passionierten, ja sogar Kranken, welche, die Lehren maßloser Meister noch übersteigernd, schließlich Gott in der Überspannung ihrer Nerven, in der Verwirrung ihres Geistes, im Wahnsinn suchten. Sie verwarfen jeden Zwang: den der nationalen Kirchen, die ihnen Gefängnisse schienen; den der Pfarrer, die sie Tyrannen hießen; ja selbst den der Gesellschaft, die sie verfolgte. Sie hielten den Fortschritt für Korruption, die Wissenschaft für Perversion. Sie erkannten im Allgemeinen den Sündenfall und die Erlösung an: aber da die Wohltat dieser ersten Erlösung aufgebraucht war, so bedurfte es einer zweiten, die bald eintreten würde. Die Zeiten waren erfüllt, der Antichrist herrschte über eine Welt, in der es keine wahren Christen mehr gab:

Cet Antéchrist est né	Dessus un lit mollet
ja plus d'un an passé.	demi couché il est,
Le temps est arrivé	il n'est plus en bas âge
qu'il soit manifesté.	ains un grand personnage.
Je l'ai vu en esprit	Sa gloire est sans pareille,
par une claire nuit,	on l'estime à merveille;

---

349 P. Poiret (1646 — 1719), aus Metz stammender protestantischer Theologe und Mystiker; lebte später in Hamburg und Amsterdam, veröffentlichte neben eigenen lateinischen Schriften die der Madame Guyon. Anm. d. Übers.

sur un théâtre grand	fait paraître son train
riche et resplendissant,	de nuit en grand festin :
couvert d'un pavillon	Il a valets en nombre,
bordé à l'environ,	comme une armée innombre
tout tendu de velours	du peuple aux environs
incarnat à l'entour.	de toute nation . . .[350]

Die erste Plage hat bereits begonnen: die Kriege; die anderen werden folgen: Pest, Feuer, Hungersnot. Aber Gott wird seine Getreuen nicht zugrunde gehen lassen. Bald wird Christus erscheinen als Körper und Geist, in seiner Göttlichkeit und all seiner Herrlichkeit. Dann wird die Ära wahren Glücks beginnen.

Oft gründeten sie Gemeinschaften; so Johann Georg Gichtel, der die Gemeinschaft der evangelischen Brüder schuf: ihre Anhänger verweigerten jegliche Beschäftigung, jede Arbeit und sollten durch Kontemplation und Selbstaufgabe die Menschen in Engel verwandeln. Oder Jane Lead, die den Kult der mystischen Sophie einführte und die Sekte der Philadelphen organisierte und die Gichtel etwas beschränkt und allzu gemäßigt fand. Sie ließ es bei häufigen Visionen bewenden und bei Prophezeiungen wie der folgenden: die geheimen Siegel des Buches vom Lamm werden gelöst werden, der große Attila

---

350 Antoinette Bourignon, L'Antéchrist découvert, Amsterdam. 1681, Kap, III.

Dieser Antichrist ist geboren	Auf einem weichen Pfühl
vor mehr als einem Jahr.	liegt er halb ausgestreckt.
Die Zeit ist gekommen,	Er ist nicht mehr ganz jung,
da er offenbart wird.	ist ein großer Herr.
Ich habe ihn im Geist gesehen,	Seine Herrlichkeit ist ohnegleichen,
in einer klaren Nacht,	er genießt allerhöchste Achtung.
auf einer großen Bühne:	Er lässt sein Gefolge erscheinen
reich und glänzend,	des Nachts bei großen Festlichkeiten:
überdacht von einem Zelt,	er hat eine große Zahl Bediensteter,
das rings herum befestigt,	sowie eine unzählbare Armee
ganz mit Samt ausgeschlagen	aus dem Volk ringsumher
und außen purpurn war.	von jeder Nation . . .

wird den Drachen verjagen, die Philadelphen werden das mit dem königlichen Namen bestickte Banner der Liebe aufpflanzen, das Evangelium wird überall verkündet werden und die zurückgebliebenen Länder der Erde werden Christus dem Erlöser zugehören.

Fromme Hingabe genügte ihnen nicht; sie hatten wunderbare Visionen, Verzückungen, Ekstasen; es handelte sich nicht mehr nur um geistige, sondern um sinnliche Genüsse. Sie kämpften gegen den Bösen, der ihnen in grässlichen Gestalten erschien; und sie gingen als Sieger aus diesen erschöpfenden Kämpfen hervor. Sie waren Propheten, Heilkünstler, Wundertäter; armselige Wundertäter, die man gefangen setzte, steinigte, die von Stadt zu Stadt, von Land zu Land irrten, auf der Flucht zugleich vor den herrschenden Gewalten und vor ihrer eigenen Besessenheit. Sie hatten die Genugtuung zu glauben, dass es Satan selbst war, der sie also leiden ließ, weil er in ihnen die Zerstörer seiner Herrschaft und Werkzeuge Gottes erblickte. Sie starben elendiglich auf irgendeinem Hospitalbett und manchmal auch unter Marterungen, wie jener Quirinus Kuhlmann, der im Jahre 1689 in Moskau verbrannt wurde, nachdem er Deutschland, Holland, England, Frankreich, Italien und die Türkei, unterwegs Gemeinden gründend, durchzogen, seine Saat auf steinigen Grund ausgestreut und verkündet hatte, Babel werde demnächst einstürzen und die fünfte Monarchie der Gerechten werde ihren Anfang nehmen.

Bedenken wir, wie groß ihre Zahl war, wie viele Beziehungen zwischen ihnen bestanden, wie viele Abhängigkeiten und Zusammenhänge; und vergessen wir nicht all die Schriften, die sie in Unzahl verbreiteten und die von einem Land zum anderen immer Übersetzer fanden, so dass sich gleichsam ein riesiges theosophisches Netz über Europa verbreitete. Vergessen wir auch eine andere Sorte von Individuen nicht, die andere Träume nährten: die mysteriösen Rosenkreuzler, die Kabbalisten; die Alchimisten, die den Stein der Weisen suchten, in der unklaren Überzeugung, sie könnten damit die verschiedenartigen Erscheinungsformen der monistischen Seele des Universums ineinander überführen; und wir werden schließlich den Eindruck einer ungeheuren und dauernden Gärung gewinnen.

Das Gefühl ist von der Vernunft überwunden worden, aber es nimmt diese Niederlage nicht hin. Gegen das Licht, wie es die Philosophen verstehen, behaupten die Erleuchteten, ein Feuer zu besitzen, das sie zugleich erleuchtet und in Glut versetzt. Im Gegensatz zu der Wissenschaft, deren Entwicklung noch der Zukunft angehört, erklären die Theosophen, ein Wissen ihr Eigen zu nennen, das unmittelbar und angeboren und zugleich das einzige ist, das zählt. Die Mehrzahl der zeitgenössischen Denker sagt: *erkennen*; aber eine Minderheit antwortet ihnen: *lieben*. Antoinette Bourignon mit ihrem abenteuerlichen, zugleich aggressiven und an Verfolgungen reichen Leben: diese seltsame Frau, in der schließlich alles außer dem Gefühlsleben erloschen ist; die unmittelbar mit Gott spricht; die das Wissen verachtet, weil es die dunkle Weisheit beeinträchtigt, die ihr völlig genügt; die erklärt, selbst wenn das Evangelium zugrunde ginge, so würde die Kreatur in sich selbst ein Gesetz finden, das genüge, sie zur Wahrheit und zum Glück zu führen,[351] Antoinette Bourignon greift eines Tages holländische Anhänger von Descartes an. »Sie hatte Besprechungen mit den Cartesianern und bildete sich eine gar schreckliche Vorstellung von ihren Prinzipien . . .« Sie waren nicht zufrieden mit ihr, noch sie mit ihnen. Die Methode der Cartesianer lag

---

351 La lumière née en ténèbres, Antwerpen, 1669. 2. Aufl., Amsterdam 1684.

ihr nicht; sie wollte nicht, dass man das Licht der Vernunft zu Rate zog, und das Prinzip der Cartesianer war
gerade, alles und jedes an diesem Prüfstein zu messen. Sie
versicherte: »Gott habe sie erkennen und sogar erklären
lassen, dass diese cartesianische Irrlehre die schlimms-
te und verdammungswürdigste aller Ketzereien sei, die
es je auf der Welt gegeben habe, und ein ausgesproche-
ner Atheismus oder ein Zurückstoßen Gottes, an dessen
Stelle sich eine missleitete Vernunft setze.« Hierauf bezieht sich das, was sie zu den Philosophen sagte: »ihre
Krankheit käme daher, dass sie alles durch die Tätigkeit
ihres menschlichen Verstandes verstehen wollten, ohne
der Erleuchtung durch den göttlichen Glauben Platz einzuräumen, die einen Verzicht auf unsere Vernunft, unseren Geist und unsere schwache Urteilskraft verlange, auf
dass Gott darin dies göttliche Licht verbreite oder wieder
aufleuchten lasse. Ohne welches wir nicht nur Gott nicht
recht erkennten, sondern Gott und die wahre Gottes-
erkenntnis aus der Seele vertrieben würden durch eben
jene Tätigkeit unserer Vernunft und unseres missleiteten
Verstandes. Was eine Art von Atheismus sei und einem
Zurückstoßen Gottes gleichkomme . . .[352]«

»Als nach langwieriger und entsagungsvoller Arbeit
das 18. Jahrhundert die Gestalt des Gottes mit weißem
Bart, der jeden Sterblichen mit seinem Blick bewacht
und mit seiner Rechten beschirmt, auslöschte — oder
auszulöschen glaubte, was auf eins herauskommt —, hat
es nicht gleichzeitig auch das religiöse Problem beseitigt.
Denn das mystische Sehnen und das Sinnbild, das man
diesem Sehnen zu seiner Befriedigung bietet, sind zweierlei. Nachdem das Sinnbild verschwunden ist, bleibt das
Sehnen bestehen. Den Menschen dürstet danach, über

---

352 Pierre Bayle, Dictionnaire, Artikel Bourignon, Notiz K.

sich eine Stätte zu finden, wohin er die ungeformten Wünsche tragen kann, die unaufhörlich aus seinem tiefsten Innern aufsteigen . . .[353]«

SCHLUSSBETRACHTUNG

Was ist Europa? Ein Getümmel sich erbittert herumschlagender Nachbarn. Rivalität zwischen Frankreich und England, zwischen Frankreich und Österreich; Krieg der Augsburger Liga; Spanischer Erbfolgekrieg. Allgemeiner Krieg: so sagen die Geschichtsbücher, die das Detail dieser verworrenen Kämpfe nur mühsam verfolgen. Die Verträge führen immer nur zu kurzem Waffenstillstand, der Friede ist nur mehr ein Heimweh, die Völker sind erschöpft, und der Krieg dauert an: die Armeen ziehen jedes Frühjahr von neuem ins Feld.

Leibniz sah ein, dass man die Europäer nicht hindern konnte zu kämpfen, und schlug vor, ihre kriegerische Wut nach außen abzulenken. Schweden und Polen sollten Sibirien und die Krim erobern; England und Dänemark würden sich Nordamerika nehmen, Spanien Südamerika und Holland Ostindien; Frankreich hat Afrika gegenüber; es möge es in Besitz nehmen, bis nach Ägypten gehen, das Lilienbanner bis in die Wüste vortragen. So würden all diese Soldaten, all diese Musketen und Kanonen wenigstens gegen Wilde und Ungläubige verwandt werden; Ehrgeiz und Eigennutz würden weit über den Planeten auseinanderstreben und nie wieder aufeinanderstoßen.

Der Abbé de Saint-Pierre begnügt sich nicht damit, den Streit nach draußen zu verbannen. »Beim Gedanken an alles, was der Krieg an Grausamkeit, Mord, Brand,

---

353 Pierre Abraham, Créatures chez Balzac. 1931, S. 15.

Gewalttat und sonstigen Verwüstungen mit sich bringt, und besonders bekümmert über die, welche Frankreich und die anderen Nationen Europas heimsuchen, habe ich mich darangemacht zu erforschen, ob der Krieg ein Unglück ist, gegen das kein Kraut gewachsen ist, und ob es völlig unmöglich ist, dem Frieden Dauer zu verleihen.[354]« Ja, lasst uns dem Frieden Dauer verleihen, lasst uns sogar einen ewigen Frieden sichern! Die Souveräne werden einen Vertrag unterschreiben, durch den sie für sich und ihre Nachfolger auf alle Ansprüche Verzicht leisten, die sie gegeneinander haben können; der gegenwärtige Besitz wird als ein für alle Mal erworben und unveränderlich gelten; damit kein Staat mehr Truppen unterhält als seine Nachbarn, werden die militärischen Kräfte beschränkt werden, man wird ihre Zahl festlegen auf zwölftausend Reiter höchstens. Wenn trotz allem ein Konflikt entsteht, wird die Union einen Schiedsspruch fällen, im Notfall wird sie den Fürsten bekriegen, der sich weigert, sich einer von ihr geschaffenen Ordnung zu fügen, ein von ihr gefälltes Urteil anzuerkennen. Bin ständiger Kongress von Bevollmächtigten wird in einer freien Stadt, wie zum Beispiel Utrecht, Köln, Genf, Aachen, tagen ... Der Abt organisiert mit der Präzision, die Utopisten eigen ist, jedes kleinste Detail seines Traumes und berauscht sich an einem Wort, das ihm alle Hoffnung zu bergen scheint, dem Wort europäisch: europäischer Gerichtshof, europäische Armee, europäische Republik. Man möge auf ihn hören, und Europa wird statt eines Schlachtfeldes bald eine Gemeinschaft sein.

Aber als Leibniz im Jahre 1672 Frankreich für seinen großen Plan gewinnen wollte, war soeben Holland der Krieg erklärt worden; und es steht nicht ganz fest, ob

354 Ch. Castel de Saint-Pierre, Mémoires pour rendre la paix perpétuelle en Europa. Köln 1712. Vorwort.

580

Ludwig XIV. diesen Philosophen jemals empfangen hat, der aus Deutschland angereist kam, um ihm gute Ratschläge zu geben. Als der Abbé de Saint-Pierre vierzig Jahre später begann, ein Wahngebilde auf das andere zu türmen, ließen seine Zeitgenossen ihn seine verfrühten Träume ins Leere planen. Voll unverbrauchten Eifers und Unterstützung suchend, teilte er seine Pläne Leibniz mit, als dem alternden Vorkämpfer der großen Sache des Pazifismus, und Leibniz hat ihm voll Melancholie geantwortet. Er hat ihm erwidert, was den Menschen am meisten fehle, um sich von einer Unzahl von Übeln zu befreien, das sei der Wille dazu; im Notfall vermöchte ein tatkräftiger Fürst die Pest oder die Hungersnot an seinen Landesgrenzen aufzuhalten; aber es sei viel schwieriger, den Krieg zu verhindern, weil dies nicht von der Entscheidung eines einzelnen Menschen abhinge, vielmehr die Zusammenarbeit der Kaiser und Könige erfordere. Kein Minister, so sagte er, würde sich bereitfinden, dem Kaiser vorzuschlagen, auf die spanisch-indische Erbfolge zu verzichten. Die Hoffnung, die spanische Monarchie auf das Haus Frankreich übergehen zu lassen, sei die Quelle von fünfzig Jahren Krieg gewesen; es sei zu befürchten, dass die Hoffnung, das Haus Frankreich wieder daraus zu vertreiben, Europa noch weitere fünfzig Jahre durcheinanderbringen werde. »Meistens sind es Unabänderlichkeiten, welche die Menschen verhindern, glücklich zu sein . . .[355]«

Was ist Europa? Ein widerspruchsvolles, zugleich genau umrissenes und unbestimmtes Gebilde: Ein Gewirr von Schlagbäumen und vor jedem derselben Leute, de-

---

355 Leibniz an den Abbé de Saint-Pierre. Aus Hannover, am 7. Februar 1715. — Vergleiche vom selben Verfasser »Observations sur le projet d›une paix perpétuelle de M. l›Abbé de Saint-Pierre«, Œuvres éd. Foucher de Careil, Band IV.

ren Beruf es ist, Pässe zu fordern und Zölle zahlen zu lassen; jede nur mögliche Hemmung für brüderliche Beziehungen. Felder, die man so gründlich verschanzt, dass man keine Zeit mehr findet, sie zu bebauen; kein Morgen Land, um den man sich nicht seit Jahrhunderten gestritten hätte, und den jeder Besitzer nicht seinerseits einzäunte. Es gibt keine großen freien Räume mehr. Alles ist geregelt, festgelegt, abgegrenzt. Man ist eingezwängt, wird erstickt. Alles ist in Besitz genommen. »Ich bin so spät auf die Welt gekommen, dass ich kaum einen Fußbreit Erde finden kann, um mir eine Wohnstatt und ein Grab darauf zu schaffen.[356]«

Aber diese genauen Grenzen macht man dadurch ungewiss, dass man sie auf Grund von Eroberungen, Verträgen oder sogar einfach durch Besitzergreifen verrückt. Diese Schlagbäume schiebt man vor und zurück, hebt sie auf und führt sie wieder ein. Die Geografen haben die neuen Landkarten noch nicht fertiggestellt, und schon sind die Karten nicht mehr gültig.[357] Aus ganzen Staaten möchte man Anhängsel von anderen Staaten machen und die Pyrenäen abschaffen. Hieraus entsteht ein innerer Widerspruch: Europa setzt sich aus Gebilden zusammen, die es für unantastbar erklärt, und die anzutasten es nicht aufhört.

---

356 Marana, Entretiens d'un philosophe avec un solitaire sur plusieurs matières de morale et d'érudition, 1696, S. 29. Vergleiche auch S. 28: »Man versucht, die Streitigkeiten durch Gewalt und Übermacht zu entscheiden; der Stärkere wird immer den Sieg über den davontragen, der weniger in der Lage war, sich zu verteidigen; und so lange es Provinzen, Reiche und Völker geben wird, wird es auch Feindseligkeiten und Kriege geben, so wie es auch Laster geben wird, so lange es Menschen auf der Erde gibt ...«

357 Journal des Savants, 13. April 1693. In bezug auf den »Etat présent des affaires de l'Europe«, 1693: »Es gibt kaum einen Tag, wo sie nicht eine neue Veränderung erfahren.«

Nach dem Westen zu ist man ruhig: das Meer wird keine großen Barbarenflotten mehr hertragen; fremde Eroberer werden nicht mehr kommen und die tausendjährigen Dörfer verwüsten, und wenn es Kampf gibt, so Gott sei Dank nur unter Brüdern, unter Engländern, Franzosen, Portugiesen, Spaniern. — Im Mittelmeer vergnügen sich die Türken damit, die Reisenden und Uferbewohner zu schikanieren: wenigstens sind sie nicht mehr lebensgefährlich. — Welche Überraschung jedoch im Osten! Ehemals kam es darauf an, sich gegen die Gefahren des Halbmondes zu verteidigen, der sich der Zugangswege zur Zivilisation bemächtigt hatte. Jetzt liegt die Sache nicht mehr so einfach. Jetzt erscheinen an den Pforten des Ostens Millionen von Menschen, die sich, von ihrem Zaren gezwungen, Europa einverleiben wollen. Sie verlangen, man solle ihnen die Erzeugnisse von Amsterdam, London oder Paris senden, und auch Muster und Lehrmeister. Sie schneiden sich Haar und Bart, wechseln ihre Kleidung und lernen deutsch sprechen . . . Aber werden sie ihre Seelen ebenso schnell verwandeln? Werden sie sich mit der Rolle zurückgebliebener Schüler begnügen, die demütig anhören, was eine überlegene Menschheit sie zu lehren hat? Wenn man ihre Bitte erhört (und wie will man sie nicht erhören?), werden sie dann nicht zum Tausch ihre eigene Weisheit anbieten; ihre Weisheit oder ihren Wahnsinn? Diese Frage erhebt sich später, aber schon jetzt fühlt Europa sich gestört; es kommt aus dem Gleichgewicht durch dies Auch-Europa, diese Verlängerung, diese Nachahmung, diese Verfälschung seiner selbst, die an den Grenzen des Orients auftaucht.

Europa, ein Land der Zwietracht und der Eifersucht! Der Eifersucht, der Erbitterungen und Gehässigkeiten. Die Romanen verachten die Germanen mit ihrem plum-

583

pen Körper, ihrem ungeschlachten Temperament, ihrem schwerfälligen Geist. Die Germanen verachten die verbrauchten und verderbten Romanen. Die Romanen streiten untereinander. Es ist, als ob sie alle Qualen litten, wenn sie einer Nachbarnation Vorzüge zubilligen müssen; immer sind es die Fehler, die ihnen einfallen. Wie auf jenem Mantel von Asmodi, dem hinkenden Teufel, auf dem man eine Unzahl von mit chinesischer Tusche gezeichneten Gestalten erblicken kann; keine davon ist schön, alle sind sie verzerrt: eine spanische, mit ihrer Mantille bekleidete Dame fordert auf der Promenade einen Fremden heraus; eine französische Dame übt vor dem Spiegel ein neues Mienenspiel, um es bei einem jungen Abbé zu erproben, der geschminkt und mit Schönheitspflästerchen in der Tür ihres Zimmers erscheint; Deutsche sitzen aufgeknöpft und stark derangiert, des Weines voll und tabakverschmiert um einen Tisch, auf dem die Überreste ihres Gelages schwimmen; ein Engländer bietet einer Dame mit galanter Gebärde eine Pfeife und Bier[358] an . . . Und wenn man den Garten von Mr. Spectator betritt, ist es ähnlich : sobald die Blumen zu Symbolen der verschiedenen Nationen werden, hören sie auf, schön und wohlriechend zu sein: der Duft der italienischen Blumen ist allzu stark und beleidigt das Gehirn; der Duft der Blumen Frankreichs ist zwar künstlich gesteigert und scheint lebhaft und eindrucksvoll, aber er ist im Grunde doch nur schwach und flüchtig; die Blumen Deutschlands und des Nordens haben wenig oder gar keinen Duft, und haben sie doch welchen, so riechen sie schlecht.[359]

Und doch hört man, wenn man, wie wir, lange den Klagen und dem Stöhnen gelauscht hat, die aus diesem

358 Lesage, Le Diable boiteux. Kap. I.
359 Spectator, Nr. 455.

gequälten Stück Erde aufsteigen, aus all den Vorwürfen und Herausforderungen auch einen Ton von Stolz heraus. Man hört allmählich einen Hymnus aufsteigen, der die Verdienste eines Europa preist, dem keine Macht der Welt an Kraft, Verstand, Annehmlichkeiten und Pracht gleichkommt.

Zwar ist Europa in Wahrheit der kleinste der vier Erdteile, aber es ist auch der schönste, fruchtbarste und hat keine Einöden und Wüsten. Es ist am kultiviertesten, und die freien Wissenschaften und die mechanischen Fertigkeiten haben in ihm einen unvergleichlichen Aufschwung genommen. Mögen andere, wenn es ihnen beliebt, das Wunderbare preisen, das man an China entdecken kann: »Es gibt einen gewissen Genius, der Europa noch nie verlassen oder sich doch nur wenig davon entfernt hat. Vielleicht darf er sich nicht auf einmal über eine weite Bodenfläche ausdehnen, und vielleicht zieht ihm irgendein Fatum ziemlich enge Grenzen. Nützen wir ihn, solange wir ihn unser eigen nennen; das Beste daran ist, dass er sich nicht auf die Wissenschaften und auf trockene Spekulationen beschränkt; er erstreckt sich mit ebenso viel Erfolg auf die Annehmlichkeiten, in denen, wie ich glaube, kein Volk uns gleichkommt.[360]« Mag Europa innerlich noch so zerrissen sein, es ermannt sich, sobald man es den Kontinenten entgegenstellt, die es zu unterwerfen gewusst hat; und es würde sie wiederum unterwerfen, wenn es sich als notwendig erwiese. Im Geist seiner Völker überdauert die Erinnerung an die heroischen Meerfahrten, an die Entdeckungen, an die goldbeladenen Galeonen, an die ruhmreich auf den Ruinen heidnischer Reiche aufgepflanzten Fahnen. Und die Europäer fühlen sich noch immer, wie sie sich ausdrücken, »furchterre-

---

360 Fontenelle, Entretiens sur la pluralité des mondes, Sixième soir.

gend« und »kriegerisch«. »Falls Europa Orient und Okzident in Schrecken versetzen will, so wird ihm das gelingen, noch beinahe ehe es den Entschluss dazu gefasst
hat.« — »Bei dem geringsten Zeichen zum Losschlagen,
das die Fürsten geben, werden sie mehr Leute finden, die
freiwillig die Waffen ergreifen, einzig und allein aus dem
Wunsch, Ruhm zu erwerben, als die Asiaten und Afrika-
ner durch Gold, Geld und gute Worte zusammenbringen
können.[361]« Zerrissen, von dem lebhaften Bewusstsein
nicht nur seines Unglücks, sondern auch seiner Fehler
gepeinigt, beklagt Europa von allen empfindlichen Verlusten den seiner Glaubenseinheit am meisten und hat
die Hoffnung aufgegeben, jemals wieder wie dermaleinst
»die Christenheit« zu heißen — und trotz alledem bewahrt es das Gefühl eines ihm allein eigenen Privilegs,
einer Besonderheit, die jeder Vergleich nur verstärkt, deren Wert unverlierbar und einzig ist.

Was ist Europa? Ein Denken, das sich nie zufriedengibt. Ohne Mitleid mit sich selbst verfolgt es unaufhörlich zwei Spuren: die des Glücks und die der Wahrheit,
die ihm noch unentbehrlicher ist und noch mehr am Herzen liegt. Kaum hat es einen Zustand erreicht, der dieser
doppelten Forderung zu entsprechen scheint, so bemerkt
es, weiß es, dass seine unsichere Hand nur etwas Vorläu-
figes, etwas Relatives hält; und es beginnt die verzweifel-
te Suche von neuem, die sein Ruhm und seine Qual ist.

Außerhalb Europas und unberührt von der Zivilisation leben große Massen der Menschheit, ohne zu denken,
zufrieden, nur zu leben. Andere Rassen fühlen sich so
alt und erschöpft, dass sie auf eine Unruhe Verzicht ge-

---

361 Louis du May, Le prudent voyageur, Genf, 1681. Discours IV:
De l'Europa en général.

leistet haben, die sie nur mehr ermüden würde, und sich einer Unbeweglichkeit hingeben, die sie selbst Weisheit nennen, einem Nirwana, das sie Vollkommenheit heißen. Andere wieder haben es aufgegeben, zu erfinden, und ahmen unaufhörlich nach. Aber in Europa knüpft man des Nachts das Gespinst wieder auf, das der Tag gesponnen hat; man erprobt andere Fäden, zettelt einen neuen Einschuss an, und jeden Morgen erklingt der Lärm der Webstühle, die eifrig an Neuem arbeiten.

Wenn das so schwer zufriedenzustellende Europa jemals das Gefühl gehabt hat, es könne innehalten und sich ausruhen, weil es endlich sein Meisterwerk vollbracht habe, so war es in der klassischen Epoche. Konnte es schöner und mehr für die Dauer bestimmte Formen schaffen? So schön waren sie, so dauerhaft, dass wir sie noch heute bewundern, und dass sie würdig sind, auch unseren Kindern noch als Muster vorgeführt zu werden und den Kindern unserer Enkel ebenfalls. Aber diese Schönheit setzte eine ruhige Sicherheit in den Geistern derer voraus, die sie hervorgebracht hatten. Der Klassizismus hatte das Mittel gefunden, die christliche Weisheit zu üben, ohne auf die Weisheit der Antike zu verzichten; die Fähigkeiten der Seele ins Gleichgewicht zu bringen; die Ordnung auf Zufriedenheit und Bewunderung zu gründen; hundert andere Wunder zu vollbringen und — um alles in einem Wort zu sagen — den Menschen einen Zustand vorzuschlagen, der einer ruhigen Abgeklärtheit nahekam.

So hat Europa denn, glücklich im Anblick dieses denkwürdigen Resultats, einen Augenblick haltgemacht. Einen kurzen Augenblick hat es die Illusion gehabt, es könne inmitten von Perspektiven stille stehen, die so maßvoll und grandios waren, dass es ihm nie gelingen würde, richtigere und vollendetere zu finden.

Es war eine Hoffnung von allzu kurzer Dauer, die bald verleugnet wird; mehr eine Versuchung anzuhalten als ein wirkliches Haltmachen; denn Europa hat nicht aufgehört, seinem eigenen so harten Gesetz zu folgen. Bevor die Theoretiker einer Welt, die ihre Logik auf die freiwillige Anerkennung der Autorität gründete, noch ihre Theorien endgültig abschattiert hatten, traten schon neue Theoretiker auf den Plan, welche die Gefahren, die Missbräuche, die Fehler eben dieser Autorität geißelten und im Kampf gegen alles, was an Übermaß in ihr steckte, dazu gelangten, ihrem Begriff jeglichen Wert abzusprechen. So begann die Suche unter der Hand von neuem: Die Beängstigung erstand wieder unter einer scheinbar ruhigen Oberfläche; man brach auf, einem neuen Glück, einer neuen Wahrheit entgegen; und die Ruhelosen, die Wissbegierigen, die zunächst beschimpft, verfolgt worden waren und im Verborgenen blieben, traten ans Licht, wagten sich vor, wurden berühmt und forderten die Stellung von Führern und Meistern. Das ist die große Krise an der Wende des 17. zum 18. Jahrhundert, die wir sich vollziehen sahen.

Aber wovon nährt sich dies kritische Denken? wo hat es seine Kraft und Kühnheit her? Woher stammt es überhaupt?

Aus dem Abgrund aller Zeiten; aus der griechischen Antike; von dem oder jenem Theologen des mittelalterlichen Ketzertums; aus irgendeiner anderen fernen Quelle; aber ganz ohne Zweifel aus der Renaissance. Zwischen der Renaissance und der Epoche, die wir soeben untersucht haben, besteht eine unbestreitbare Verwandtschaft. Die gleiche Weigerung von Seiten der Künste, das Menschliche dem Göttlichen unterzuordnen. Das gleiche Vertrauen in das Menschliche, allein in das Menschliche, das die Grenze alles Realen ist, das alle Probleme löst oder diejenigen, die es nicht zu lösen vermag, nicht für existent hält, und das alle Hoffnungen einschließt. Die gleiche Intervention einer unbestimmt gelassenen und allmächtigen Natur, die nicht mehr das Werk des Schöpfers ist, sondern der Lebensdrang aller Wesen im Allgemeinen und des Menschen im Besonderen. Die gleichen Spaltungen: das Misslingen der kirchlichen Einigung am Ende des siebzehnten Jahrhunderts ist nur die Bestätigung des Schismas des sechzehnten, dem man vergeblich seinen definitiven Charakter zu nehmen versucht. Die gleichen unendlichen Dispute über die Chronologie, die Hexenmeister. Diese rauen Jahre, diese arbeitserfüllten und redlichen Jahre, wo jeder in die tiefsten Tiefen seiner Seele blickt, wo Herausforderer und Verteidiger sich bewusst sind, für die Gesamtheit ihrer Überzeugungen zu kämpfen, wo selbst die Skeptiker noch wie Fanatiker wirken, wo niemand zweifelt, dass es um eine endgültige Interpretation des Lebens geht, diese Jahre erscheinen uns wie eine zweite Renaissance. Sie sind nur strenger, herber und gleichsam desillusionierter: eine Renaissance ohne Rabelais, eine Renaissance ohne Freude.

Es handelt sich hier nicht um eine unbestimmte Ähnlichkeit, sondern um eine leicht nachweisbare historische Beziehung. Diese angespannten Arbeiter, diese Verfasser von Folianten, diese Vielleser, deren Hunger nie gestillt ist, machen zwar wenig Aufhebens von den Poeten, die der Renaissance ihren Charme und ihr Lächeln verliehen haben, aber die Philosophen, die ihre kühne Seele geformt haben, und die sie in die Wonnen und Ängste eines hemmungslosen Denkens eingeweiht haben, kennen sie genau. Sie haben ihnen gelauscht, haben sie bewundert und sind ihnen gefolgt. Pierre Bayle ist der Erbe der Freidenker-Epigonen, die das 16. Jahrhundert noch im 17. vertreten. Er liebt La Mothe Le Vayer, dessen Dialoge nach ihm außerordentlich kühne, die Religion und die Existenz Gottes betreffende Dinge enthalten. Er zitiert Lucilio Vanini als den glorreichen Märtyrer des Unglaubens. Aus der späteren Zeit kennt er Jean Bodin, Charron, Michel de L'Hospital und selbstverständlich Montaigne, der ihn in seinem Altfranzösisch darauf aufmerksam gemacht hat, dass es viele Leute gibt, welche die Tatsachen stehen- und liegenlassen, um den Ursachen nachzujagen; und da9 hat man nur allzu deutlich am Beispiel der Kometen gesehen. Er kennt außerdem wie die meisten seiner großen Zeitgenossen auch Giordano Bruno, der »ein Mann von viel Geist war, aber seine Einsicht schlecht anwandte, denn er griff nicht nur die Philosophie des Aristoteles an in einer Zeit, da man das nicht tun konnte, ohne tausenderlei Schwierigkeiten zu beschwören, sondern er griff auch die wichtigsten Glaubenswahrheiten an«. Er kennt Cardan, »einen der größten Geister des Jahrhunderts«, einen »Mann von besonderer Art«, »der behauptet, dass diejenigen, welche die Ansicht vertreten, die Seele stürbe mit dem Körper, ihren Prinzipien nach bessere Leute sind als die anderen«; er kennt Pomponazzi. Wen kennt er nicht? Er kennt Palingenius, den Ketzer, den Lieblingsautor des Sieur Naudé;[362] er kennt ganz im Allgemeinen alle diejenigen, die kein anderes Gesetz haben anerkennen wollen als das der menschlichen Vernunft.[363]

Ebenso ist einem Richard Simon keiner derjenigen unbekannt, die sich vor ihm über die Schrift gebeugt haben,

---

362 Gabriel Naudé (1600 — 1653), französischer Bibliograph und Historiker. Bibliothekar Barberinis, Richelieus und Mazarins. War eine Zeitlang in Stockholm bei Christine von Schweden. Auf der Rückreise von dort stirbt er. Anm. d. Übers.
363 Pensées sur la Comète passim und Dictionnaire.

und deren einziges Ziel es war, wie er von Guillaume Postel[364] sagt, «das ganze Universum dem wahren Gebrauch der Vernunft zu unterwerfen«. Der Respekt vor den Texten, die Kenntnis der gelehrten Sprachen, die Fortschritte der Philologie, alles Licht, das seinen Weg erleuchtet hat, stammt aus der Renaissance. Er befolgte das Beispiel seiner ihm zeitlich sehr fernen Lehrer vom Collège Royal: »Ich habe«, so schreibt er, »die Akten eines Prozesses in Händen, welchen die theologische Fakultät von Paris gegen die königlichen Professoren auf Hebräisch und Griechisch geführt hat, vier Jahre nach deren Einsetzung.[365]«

Diese unzweifelhafte Beziehung ist schon zu ihren Lebzeiten bemerkt worden. Bossuet fasst in einem gemeinsamen Verdammnisurteil »einen Erasmus und einen Simon zusammen, die sich unter dem Vorwand irgendeines Ansehens, das sie in der schönen Literatur und den Sprachen genießen, anmaßen, zwischen dem heiligen Hieronymus und dem heiligen Augustin Entscheidungen zu fällen[366]«; während die Bewunderer von Bayle finden, man solle ihm eine Statue neben der des Erasmus in Rotterdam errichten.[367] Die Feinde der Philosophie verurteilten im gleichen Atem Spinoza, Bruno, Cardan und die italienische Renaissance, welche die Irrtümer des Heidentums wiedererweckt und den Atheismus über

---

364 Guillaume Postel (1510 — 1581). Reist im Orient und versucht Islam und Christentum zu versöhnen. Anm. d. Übers.

365 Lettres choisies, Lettres 5, 9, 23.

366 Défense de la tradition et des Saints Pères. Kap. XX, Buch III. Teil I: Audacieuse critique d'Erasme sur Saint Augustin, soutenue par M. Simon.

367 Vergleiche Bayle, Correspondance, Ausg. Gigas, Vorwort, S. IX. Pierre Jurieu, Le philosophe de Rotterdam accusé, atteint, et convaincu, 1706, S. 2.

die Welt verbreitet hat;[368] ihre Freunde verherrlichen das Ende des 15. Jahrhunderts und den Beginn des 16., von dem die Strahlen eines neuen Lichtes ausgegangen sind.[369]

Die Entwicklung des modernen Denkens hat sich also etwa folgendermaßen vollzogen. Von der Renaissance an treten ein Trieb zur Erfindung, eine Leidenschaft für Entdeckungen und ein kritisches Bedürfnis so deutlich zutage, dass man sie als die das Bewusstsein Europas beherrschenden Züge ansehen kann. Ungefähr um die Mitte des 17. Jahrhunderts kommt es zu einem vorübergehenden Stillstand; ein paradoxes Gleichgewicht entsteht zwischen den sich widersprechenden Elementen; es kommt zu einer Aussöhnung zwischen den feindlichen Mächten, und es entsteht jene im eigentlichen Sinne des Wortes wunderbare Leistung: der Klassizismus. Er bedeutet eine Macht der Beruhigung, eine ruhige Kraft, das Beispiel einer Abgeklärtheit, die von Menschen bewusst herbeigeführt wird, die, wie alle Menschen, Leidenschaften und Zweifel kennen, aber nach den Verwirrungen des vorhergegangenen Jahrhunderts nach einer heilbringenden Ordnung streben. Nicht als ob der Geist der Kritik völlig erloschen wäre: er lebt bei den Klassikern selbst fort, aber diszipliniert, eingedeicht, und wird vor allem darauf verwandt, die Meisterwerke, die ihren Ewigkeitswert erst in langer geduldiger Arbeit erhalten, bis zum höchsten Punkt der Vollendung zu führen. Er lebt auch bei den Rebellen fort, die im Schatten warten, bis sie an der Reihe sind. Er lebt fort bei denen, die zwar

---

368 Siehe John Evelyn, The history of religion, London, 1850, Vorwort S. XXVII. — Ch. Korholt, De tribus impostoribus magnis liber, Kilonii, 1680, Anfang.

369 L. P., Two Essays sent in a letter from Oxford to a nobleman in London. London 1695.

die politischen und sozialen Institutionen unterminieren, aber gleichzeitig mit ihnen paktieren, davon profitieren und sich dadurch ein angenehmes Leben schaffen, bei den Aristokraten der Revolution wie Saint-Évremond und Fontenelle.

So gewinnen denn auch im Augenblick, wo der Klassizismus aufhört, eine Anstrengung, ein Wille, eine bewusste Unterordnung zu sein, und stattdessen zu einer Gewohnheit, einem Zwang wird, die verdrängten Neuerungstendenzen Kraft und Schwung zurück; und das europäische Denken macht sich wieder an seine endlose Suche. Die nun folgende Krise setzt so schnell und plötzlich ein, dass sie überraschend wirkt: während sie im Grunde durch eine Tradition von Jahrhunderten vorbereitet und in Wahrheit nur eine Wiederholung, eine Fortsetzung ist.

Umfassend, beherrschend und tiefgehend, bereitet sie ihrerseits, noch bevor das 17. Jahrhundert vollendet ist, das gesamte 18. vor. Die entscheidende Ideenschlacht findet vor 1715 und sogar vor 1700 statt. Die Kühnheiten der *Aufklärung* in der nach ihr so benannten Epoche erscheinen blass und bescheiden neben den aggressiven Kühnheiten des *Tractatus theologico-politicus*, neben den schwindelerregenden Kühnheiten der *Ethik*. Weder Voltaire noch Friedrich II. haben die antiklerikale, antireligiöse Raserei eines Toland erreicht. Ohne Locke hätte d'Alembert den *Discours préliminaire de l'Encyclopédie* nicht geschrieben. Das Philosophengezänk ist nicht erbitterter gewesen als die Streitigkeiten, von denen Holland und England widerhallten. Selbst der Primitivismus Rousseaus war nicht radikaler als der des Wilden Adario, den der Rebell Lahontan auftreten lässt. Von dieser Periode, die so reich und erfüllt ist, dass sie verworren erscheint, gehen ganz klar und unverkennbar die beiden großen Strömungen aus, die das ganze Jahrhundert hin-

593

durch weiterfließen werden; die eine ist die rationalistische Strömung; die andere, winzig in ihren Anfängen,
aber später über ihre Ufer tretend, ist die sentimentale
Strömung. Und da es in dieser Krise darum ging, die den
Denkern vorbehaltenen Bezirke zu verlassen und sich der
Masse zu nähern, um sie zu packen und zu überzeugen;
da man die Grundprinzipien der Herrschaft und den Begriff des Rechtes antastete; da man die Gleichheit und
vernunftbegründete Freiheit des Individuums verkündig-
te; da man von den Menschen- und Bürgerrechten sprach,
so lässt sich erkennen, dass fast alle geistigen Haltungen,
die in ihrer Gesamtheit zur Französischen Revolution
führten, schon vor dem Ende der Regierung Ludwigs
XIV. geprägt worden sind. Der Gesellschaftsvertrag, die
Übertragung der Gewalt, das Recht zur Auflehnung der
Untertanen gegen den Fürsten: alles um 1760 uralte Geschichten! Schon fast seit einem Jahrhundert diskutierte
man sie in aller Öffentlichkeit.

Alles ist in allem — wir wissen es. Nichts ist neu, auch
das wissen wir, da wir selbst soeben die Verwandtschaf-
ten und Beziehungen aufgezeigt haben. Aber wenn man
Neuheit (und es scheint in der Tat, als ob es im Bereich
des Geistes keine andere Art von Neuheit gibt), wenn
man Neuheit eine lange Vorbereitung nennt, die endlich
zum Ziel führt: das Wiederaufleben ewiger Tendenzen,
die, nachdem sie in der Erde geruht haben, eines Tages
aufsprießen und dabei eine Kraft und einen Glanz zeigen, die den unwissenden und vergesslichen Menschen
unbekannt Vorkommen; wenn man Neuheit eine gewisse Art, die Probleme zu stellen, nennt, einen gewissen
Akzent, einen gewissen inneren Rhythmus; eine gewisse
Entschlossenheit, eher die Zukunft als die Vergangenheit zu betrachten, sich vom Vergangenen frei und es sich
gleichzeitig zunutze zu machen; wenn man schließlich

Neuheit das Eingreifen von Ideenkräften nennt, die stark und selbstsicher genug werden, um sichtbar auf die tägliche Praxis einzuwirken: dann hat sich eine Veränderung, deren Konsequenzen bis in unsere gegenwärtige Epoche fortwirken, in jenen Jahren vollzogen, wo Genies mit Namen Bayle, Locke, Spinoza, Newton, Bossuet, Fénelon und Leibniz, um nur die größten zu nennen, eine totale Gewissensprüfung vorgenommen haben, um die Wahrheiten, die das Leben beherrschen, aufs neue freizulegen. Um es mit einem von ihnen, mit Leibniz, zu sagen und gleichzeitig auf die moralische Welt zu übertragen, was er von der politischen Welt sagte: *Finis saeculi novam rerum faciem aperuit* [370]: In den Jahren, die das 17. Jahrhundert beschlossen, hat eine neue Ordnung der Dinge begonnen.

---

370 Œuvres, éd. Foucher de Carell, Band III: Status Europae incipiente novo saeculo.

2021

Ingram Content Group UK Ltd.
Milton Keynes UK
UKHW020731300523
422561UK00009B/63